中国近现代中医药期刊续编

第二辑

中国医学院第五届毕业纪念刊

王咪咪◎主编

2020年度北京市优秀古籍整理出版扶持项目

北京科学技术出版社

图书在版编目（CIP）数据

中国医学院第五届毕业纪念刊 / 王咪咪主编. -- 北京：北京科学技术出版社, 2021.7
（中国近现代中医药期刊续编. 第二辑）
ISBN 978-7-5714-1486-3

Ⅰ. ①中… Ⅱ. ①王… Ⅲ. ①中国医药学—医学期刊—汇编—中国—民国 Ⅳ. ①R2-55

中国版本图书馆CIP数据核字(2021)第049362号

策划编辑： 侍　伟　段　瑶
责任编辑： 侍　伟　王治华
文字编辑： 白世敬　刘　佳　陶　清　孙　硕　刘雪怡　吕　艳
责任校对： 贾　荣
图文制作： 北京艺海正印广告有限公司
责任印制： 李　茗
出 版 人： 曾庆宇
出版发行： 北京科学技术出版社
社　　址： 北京西直门南大街16号
邮政编码： 100035
电　　话： 0086-10-66135495（总编室）　0086-10-66113227（发行部）
网　　址： www.bkydw.cn
印　　刷： 北京捷迅佳彩印刷有限公司
开　　本： 787mm×1092mm　1/16
字　　数： 175.38千字
印　　张： 18.75
版　　次： 2021年7月第1版
印　　次： 2021年7月第1次印刷
ISBN 978 - 7 - 5714 - 1486 - 3

定　　价： **480.00元**

《中国近现代中医药期刊续编·第二辑》编委会名单

序

2012年上海段逸山先生的《中国近代中医药期刊汇编》（下文简称“《汇编》”）出版，这是中医界的一件大事，是研究、整理、继承、发展中医药的一项大工程，是研究近代中医药发展必不可少的历史资料。在这一工程的感召和激励下，时隔七年，我所的王咪咪研究员决定效仿段先生的体例、思路，尽可能地将《汇编》所未收载的新中国成立前的中医期刊进行搜集、整理，并将之命名为《中国近现代中医药期刊续编》（下文简称“《续编》”）进行影印出版。

《续编》所选期刊数量虽与《汇编》相似，均近50种，但总页数只及《汇编》的1/4，约25000页，其内容绝大部分为中医期刊，以及一些纪念刊、专题刊、会议刊；除此之外，还收录了《中华医学杂志》1915—1949年所发行的35卷近300期中与中医发展、学术讨论等相关的200余篇学术文章，其中包括6期《医史专刊》的全部内容。值得强调的是，《续编》将1951—1955年、1957年、1958年出版的《医史杂志》进行收载，这虽然与整理新中国成立前期刊的初衷不符，但是段先生已将1947年、1948年（1949年、1950年《医史杂志》停刊）的《医史杂志》收入《汇编》中，咪咪等编者认为把20世纪50年代这7年的《医史杂志》全部收入《续编》，将使《医史杂志》初期的各种学术成果得到更好的保存和利用。我以为这将是对段先生《汇编》的一次富有学术价值的补充与完善，对中医近现代的学术研究，对中医整理、继承、发展都是有益的。医学史的研究范围不只是中国医学史，还包括世界医学史，医学各个方面的发展史、疾病史，以及从史学角度谈医学与其关系等。《续编》中收载的文章虽有的出自西医学家，但提出来的问题，对中医发展有极大的推进作用。陈邦贤先生在

《中国医学史》的自序中有“世界医学昌明之国，莫不有医学史、疾病史、医学经验史……岂区区传记遽足以存掌故资考证乎哉！”陈先生将其所研究内容分为三大类：一为关于医学地位之历史，二为医学知识之历史，三为疾病之历史。医学史的开创性研究具有连续性，正如新中国成立初期的《医史杂志》所登载的文章，无论是陈邦贤先生对医学史料的连续性收集，还是李涛先生对医学史的断代研究，他们对医学研究的贡献都是开创性的和历史性的；范行准先生的《中国预防医学思想史》《中国古代军事医学史的初步研究》《中华医学史》等，也都是一直未曾被超越或再研究的。况且那个时期的学术研究距今已近百年，能保存下来的文献十分稀少。今天能有机会把这样一部分珍贵文献用影印的方式保存下来，将是对这一研究领域最大的贡献。同时，扩展收载1951—1958年期间的《医史杂志》，完整保留医学史学科在20世纪50年代的研究成果，可以很好地保持学术研究的连续性，故而主编的这一做法我是支持的。

以段逸山先生的《汇编》为范本，《续编》使新中国成立前的中医及相关期刊保存得更加完整，愿中医人利用这丰富的历史资料更深入地研究中医近现代的学术发展、临床进步、中西医汇通的实践、中医教育的改革等，以更好地继承、挖掘中医药伟大宝库。

李经纬 九十老人

2019年11月于中国中医科学院

前　言

《汇编》主编段逸山先生曾总结道，中医相关期刊文献凭藉时效性强、涉及内容广泛、对热门话题反映快且真实的特点，如实地记录了中医发展的每一步，记录了中医人每一次为中医生存而进行的艰难抗争，故而是中医近现代发展的真实资料，更是我们今天进行历史总结的最好见证。因此，中医药期刊不但具有历史资料的文献价值，还对当今中医药发展具有很强的借鉴意义。

本次出版的《续编》有五六十册之规模，所收集的中医药期刊范围，以段逸山先生主编的《汇编》未收载的新中国成立前50年中医相关期刊为主，以期为广大读者进一步研究和利用中医近现代期刊提供更多宝贵资料。

《续编》收载期刊的主要时间定位在1900—1949年，之所以不以1911年作为断代，是因为《绍兴医药学报》《中西医学报》等一批在社会上很有影响力的中医药期刊是1900年之后便陆续问世的，从这些期刊开始，中医的改革、发展等相关话题便已被触及并讨论。

在历史的长河中，50年时间很短，但20世纪上半叶的50年却是中医曲折发展并影响深远的50年。中国近代，随着西医东渐，中医在社会上逐步失去了主流医学的地位，并逐步在学术传承上出现了危机，以至于连中医是否能名正言顺地保存下来都变得不可预料。因此，能够反映这50年中医发展状况的期刊，就成为承载那段艰难岁月的重要载体。

据不完全统计，这批文献有1500万～2000万字，包括3万多篇涉及中医不同内容的学术文章。这50年间所发生的事件都已成为历史，但当时中医人所提出的问题、争论的焦点、未做完的课题一直在延续，也促使我们今天的中医人要不断地回头看，思考什么才是这些问题的答案！

中医到底科学不科学？中医应怎样改革才能适应社会需要并有益于中医的发展？120年前，这个问题就已经在社会上被广泛讨论，在现存的近现代中医药期刊中，这一类主题的文章有不下3000篇。

中医基础理论的学术争论还在继续，阴阳五行、五运六气、气化的理论要怎样传承？怎样体现中国古代的哲学精神？中医两千余年有文字记载的历史，应怎样继承？怎样整理？关于这些问题，这50年间涌现出不少相关文章，其中有些还是大师之作，对延续至今的这场争论具有重要的参考价值。

像章太炎这样知名的近代民主革命家，也曾对中医的发展有过重要论述，并发表了近百篇的学术文章，他又是怎样看待中医的？此类问题，在这些期刊中可以找到答案。

最初的中西医汇通、结合、引用，对今天的中西医结合有什么现实意义？中医在科学技术如此发达的现代社会中如何建立起自己完备的预防、诊断、治疗系统？这些文章可以给我们以启示。

适应社会发展的中医院校应该怎么办？教材应该是什么样的？根据我们在收集期刊时的初步统计，仅百余种的期刊中就有五十余位中医前辈所发表的二十余类、八十余种中医教材。以中医经典的教材为例，有秦伯未、时逸人、余无言等大家在不同时期从不同角度撰写的《黄帝内经》《伤寒论》《金匮要略》等教材二十余种，其学术性、实用性在今天也不失为典范。可由于当时的条件所限，只能在期刊上登载，无法正式出版，很难保存下来。看到秦伯未先生所著《内经生理学》《内经病理学》《内经解剖学》《内经诊断学》中深入浅出、引人入胜的精彩章节，联想到现在的中医学生在读了五年大学后，仍不能深知《黄帝内经》所言为何，一种使命感便油然而生，我们真心希望这批文献能尽可能地被保存下来，为当今的中医教育、中医发展尽一份力。

新中国成立前这50年也是针灸发展的一个重要阶段，在理论和实践上都有很多优秀论文值得被保存，除承淡安主办的《针灸杂志》专刊外，其他期刊上也有许多针灸方面的内容，同样是研究这一时期针灸发展状况的重要文献。

在中医的在研课题中，有些同志在做日本汉方医学与中医学的交流及互相影响的研究，这一时期的期刊中保存了不少当时中医对日本汉方医学的研究之作，而这些最原始、最有影响的重要信息载体却面临散失的危险，保护好这些文献就可以为相关研究提供强有力的学术支撑。

在这50年中，以期刊为载体，一门新的学科——中国医学史诞生了。中国医学史首次以独立的学科展现在世人面前，为研究中医、整理中医、总结中医、发展中医，把中医推向世界，再把世界的医学展现于中医人面前，做出了重大贡献。创建中国医学史学科的是一批忠实于中医的专家和一批虽出身西医却热爱中医的专家，他们潜心研究中医医史，并将其成果传播出去，对中医发展起到了举足轻重的作用。《古代中西医药之关系》《中国医学史》《中华医学史》《中国预防医学思想史》《传染病之源流》等学术成果均首载于期刊中，作为对中医学术和临床的提炼与总结，这种研究将中医推向了世界，也为中医的发展坚定了信心。史学类文章大都较长，在期刊上大多采用连载的形式发表，随着研究的深入也需旁引很多资料，为使大家对医学史初期的发展有一个更全面、连贯的认识，我们把《医史杂志》的收集延至1958年，为的是使人们可以全面了解这一学科的研究成果对中医发展的重要作用。《医史杂志》创刊于1947年，在此之前一些研究医学史的专家利用西医刊物《中华医学杂志》发表文章，从1936年起《中华医学杂志》不定期出版《医史专刊》。（《中华医学杂志》是西医刊物，我们已把相关的医学史文章及1936年后的《医史专刊》收录于《续编》之中。）这些医学史文章的学术性很强，但其中大部分只保存在期刊上，期刊一旦散失，这些宝贵的资料也将不复存在，如果我们不抢救性地加以保护，可能将永远看不到它们了。

上述的一些课题至今仍在被讨论和研究，这些文献不只是资料，更是前辈们一次次的发言。能保存到今天的期刊，不只是文物，更是一篇篇发言记录，我们应该尽最大的努力，把这批文献保存下来。这50年的中医期刊、纪念刊、专题刊、会议刊，每一本都给我们提供了一段回忆、一个见证、一种警示、一份宝贵的经验。这批1500万～2000万字的珍贵中医文献已到了迫在眉睫需要保护、研究和继承的关键时刻，它们大多距今已有百年，那时的纸张又是初期的化学纸，脆弱易老化，在百年的颠沛流离中能保留至今已属万分不易，若不做抢救性保护，就会散落于历史的尘埃中。

段逸山、王有朋等一批学术先行者们以高度的专业责任感，克服困难领衔影印出版了《汇编》，以最完整的方式保留了这批期刊的原貌，最大限度地保存了这段历史。段逸山老师所收载的48种医刊，其遴选标准为现存新中国成立前保留时间较长、发表时间较早、内容较完备的期刊，其体量是现存新中国成立前期刊的三分之二以上，但仍留有近三分之一的期刊未能收载出版。正如前面所述，每多保留一篇文献都是在保留一份历史痕迹，故对《汇编》未收载的期刊进行整理出版有着重要意义。北京科学技术出版社秉持传承、发展中医的责任感与使命感，积极组织协调本书的出版事宜。同时，在出版社的大力支持下，本书入选北京市古籍整理出版资助项目，为本书的出版提供了可靠的经费保障。这些都让我们十分感动。希望在大家的共同努力下，我们能尽最大可能保存好这批期刊文献。

近现代中医可以说是对旧中医的告别，也是更适应社会发展的新中医的开始，从形式上到实践上都发生了巨大的改变。这50年中医的起起伏伏，学术的争鸣，教育的改变，理论与临床的悄然变革，都值得现在的中医人反思回顾，而这50年的文献也因此变得更具现实研究意义。

《续编》即将付梓之际，恰逢全国、全球新冠肺炎疫情暴发，在此非常时期能如期出版实属难得；也借此机会向曾给予此课题大量帮助和指导的李经纬、余瀛鳌、郑金生等教授表示最诚挚的感谢。

王咪咪

2020年2月

目　录

中国近现代中医药期刊续编·第二辑

中国医学院第五届毕业纪念刊

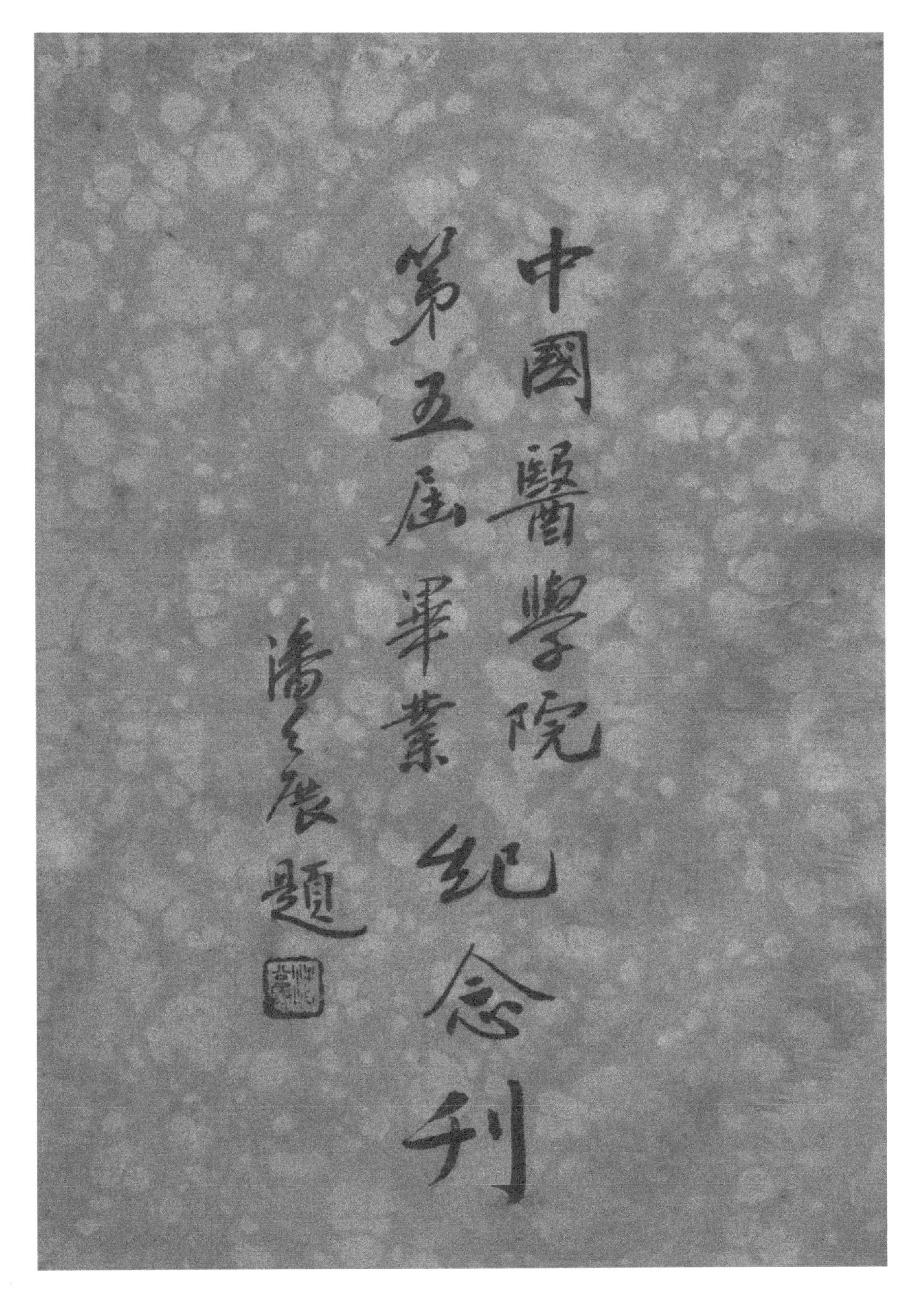
中國醫學院
第五屆畢業紀念刊
潘公展題

·白页·

中國醫學院第五屆畢業紀念刊目錄

以上畢業論文以姓名筆劃爲序張姓誤排於項姓之後

卷頭語（文芳）

中國醫學。未經現代學者加以具體而適當之整理。故每嫌其蕪雜而不精。中醫教育。未經行政機關明定翔實而有序之學程。大足使人傍徨而莫知適從。於此狀況之下。開辦中醫學院。豈不戛戛乎其難哉。關於前者。製定教材標準（見本學院教學方案第三條）得本院諸同人暨諸同學之努力。已見端倪。而困難自解。關於後者。文芳雖在教育界中醫界先後服務有年。實覺無所憑藉。爲之確定。最苦忝長本院教務。在勢不得不杜撰一個教學方案。立此目標。庶能向此標的。共同邁進。俾免舉棋不定。暮四朝三。有妨進展。文芳確信中國醫學之眞價值。在治療上之實驗。不在理論上之空談。更確信科學須根據事實探演而產生。決無離乎事實可以自詡爲科學之理。是以在杜撰之教學方案內。盡力注重實習。其期限訂有二年之長。合諸講堂功課。三年計受五年教育。庶幾畢業生學驗兩富。出而問世。爲中醫界加添健全人材。更利用交錯法。使三年級上午實習。午後增加時間。繼續授課。縮短一學年而無害於應得之學業。非敢取巧。要亦爲青年學子求時間上之經濟而已。近一二年來。四方就學者日衆。突破全國各中醫學院之記錄。朋儕據以爲賀。實使中心惴惴。而汗浹於背。良以學子增多。設或教務上不能同時增進。則誤人子弟。罪戾將隨之增重也。本屆畢業。列數爲五。實爲依此教學方案。受有二年實習機會而畢業之第一批。深獲海上名醫丁仲英祝味菊徐小圃郭柏良秦伯未方公溥等諸先生暨各大中醫院主任指導。實習興味盎然。經驗獨富。惜乎作文論理。未能與之俱進。顧此失彼。美中未免不足。顧亦不敢自藏其拙。蹈護短掩耻之譏。爰將畢業論文。付諸梨棗。以求有道之指正。

本學院教學方案

宗旨　本學院遵照中華民國教育宗旨。以研究中國歷代醫學技術。融化新知。養成國醫專門人材。充實人民生活。扶植社會生存。發展國民生計。延續民族生命。爲宗旨。

學程　一年級黨義、國文、生理解剖、藥物、醫經、醫學常識、醫史、衛生、醫論、病理、方劑、傷寒等科。
二年級黨義、國文、藥物、醫學常識、傷寒、病理、方劑、診斷、溫病、外科、醫論、婦科、兒科、雜病等科。
三年級上午臨症實習。下午金匱、經方、外科、婦科、兒科、花柳、喉科、眼科、溫病、雜病等科。
四年級(一)臨症處方(二)教師指導(三)同級研究(四)課外閱讀

教材　整理固有醫學之精華。列爲顯明之系統。運用合於現代之理論。製爲完善之學說。生理、解剖、外科、急救。採用西醫學術。各科講義。均由教授自編。

實習　三年級生每日上午至名醫處臨症實習。四年級生於教師指導下於本院施診所臨症處方。在醫院內臨床實習。

本級史略

魏平孫

初本院爲章太炎先生任院長。秦伯未先生任教務之責。陸氏淵雷章氏次公等爲本院教授。既而諸公因立場所異。合作爲難。故另有國醫學院之設立。本院原有同學。亦被牽動而去者大半。至民十九夏。包識生先生長本院。傅雍言先生爲教務主任。始有第一屆之畢業。本級卽斯年之一年級也。全級同學約二十人左右。課程有生理解剖醫史藥物內經等課。由吳克潛包天白諸先生擔任教授。均講解精確。易於明瞭。尤以秦伯未先生所授之內經一課。諸同學靡不聽得鼓舞歡欣。至下學期插班者有朱殿楊懷珍等。加聘傅仲明先生授西解剖學。樂庸齋先生授西藥學。皆西醫界知名之士。斯年秋。本級升爲二年級。插班者有王輝中等。於斯時最值得紀念者。卽院長包識生先生親授已所著之病理經方二課。其所用數十載經方之經驗。悉按條例申出。我同學如茫茫大海。忽獲明燈。春風之惠。誠非淺也。他如張贊臣先生之診斷。盛心如先生之方劑。莊廣卿先生之溫病。天白先生之傷寒。各講義皆諸師得意之編。課程精緊。斯時爲最。奈好景不長。九一八之慘史發生矣。滬上各大學。羣起抗日。學生有義勇軍之組織。本院愛國之舉。不敢後人。亦組有義軍。加緊訓練。既而學聯會成立。函召本院參加。且推本院爲文書股主任。由本級朱殿同學出席代表。朱同學之辦事精敏。冠諸儕輩。其努力抗日工作。與愛國熱忱。固本級光榮史之一頁也。未幾寒假期至。本院院董郭伯良先生有鑒院址不敷應用。捐有中山路底地基數畝。將興興建築。適値一二八之滬戰又暴發。本院損失甚鉅。下學期之進行。幾告停頓。新院基之建築。亦告中止。夏朱鶴皋先生出而負責全權辦理。由蔣文芳先生任教務之責。公推年高德劭之薛文元先生爲院長。于是本院又得豁然開朗。利用暑假期內。通知諸學子來院補授二十年度下學期之課程。本級仍爲二年級。最使人感佩者。卽諸教授雖當酷暑。仍按時授課。無或間斷。其教學之熱忱。誠無與以倫比。旋本級又升三年級矣。斯時國醫學院停辦。失學諸生。多由彼而轉此。轉入本級者有汪寅章周桂庭陳耀華劉民鑄李冰妍等諸同學。濟濟一堂。本級盛極一時。上午同學赴各醫院或教師處分別實習。下午照常上課。包前院長不知老之將至。仍抱教育人材爲已任。復來本級加授金匱一課。繼授經方。我同學又若大旱之逢雲雨者。然同時有張劍雄先生之西外科。許半龍先生之中外科。斯時也中西各展其長。學說之爭。瀰漫全級。取長舍短。幸

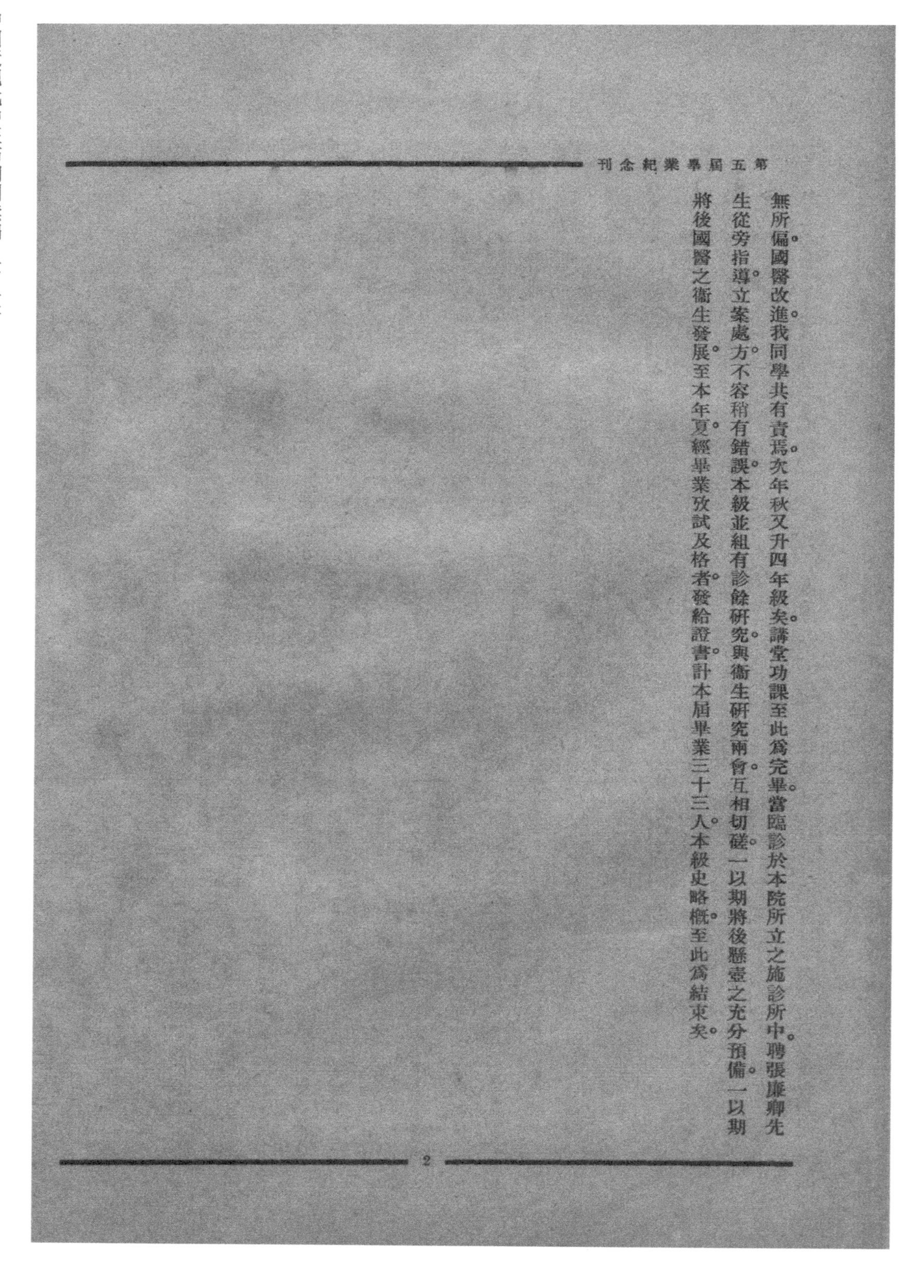

無所偏。國醫改進。我同學共有責焉。次年秋又升四年級矣。講堂功課至此爲完畢。當臨診於本院所立之施診所中。聘張廉卿先生從旁指導。立案處方。不容稍有錯誤。本級並組有診餘研究與衛生研究兩會。互相切磋。一以期將後懸壺之充分預備。一以期將後國醫之衞生發展。至本年夏。經畢業攷試及格者。發給證書。計本屆畢業三十三人。本級史略。概至此爲結束矣。

院長
薛文元

特別講座講師

丁福保

特別講座講師

謝利恆

朱南山

事務主任 黃寶忠

主席院董 朱鶴皋

實習教授 朱小南

實習教授 趙實夫

實習教授 馬濟仁

公會常委實習教授
郭柏良

公會常委實習教授
丁仲英

實習教授
祝味菊

實習教授
方公溥

實習教授
秦伯未

實習教授
嚴蒼山

實習教授
丁伯安

實習教授
徐小圃

實習教授
俞[illegible]山

實習教授
李遇春

國文教授
沈嘯谷

黨義教授
喩仲標

內科學金匱教授
包識生

內科學傷寒教授
包天白

內科學溫病教授
章巨膺

解剖學教授
葉信誠

西外科教授
張劍雄

外科喉科教授
許半龍

兒科學教授
吳克潛

病理學教授
沈石頑

施診所指導
張廉卿

時方學教授
盛如心

藥物學教授
景芸芳

內經教授
章鶴年

婦科學教授
朱壽明

王君以文字。華國。浙江麗水人。擅長藻墨。初主淳安縣公安局筆政。嗣因身體孱弱。不願爲五斗而作幕僚。遂辭歸。以修養兼濟人計。乃稍習俞跗之學。會有鄉間庸醫亂藥治病。君見而阻之。醫不惟不悛。且反唇相斥。曰若非此道中人。不知個中之旨。何饒舌爲。君不與較。惟出語人曰。病危藥逆。恐無救矣。病家不知君能諳醫。亦不肯信。俄病者竟爲醫所誤。君有鑒于此。深慨庸醫之殘生。而憫蒼生之不幸。思有以補救之。于是學醫之志益堅。民二一年。適本院招考新生。君即來申應試。得升三年級。越一年。學業大進。診病如見藏府。每他醫束手之症。君輒治之。故在院中實習時。君獨應病家之請。以至出診無虛日。蓋君之聲譽早已傳播于滬上矣。君性復聰穎。且又勤讀。四大家而外。旁及諸賢名著。與夫歐西醫學。無不兼習。每覽一書。朗朗可背誦。君與陞同級。陞每有疑難。以質之君。莫不歷歷舉告。所以兩年而來。均樂與君同寓。殆欲籍君之指導。以開已之茆塞也。流光如矢。畢業將屆。良友分袂。無以爲贈。聊述君之小傳以爲誌別。

湯溪項廷陞敬撰

教務長 蔣文芳

王君輝中。字德純。江蘇上海人。爲浦左名醫介眉先生之哲嗣也。敏慧好學。年甫十八。即畢業於浦東中學。承繼父志。肄業於中國醫學院。伯明得由識焉。常語人國醫不合科學化。斷難立足於當今社會。平日功課稍涉疑難。必力求澈底。理近中醫。必力求貫通。道人所未曾道。發人所未曾發者。不一而足。及在施診所臨症。應病莫不效若桴鼓。驚眼同儕。誠非謬讚。如王君者。果不愧爲家學淵淵。況復豐富學識。確切經驗。今乃修學期滿。行將懸壺濟世。其造福於社會。曷可限量耶。

學弟顧伯明謹撰

黃巖方道淵君。慷慨爽直。無近世流俗態。余性亦戇率。故頗以余爲相知。君治醫以仲景論略爲宗。後世百家爲輔。苟有所長。無不採爲已用。惟深疾痛恨流行醫界之所謂輕靈之劑。診務之暇。每與余論此事。未嘗不痛恨于葉氏之作俑也。君處方多採自論略千金外臺及金元四子。覆杯而瘳。如立竿見影。有病其藥之峻烈者。君每語曰。藥所以治病。正惟其性偏峻。故能濟病之偏。若欲王道輕靈。則桑叶菊花鮮藕荸薺。固君所嘗治爲飲食者。諒必亦能快愉勝任。奚事徵詢於我。爲聞者莫不赧服。吾聞之卞和之璞。雍門之琴。其賞者少。今無異於古。君其勉之哉。

黎年祉

殿少年英俊。後進中之有爲才也。觀於其所組織之農村醫藥改進社。及主辦之光華醫藥雜誌。頭角初露。可見一斑。余自濫竽充數本院教鞭以來。從第二屆卒業同學。以迄於今茲。樂育英才。美不勝收。而全才爲難。如才具發皇者。則爲性情梟張。或心靈敏銳者。則又不自深求。所謂四美具。二難幷者。殿其庶幾矣。全以爲當此夷夏紛爭之際。凡置身於國醫界中。允宜分工合作。或從事於學術之研究。則對內之工作也。或從事於發揚之宣傳。則對外之工作也。而其切要者。則當從事於根本之建設。各本其所學與夫所懷抱者。精進努力。負責奮鬥。分三種策略。積極進行。以殿之才具。蓋實於第三者。希好自爲之。幷繫以詞曰。滿園桃李盡成材。蹤武丹溪獨占魁。此之杏林分種茂。他年平地震鳴雷。夷夏紛爭掀怒濤。醫宗事業付兒曹。異年突樹漢家幟。痛歛醇醪氣自豪。

盛心如

朱君華谷身材魁梧爲全校冠其學問之鴻博一似其人君長於國學行文使墨縱橫起落筆掃千軍其於醫上自炎皇下及明清諸家無不窮源竟委故臨症處方融會各家時古咸得其宜余德學俱疎忝有一日之雅如朱君者誠不勝靑藍冰水之愧矣

張廉卿

宗吳同學。蘇之吳江籍。早歲從學於舜湖王氏。即精外科。民二十秋。負笈入上海國醫學院。潛心研究固有醫學。並博覽西籍。臻中西貫通之境。嗣慕本學院名。轉學而來。欣逢切磋他山之助。獲益良多。其對於千金方傷寒論金匱要略等書。檢討闡明。蘊藏千餘年之金鑛。幾爲其盡獲。藥物有四百餘種。可歷言其功用不爽。每試輒成績超羣。此殆由於天才之所賜歟。曾臨診於海上內婦幼科諸名家之門。心得實多。繼任本院施診所及普濟善堂等內外醫師。經療病人不下萬餘。有貧病而不能到院診療者。沈君必義務往診。或給予藥資。故學院附近方周里內。咸知本院有沈先生其人者。

朱殿

沈君鳳祥浙之嘉善籍僑居滬上少年英俊天資聰穎其尊人精醫術嫻法學杏林春滿蜚聲海上余於民十九負笈申江來就本院得與君識君家學源源博聞強記凡內難仲景及諸先賢之集無不涉獵對於西醫生理解剖病理等學俱精研有素衷中參西融會一貫復從海上名醫郭伯良先生門下實習學乃益進其臨症處方皆臻神化每遇疑難雜症無不迎刃而解課讀暇暑則爲其尊人助理診務今屆畢業將出而濟世吾知登人壽域造福社會將無涯量爰爲略述其梗概

姜希深

汪少成君。丰資留美。原籍浙之四明。尊翁成孚先生僑滬多年。爲婦科名宿。全滬婦孺皆知之。君幼承庭訓。復嗜於學。於醫已具根柢。民國十九年秋。與吾同進上海國醫學院同班肄業。及一二八之役。國院停辦。又一同轉入本院。君每於校中所得之學。輒於臨證上驗之。有誤。則與校中教授等問難。君既雄於辯。故教授每爲所屈。因有起予之感。吾知他日必能擴大國醫界中之事業。豈僅克承父志已哉。今君與吾行將畢業。判襟在邇。同窗之樂。將隨流光以俱逝。每一涉思。爲之悵然。因序此文。作他年囘憶之鴻爪。

學弟周桂庭拜撰

教育心理學家 Geddles 說。「女子多同情。熱烈注意瑣屑。」從李冰妍的個性上。可以證明這位學者的話是對的。她在本院施診所診病時。見到貧苦的病人。便十分憐憫地安慰他們。有時自己拿出錢來代他們掛號。減少病者精神上痛苦。這是富於同情。廣東同學社的組織健全。她確實盡了不少力量。這點很可以看出她情緒的熱烈注意瑣屑呢。更其對了。她在診斷病證時。幾乎連一些很小的事都不肯忽視。所以經她診療過的病。絕少是不愈的。這收穫無疑義的一大半要歸功於「注意瑣屑」她更有偉大的思想。堅毅不拔的精神。準備着爲國醫界奮鬥。爲女醫界謀解放。把握住現實。憧憬着將來。光明充滿了她的前途。

前天她和我說。「畢業考試完畢。許多同學都要勞燕分飛般各自囘去了。今後海角天涯。見面的機會很少。幾時再有同桌論文的快樂。」有幾位邊遠的同學囘去。她曾經落淚啊。黯然銷魂者別而矣已。然而她終希望我們數十位同學。在奮鬥的路上。常有「欣逢」的機會。不錯。我們大家是不願辜負母校給我們的使命。達乘整個國醫界的要求。在奮鬥長途會面的時期定多。冰妍。只要我們努力啊。他的故鄉。就是 總理的故鄉。所以她有這般大無畏的精神。熱血沸騰的懷抱。

朱殿二三,六,二。於光華。

李君雨亭。籍粵台山人。少出醫林門。承受庭訓。矢志醫學。民十九。攷進廣東中醫專門學校。適君先而後余。遂獲同窗共硯。相互砥勵。至愛同好。形影相依。朝夕不離。供讀於斯校者兩載也。但君志嗣博見聞。常謂丈夫有遠志。何堪鬱鬱故窗。而至孤陋寡聞。此非遠求深造。以增識見不可。故彼此志同道合。遂買舟破浪。毅然與余離州北上。轉入斯院也。時值臨症實習。君與余則習於名醫方公溥寓兩載。經年君驗獨富。且尤未足。乃另尋診所多處。藉以豐醫驗。而爲普遍濟民也。於是乎聲騰海上。病者咸稱恩人。惠福者遠矣。今夏君與余同時卒業。相別在邇。故承其意爰誌小傳於此。苟他日相憶。以作鴻雪之緣可乎。

黃毓芳撰於上海

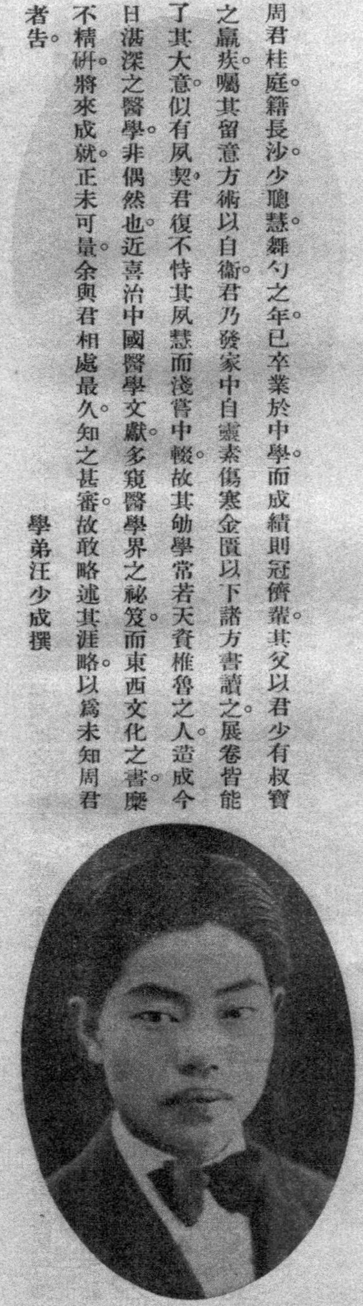

周君桂庭。籍長沙。少聰慧。舞勺之年。已卒業於中學。而成績則冠儕輩。其父以君少有叔寶之羸疾。囑其留意方術以自衞。君乃發家中自靈素傷寒金匱以下諸方書讀之。展卷皆能了其大意。似有夙契。君復不恃其夙慧而淺嘗中輟。故其劬學常若天資椎魯之人。造成今日湛深之醫學。非偶然也。近喜治中國醫學文獻。多窺醫學界之祕笈。而東西文化之書。靡不精研。將來成就。正未可量。余與君相處最久。知之甚審。故敢略述其涯略。以爲未知周君者告。

學弟汪少成撰

君姓林氏。字廷光。吾粵之鮀江望族也。世通醫。家學淵源。君生而聰慧。故童年已知醫訣。長益致力斯道。孜孜不輟。蓋樂已忘倦。不數年。盡窺堂奧。深爲乃翁所心許。然君以術無止境。不敢故步自封。乃遊學來滬。以廣眼界。遂考入中國醫學院。虛心鑽研。廣徵博採。學術益臻妙境。實習期內。成績大著。蓋得於心應於手。非偶然也。君今夏卒業後。決懸壺以問世。造福社會。正無量焉。

張伉龍撰

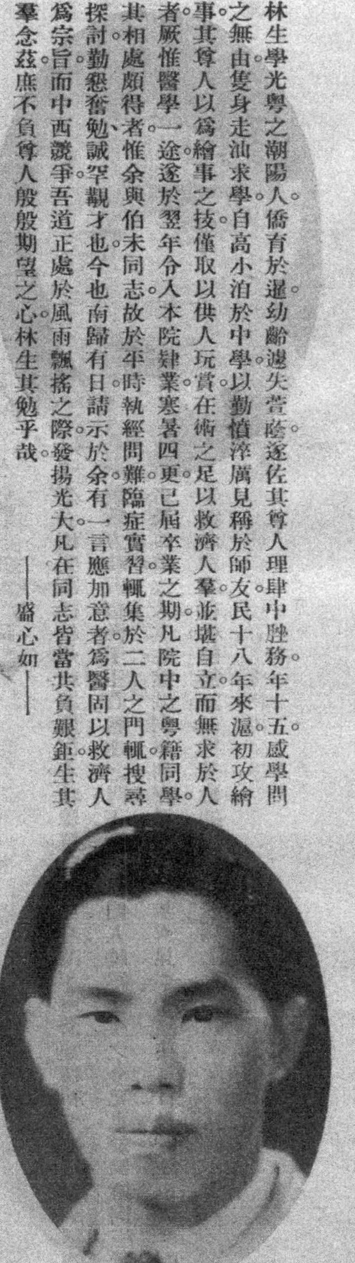

林生學光。粵之潮陽人。僑育於暹。幼齡遽失萱蔭。遂佐其尊人理肆中雜務。年十五。感學問之無由。隻身走汕求學。自高小洎於中學。以勤慎淬厲見稱於師友。民十八年來滬。初攻繪事。其尊人以爲繪事之技。僅取以供人玩賞。在術之足以救濟人羣。並堪自立而無求於人者。厥惟醫學一途。遂於翌年令入本院肄業。寒暑四更。已屆卒業之期。凡院中之粵籍同學。其相處頗得者。惟余與伯耒同志。故於平時執經問難。臨症實習。輒集於二人之門。輒搜尋探討。勤懇奮勉。誠罕覯才也。今也南歸有日。請示於余。有一言應加意者。爲醫固以救濟人爲宗旨。而中西醫爭。吾道正處於風雨飄搖之際。發揚光大。凡在同志。皆當共負艱鉅。生其羣念茲。庶不負尊人般般期望之心。林生其勉乎哉。

——盛心如——

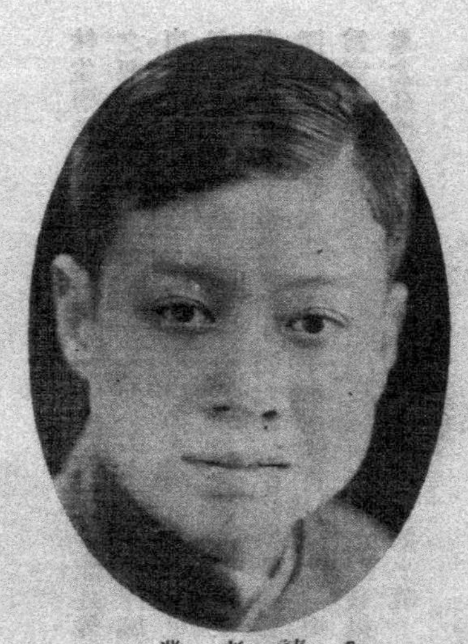

金君樹樂。浙江杭州籍。敏厚沉着。幼聰慧。年十五。卒業于兩浙鹽務初中。尋以多病。延師課讀。致力歧黃。復游于王君邈達之門。王乃海上聞人曉籟先生之令兄也。於醫道。固三折肱者。及前歲。攷入本院。遂識荊州。朝夕過從。友愛無異昆季。光陰荏苒。日月其除。由學業而卒業。從此別遠會稀。能無黯然。行見奮翮凌霄。先我以上也。聊誌拳拳。以爲他年鴻爪。

學弟劉民鑄謹識

韋君名冠。字慧觀。號慕嵩山人。桂之邕甯籍。世家望族。代工歧黃。君初肄業於滬之建設大學。嗣因該校停辦。遂轉入廈門大學。以之經史典集。數理化學及經濟社會諸科。靡不通曉。尋因祖命。將承醫道。以濟蒼生。於是復來滬上入國醫學院。攻研醫術。民廿一年。一二八滬變發生。該院停辦。是年秋。本院方在刷新醫學。登報招生。君未肯輟棄前功。乃轉入本院續研醫術。此時陞亦由家鄉來申。投考本院。適與君同硯。兩人意志相投。有相見恨晚之概。君於醫學研考甚博。凡古今醫籍。約百餘集。莫不精研窮究。而於西醫之學。尤具心得。蓋君將以國醫之精粹。利用科學以發揚之。嘗於君處。見所草訂之經文新解。經方新解。與本草新解三書。能以科學之解說。以闡發古人之意旨。君之用心。於斯可知。是書君尙在編纂中。將來付諸剞劂。則裨益於醫林。寔無旣量。而君之於國醫前途。亦莫大之功勛矣。君性謹厚而果敢能斷。恬澹而和藹可親。不拘小節。不慕虛榮。此誠今世之古人。濁世之淸俊也。陞與相交旣契。際茲畢業之屆。分袂有日。謹述君之生平略歷。以爲臨別紀念。

浙江項廷陞敬撰

姜子冠南魯東蓬萊產祖諱德基嫻於醫術活人者衆父獨舍箕習他業君惡紫之奪朱戚戚焉思有以繼祖緒民十九乃負笈申江施施來本院好學樂道慎思明辨兼之聰明容知博聞強記凡內難宋元諸子之集靡不涉獵腕下汩汩蓋有浩浩乎其沛然者也子於藝無所不游書畫俱卓絕而二弦之琴尤保得佐臣彥衡祕苑之好樂者歸焉滬變後余受命來海上得識君於院大度恭安謙沖以穆動容貌出辭氣臨事而懼好謀而成知爲三益友也故與之交彌篤歲夏子以道成且長風歸故里蓬萊勝域因傳爲神仙之所處者其言其事雖來可率爾置信然人傑地靈作俑者必有以也今姜子充囊飽簝滿載以歸其必仙者益其仙而神者益其神也明矣余不禁黯然銷魂之念進而爲萊之人頌焉

吳江後學馬雲翔撰贈

鵬汀袁君。海門人。秉賦聰慧。自幼能詩文。明典集。於國學造詣頗深。弱冠入上海國醫學院肄業。旋淞滬事變。該院停辦。乃轉學於中國醫學院焉。君治醫學。主無中西。不以封疆爲界。門戶爲見。惟科學是依歸。常出其論著。表於醫林。閱者均贊謂後起之秀。君爲人雅厚。痛恨都市醫者漸夥。而醫道日敗。故畢業後。慨然返鄉。以拯濟閭里爲已責。於斯可見君薄名利而樂澹靜者矣。之威與君交游久篤。深知君心。爰綴數語。以當君傳。

姑蘇金之威謹序

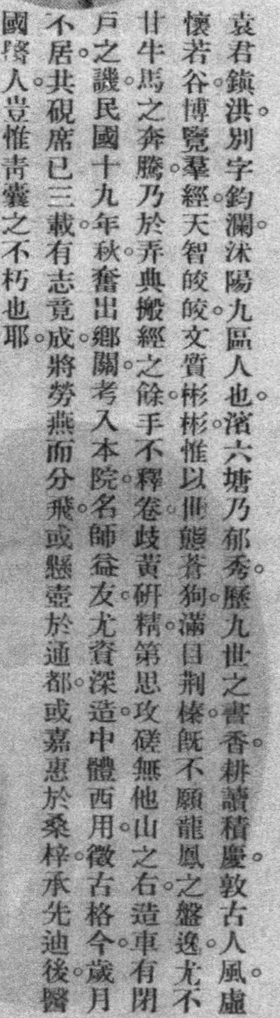

袁君鎮洪。別字鈞瀾。沭陽九區人也。濱六塘乃郁秀。歷九世之書香。耕讀積慶。敦古人風。盧懷若谷。博覽羣經。天智皎。文質彬彬。惟以世態蒼狗。滿目荊榛。既不願龍鳳之盤逸。尤不甘牛馬之奔騰。乃於弄典搬經之餘。手不釋卷。歧黃研精。第思攻礎無他山之石。造車有閉戶之識。民國十九年秋。奮出鄉關。考入本院。名師益友。尤資深造。中體西用。徵古格今。歲月不居。共硯席已三載。有志竟成。將勞燕而分飛。或懸壺於通都。或嘉惠於桑梓。承先迪後。醫國醫人。豈惟青囊之不朽也耶。

如今鉄硯已磨通。獨步歧黃濟世功。
先酌一杯餞國手。再看紅杏遍江東。

學弟許永鵬敬撰

許生鏡澄。粵東普甯人。廿年春來滬。負笈於中國醫學院。課餘復執經問難於余門。性沉毅。好學多悟心。處事井井有幹才。偶及身世。愀然不歡。蓋生抱蘆衣之感。嘗游學於暹。任職於香叻汕輪船公司。繼覺依人作嫁之非計。出其私蓄。請命於父。始致醫事。初非家人之所願也。然其心苦而造詣則以此深矣。今屆得業。忽報渠父謝世。飲泣終日。噫嘻。其志可嘉。其遇何慘。余惟冀其努力前程。獨自建樹。所以報親。亦所以不負所學耳。——秦伯未——

迢迢千里果何之。方術曾傳海上奇。
藝圃三餘誇肘後。醫林一院放榜時。
學成已抱終天恨。歸去空銜涉岵悲。
工冶善承炎帝業。風前贈策勸盈巵。

——盛心如——

陳君周鑑閩之福清人也。曾卒業於福建中學校。後轉進福州國醫學社。勤研醫學。自是專志于醫。歷遊南越南洋諸埠。考察醫藥。備受辛勞。而厥志不少艾。民二十二年考入中國醫學院。適與 陞 同級。嘗語 陞 曰。丁玆中西醫對峙之秋。吾輩當求國醫之進展。勿效鄉里庸醫輩專習幾首湯頭。徒記幾味藥品。而爲謀利計。蓋陳君者志在救醫。至業醫其諸餘事耳。噓如陳君者。可謂寬時救世之士。豈殆救人而已哉。陳君與 陞 時相過從。性復慨直。故得知梗概。略述其志。以爲臨別紀念。

浙江湯溪項廷陞

陳君汾平閩福清縣人也君富感情嗜醫學年十三遊歷南洋十七重返神州嘆國粹之風搖誓求醫學眞締曾畢業于私立福建國醫學社精勤多年猶抱竹虛力求深造乃負笈申江插班我校以科學眼光探驪珠於內經傷寒金匱及歷代賢著兼瀏覽東西醫學孳孳不輟故余引爲知友玆屆畢業之時樂爲之傳以留異日之雪泥鴻爪

二三，五，十八，王盤纓拜撰

陳君耀華字嘉平閩之惠安人也體魁梧聿具昂藏丈夫之慨爲人聰慧樸實不尙浮囂對於醫學平日焚膏繼晷淬勵自新獨能以潛靜工夫翫索而有得焉蓋亦勤求有志之士也今將畢業離校文忝同鄉相知有素聊序數語以貽之

藍田學文

項君廷陞。字有高吾浙湯溪籍。家世業儒。父尤以醫馳譽鄉里。君幼承庭訓。己得岐黃之祕。然猶自嫌不足。會本院招考插班生。遂負笈來申。毅然應考。獲列前茅。君之爲人英豪爽直。余每有過。輒以直言相責。不爲情誼所拘。故交之益契。君尤善飲。工詩。每於月白風清。當獨酌吟歌。以自取樂。余以太白第二比之。君之於醫。嗜究新說。嘗謂國醫之不與西醫並駕者。皆泥古而不知通變故耳。然觀其著作。能引古證西。別具見解。我級師友無不器重之。時屆畢業。分袂在卽。愧無相贈。爰作數語以爲紀念。

學弟王以文謹撰

黃君毓芳。一寒士也。粵籍。幼孤。少手足。孑然一身。惟乃母是依。母賢淑。雖家無長物。然教養弗稍懈。及長。折節讀書。企有所獻於世。民十九。中學畢業。志于醫。因進廣州中醫專門學校。孜孜不怠。頗有所得。越兩年。復轉滬中國醫學院。力求深造。業乃益進。在予寓臨症實習經年。研究獨精。偶有問。亦足以發今。且畢所學矣。行見出而應世。蜚聲嶺南。造福社會。正未可量。予喜其學之成。而嘉其志之堅也。爰誌此以勉之。

方公溥撰于海上之蘭坊

張君仲候。籍隸廣東潮陽。少年英俊。持重有禮。謙謙然有君子之風。曩以貫澈博愛濟人之素志。負笈來滬。專攻本國醫學。余識君於旅次。曾剪燭夜譚。深佩君具發闡國粹之志。博愛濟世之懷。倍極贊勉。嗣君肄業於中國醫學院。致力於學術。余則公務羈身。恆三數月始一晤。每晤必驚君學術之猛進。同儕亦告以君苦學博研之難能。臨病斷症之老練。極端讚美。誠然。功夫獨到。爐火純青。今也君已盡得岐黃之妙。畢其業矣。行且言旋應世。君志既酬。桑梓之幸福。亦當不淺也。

李猶龍題廿三年初夏

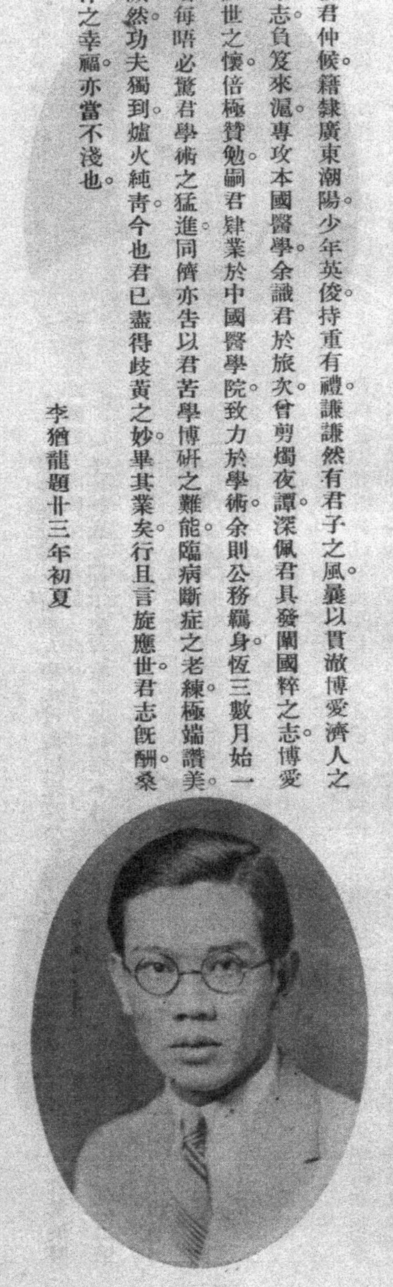

張君秉煌蘇之如皋人和藹可親居恆時帶笑容性沈默好思爲學孜孜鍥而不舍其於醫上探靈素之祕下窮百家之奧爲學不計今古而經驗之所在爲其致力之標的以故出筆作文每多實事求是不肯稍涉泛辭有古人之風無時賢之弊蓋深邃長沙之學者初從本鄉名師遊曾以術全活甚衆聲名籍甚而君尤以爲未足爰負笈來此於是學益進假期回里每病家所包圍其受人之擁戴如斯茲者學成賦旋行見其萬丈光芒普惠梓桑切范文正公良相良醫之旨也企予望之

朱華谷

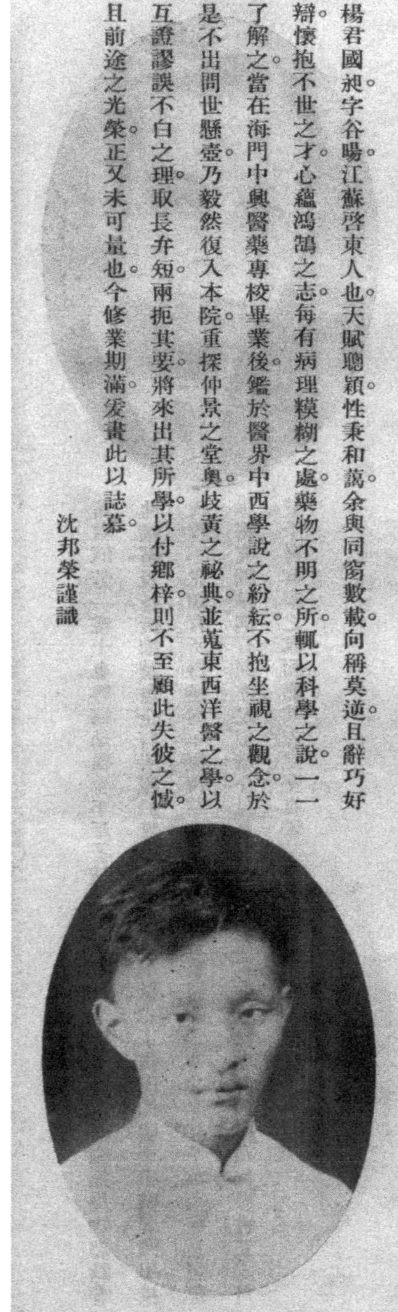

楊君國昶。字谷暘。江蘇啓東人也。天賦聰穎。性秉和藹。余與同窗數載。向稱莫逆。且辭巧好辯。懷抱不世之才。心蘊鴻鵠之志。每有病理模糊之處。藥物不明之所。輒以科學之說。一一了解之。嘗在海門中興醫藥專校畢業後。鑑於醫界中西學說之紛紜。不抱坐視之觀念。於是不出問世懸壺。乃毅然復入本院。重探仲景之堂奧。歧黃之祕典。並蒐東西洋醫之學。以互證謬誤不白之理。取長弃短。兩扼其要。將來出其所學。以付鄉梓。則不至顧此失彼之憾。且前途之光榮。正又未可量也。今修業期滿。爰書此以誌慕。

沈邦榮謹識

楊滌園和我有三同。同鄉。同學。同志。他是江陰人。江陰是我第二故鄉。——我籍貫上海。家住江陰。——名義上確是同鄉。民國十九年他和我同時入本學院肄業。又是同級。並且我們的志願都以改造農村醫藥事業爲畢生奮鬥的目標。民二二暑假我在江陰農村辦巡迴診療和講演衛生等工作。他正在西鄉第六區時疫醫院担任外科。極救了許多哀無可告的農村病夫。這又是同志。現在離開母校。希望他努力。同時我也努力。大家努力去幹我們要做的事。共「同」去創造新的生命。

朱殿

年祉與余同庚。而少長於余。初同肄業於國醫學院。嗣國院停閉。乃相將入本院。彼殆與余有同嗜。故意志甚相投。本院地小人多。宿舍有人滿之患。余爲避繁囂計。遂向外發展。年祉與焉。於是不特同課室。同診桌。抑且同起居矣。兩人雖年逾弱冠。而稚氣仍相若。課餘之假。齟齬時作。每一小問題。必齦齦不相讓。雖不敢謂爲正義而奮鬥。要各固執已見。非被駁至片甲不留。不肯稍事退步。聲浪由低以漸高。面色自紅而轉赤。滔滔乎口若懸河。浩浩乎如臨大敵。幾覺自處于彊場。不復憶身覊亭子閒者。舌戰之烈。常會比鄰爲之驚訝。然而所爭者。大率學術問題。故爭辯愈烈。興味愈高。惑情以之益濃厚。爭論之極。乃終之以一笑。得其所哉。相與共忘機。不自知其羞赧也。年祉爲斋不倦。長于著作。遍見各雜誌。頭腦清晰。富整理功夫。嘗與余作千金方整理。年祉致力獨勤。本屆畢業論文。以體溫在國醫學上足鳥瞰爲題。上溯靈素。下及百家。汪洋浩瀚。發前人所未發。使非博學多能。才高識妙。焉能探其理致哉。牛刀小試。已見一斑。丁玆新舊醫學交替時代。腐化者。東抄西襲。人云亦云。墨守泥古而不化。固不足掛齒。而急進者。牽強附會。捫燭扣盤。常易流捉襟見時之譏。何哉。無一番整理功夫。爲之過度也。年祉致力乎此。殆亦將爲新陳代謝時之樞紐歟。年祉實習於施診所。指導張師常號曰旨大腹。大腹者。非贓非脹。腹藏萬卷書。奇難雜證。應付裕如。蓋譽其質。非狀其形也。然則年祉於醫。可謂能知能行者矣。今別矣。勞燕分飛。何計而仍得交相爲匠石。交相爲郢人。運斤成風。而交斲其鼻堊。整旗鼓。執鞭弭。相與周旋於學問之場。溫莊周惠施之故夢邪。年祉年祉。汝其志哉。

甲戌夏鳳溪朱華谷

潘君公候。閩之浦城人。誠摯天眞之士也。君富感情。嗜醫學。與余交。雖爲時甚僅。而披肝瀝膽。相見以誠。未有如君者。君治醫學。不以他人之毀譽爲毀譽。故國醫界中稍具聲望之著作。必躬自研究。決擇優劣。往往別有會心。時下一般醫生。爲適合社會心理計。服飾態度。咸趨于老成端重。惟君則依然學生本態。不稍勉強。而病家信任心如故。嘗語余曰。病家志在愈病。吾能愈其病可已。惡用其岸然道貌哉。噫。處今之世。完璞如君者。余未嘗多覯也。

浙江湯溪同學弟黎年社敬撰

劉子民鑄。字滌新。江蘇靖江人也。家世業儒。科第頗盛。現其父輩。仍爲士林泰斗。以教育著于大江南北。雲翔與君同肄業於省立蘇中。知其世系甚詳。君之爲人。沉靜寡言。與人無爭。特具南方之強者。蓋家學使然。既翔與君先後卒業。暮雲春樹。引領爲勞。越三載。復得相聚于上海中國醫學院。一窗燈火。半榻詩書。殆夙緣也。君於諸子百家言。無乎不習。而體弱多病。尤好究岐黃術。先在國醫學院從陸淵雷徐衡之諸先生學。寒暑再更。嗣淞滬事變。該院停辦。乃轉學本校。雞鳴而起。孜孜不倦。援古證今。心得獨多。來日醫國醫人。固非異人任。今又先我畢業而去。驪歌一曲。能不黯然。爰綴數言。以爲紀念。

同學弟吳江馬雲翔識

魏君平孫。江蘇興化人。年廿三。性情溫和。舉止端正。寡言笑。好深思。其於內難傷寒金匱等。均攻之有素。諸家之說。亦瀏覽遍讀。然自幼多疾病。其習醫亦由於此。夫醫之爲道幽隧深奧。非沉思默究不能啓其祕。身經體歷不能知其妙。魏君旣能孜孜於學。勤考古訓。復因多病。嗜甘服苦。經歷者多。其獨得之厚。自屬過人一籌。况魏君之天資穎敏。好學不倦。將來名顯醫林。可以拭目而待。余以菲才。於去歲來任本院指導。與諸同學切磋一堂。其樂融融。歲月不居。倏已匝載。一旦分袂。能不黯然神傷者乎。是爲君傳。且誌惜別。

張廉卿誌

劉君受和。字乃甘。粵之中山人。性明敏豪爽。嘗抱不爲良相。當爲良醫之志。民十肄業廣東工專。時值變亂相尋。民生疲弊。儕輩咸作投筆之舉。情君獨力排衆議。慨然從名醫遊。心領神會。闡發淵微。復入廣東醫學研究所。學乃大進。畢業後轉學中國醫學院。鑽研益深。經驗宏富。源斷論症。卓識過人。用藥處方。尤稱神妙。詢現代國醫界之俊傑也。今當卒業懸壺。敬爲述其略歷。

余介平誌于海鷹鑑廿三五月中澣

第五屆畢業全體

二四級全體

二五級全體

二六級甲班

二六級乙班

杭州旅行團

福建同鄉會

研究會職員

藍球隊

小球隊

音樂社

廣東同鄉會

轉自浙江醫專同學

畢業論文

（以姓名筆劃爲序）

消渴論

王以文

消者。消耗也。渴者。喜飲也。因渴喜飲。飲爲所消。而不能止其渴。則謂之消渴。消渴一症。西醫稱爲糖尿病。因小便內含有糖分。故以爲名。按此說吾國醫書亦有言及。本事曰。消渴者。腎虛所致。每發則小便必甜……觀此則西醫之謂糖尿病。先賢早已言之矣。此病太都由于恣意高粱。嗜慾不節。或操勞過度所致。在內經上。僅有其論而無治法。至金匱始論治兼備。惟厥陰之爲病。消渴。氣上衝心。心中疼熱。飢而不欲食。食則吐蚘。下之利不止一條。乃是傷寒論中厥陰經之病。而集註者見有消渴二字。遂湊入其中。及使後人不能選擇。亦是不通于用者也。蓋傷寒之消渴。乃傳經之熱邪。熱邪至于厥陰。百病傳至經盡之處。故渴而消水。及熱邪一解。則不渴而亦不消矣。倘此條亦爲雜症中之消渴症。則陽明經中白虎症之大渴引飲。亦可稱爲消渴乎。夫消渴者。屬于慢性之病。非傷寒傳經之急性病可比。初起時往往不自知覺。倘延至日久。或治不如法。致內熱亢盛。陰液虧耗。則醫治爲難。甚至于不可拯救。言之令人悚然。此症方書分爲上中下三消。玆便于明瞭起見。姑亦從之。

上消屬肺。經曰。心移熱于肺。傳爲膈消。肺本燥金。心爲火臟。心肺兩間。有斜膈膜。膈膜下際。內連橫膈膜。若心火亢盛。則必移其熱由膈膜而達於肺。肺受熱邪。則肺陰受傷。治節失令。水精不能四布。飲不解渴。渴而復飲。愈飲愈消。愈消愈渴。于是消渴之症成矣。此乃屬于熱者。又有因于寒者。不得不知。內經氣厥論曰。心移寒于肺。傳爲肺消。肺消者。飲一溲二。死不治。按此條經文。古賢拘于消渴皆從火斷一語。遂不得闡明經旨。卽明達如喻嘉言者。僅言寒邪入而外束。爲肺消一語。了却全文。至其寒邪何以外束之原理。並無述及。此實屬含糊之處。夫此病之初。本係熱邪爲患。卽前所云心移熱于肺。傳爲膈消之症。因見飲不能消解其渴。惟口服苦寒之藥。大飲過分之水。詎知苦寒反傷眞陽。飲水不能去病。心陽一傷。寒從中起。寒邪在心。則心中虛陽必移越于肺。肺受邪水道因之失調。不能下輸膀胱。膀胱者本爲藏津之所。氣化所出之地。經曰。膀胱者州都之官。津液藏焉。氣化則能出矣。然膀胱化氣之原動力。尤恃乎心火下交于腎。始能蒸動其水而化氣。以灌漑周身。此說唐容川論之最詳。今心火爲寒邪所傷。則不得下交于腎。蒸動膀胱之水。而膀胱約束之權。亦因之消失。于是上飲五合。下溲一升。不但消外水。且幷入體素有水精。亦盡輸於下。有操立盡之勢。較大腑之暴注暴泄。尤爲甚矣。此時若論肺金之枯。理當淸潤。心火不足。則宜扶陽。用藥相背。治多掣肘。故死不治也。

中消一症。則多屬胃。內經陰陽別論曰。二陽結謂之消。二陽者陽明也。陽明分手足兩經。手陽明屬胃。足陽明屬大腸。大腸主津。胃主血液。津血俱結而不行。則鬱而生熱。熱鬱于中。則胃汁消耗。脾氣無從輸布。肺不得通調水道。于是胃熱獨亢。消穀善飢。不爲肌膚。而日加削瘦。內經師傳篇曰。胃中熱則消穀。令人心懸善飢。卽此意也。此症之來。因平素對于飲食不能攝生。醇酒厚味。漫無限制。造至日久。飲食醞釀成熱。始則求濟于水。當能解渴。繼則愈消愈乾。所有飲食。不爲肌膚。大便堅燥。小便則數。所謂癉成爲消中也。金匱消渴小便不利淋病脈證治第十三篇曰。……趺陽脈浮而數。浮卽爲氣。數卽消穀而大氣盛。則溲數。溲數則便堅。堅溲相搏。卽爲消渴。夫所謂氣盛者。非胃氣之盛也。乃胃中之火盛也。何以知之。觀本篇第八條曰。趺陽脈數。胃中有熱。……熱與氣盛其意相同。朱丹溪所謂氣有餘便是火。太過之氣。卽爲火氣。火氣本藉水以榮養。特以胃中乾燥。全不受水浸潤。反爲火氣下逼直達前陰。所以溲數。溲數則便堅。堅數相搏。是以飲水多而渴不解。遂成中消。以此類推。中消一症。其由胃熱亢盛。胃液被爍。可知矣。

下消者。下焦病也。小便黃赤。混濁如膏脂。面黑耳焦。日漸消瘦。其病在腎。又名腎消。此病因原有二。一則由于上中消之傳變。肺胃熱邪入腎。刼奪眞陰所致。一則在平日過服藥石。或女色過度。使腎水枯竭。相火內熾而成。其因雖殊。其病則都在腎。經云。腎者胃之關也。關門不利。則水無輸泄而爲腫滿。關門不閉。則水無底止而爲消渴。然關門之利閉。又當視腎陰足不足。腎陰有餘。則水能制火。固無所謂病。若腎陰不足。則水虧火旺。必成燎原之勢。火在上則爲膈消。火在中則爲中消。火在下則爲腎消。故先賢治療三消。有獨取于腎之說。良有以也。然又有因腎命火衰。不能化氣。氣虛不能化液。亦可成爲腎消。金匱白。男子消渴。小便反多。以飲一斗。小便亦一斗。腎氣丸主之。夫小便之多少。須視腎氣之強弱。腎氣者。水中之火也。如腎氣強。其小便必少。腎氣弱。其小便必多。觀壯年之人。夜無小便。老年之人。夜多小便。其關係亦不過在腎氣之強弱耳。今腎氣衰微。不能助膀胱化氣。則膀胱約束無權。于是以飲一斗。小便亦一斗。故仲景獨闢蹊徑。用腎氣丸以桂附補火。以六味壯水。使水火平濟。何患小便過多哉。景岳曰。釜底加薪。氤氳徹頂。稿禾得雨。生氣歸巔。此言得之矣。

三消病理。已如上述。治療之法。大致不外清火養陰。方書成法。上消以人參白虎湯爲主。中消以承氣湯爲主。下消水虧者以六味地黃丸。火衰者。以金匱腎氣丸。惟內以承氣湯治中消。不無可疑之處。蓋承氣湯之主症。在于腸胃有實積。痞滿燥實堅五症並見。始可用之。而消渴之病。乃是漸積之熱。素蘊之火。所有飲食。皆爲火邪所消。故食雖多。而腸中則無積也。腸中既無停積。只宜清火以去其炎。無須施攻擊之法。徒傷腸胃。轉增其困。況承氣湯中之枳朴。性質溫燥。尤非消渴之所宜也。此說喩嘉言已駁其非。並謂若不得已而用大黃者。須久蒸以和其性。並與甘草同用。則緩急互調。與人參合同。則攻補兼施。此語可謂獨具隻眼。實發前人所未發。然亦當辨其虛實。如其脈證果爲實火致耗津液者。則承氣在所必用。不過枳朴去之爲妙。所謂瀉其火。則津液自生。而消渴自平。若由眞水不足。不能制火。則又以養陰爲急。如冬地元斛等充其陰液。復其精血。其病必自愈。所謂壯水之主。以制陽光。若以消渴皆屬于火。目之而不辨其虛實。只知一味瀉火。使陰無以生。吾恐未有不僨事者也。至于下消之用腎氣丸一法。其症最難辨別。倘診斷時稍有失措。卽有草菅人命之危。此症辨別其最着重處。在驗小便之多少。何以言之。金匱曰。男子消渴。小便反多者。以飲一斗。小便亦一斗。腎氣丸主之。所謂小便反多者。以其腎氣不足。故用腎氣丸以鼓動眞陽。此理上已言之矣。若小便少者。則斷非腎氣不足。乃是腎陰不足。腎陰不足。則當以六味丸治之明矣。所以仲景于小便多者一句。特加一反字。蓋示人于文外求文。方外求方。不可拘死於句下也。

上論種種。不過述其成法。若本症所用之方。尙不止於此。玆因篇幅有限。再擇通用方數首于下。並於方後略予解釋。俾閱者容易明瞭。惟自愧醫學譾陋。錯誤在所不免。希同道諸君。乞予指正。則幸甚矣。

消渴方（丹溪）　治消症胃熱善消水穀

黃連　花粉　生地汁　藕汁　牛乳

方解　善消水穀。胃熱使然。故以黃連苦寒泄熱。花粉甘寒止渴。然熱必傷陰。不養陰則熱未必去。徒清熱則陰難以生。所以除苦寒泄熱外復加生地之壯水。藕汁之生津。並以牛乳補血潤燥。使津生血旺。則熱退而渴自止矣。

地黃飲子(易簡) 治消渴煩躁咽乾面赤

人參 黃蓍 甘草 生地 熟地 天冬 麥冬 枇杷叶 石斛 澤瀉 枳壳

方解 此方以參芪益肺氣。甘草補脾陰。生熟地生精益血。天麥冬潤燥止渴。枇杷叶清肺金之熱。金石斛平胃中之火。其法以澤瀉枳壳者。一爲瀉膀胱之火。一於利大腸之氣。使之腑通調。宿熱一去則消渴煩躁咽乾面赤等證除矣。

文恰散方(金匱) 治渴欲飲水不止者

文蛤一味杵爲散以沸湯五合和服方寸匕

方解 飲水不止。內熱已極。文蛤味鹹性寒。寒能除熱。鹹能潤下。用以折炎上之勢。爲無上妙品。然醫家見藥味平淡。舍而不用。殊爲恨事。

茯神湯(千金) 洩熱止渴治胃腑實熱引飲常渴方

茯神 知母 葳蕤 括蔞根 麥冬 生地黃 小麥 淡竹叶 大棗

方解 胃腑實熱。則神明不安。故以茯神甯神益心。防熱邪擾亂心主。再以知母生地培補腎水。葳蕤麥冬清肺育陰。花粉止熱渴。竹叶潔小腑。其用小麥大棗者。專爲調肝氣運脾津。以治胃腑之標熱也。

地黃丸(千金) 治面黃手足黃咽中乾燥短氣脈如連珠除熱止渴利補養方

生地汁 生括蔞汁 生羊脂 白蜜 黃連

方解 脈如連珠。積熱結于心脾之象也。故以黃連專瀉二經之積熱。生地滋血。蔞汁生津。羊脂白蜜滋腸胃之枯燥也。

枸杞湯(千金) 治虛勞口中苦渴骨節煩熱或寒者

枸杞根 麥門冬 小麥

方解 虛勞而至苦渴。骨節煩熱。邪已入于至深之處。枸杞之根入土最深。有地骨之稱。故以此物爲君。直達骨節。提其熱邪。仍從外透。再臣以麥冬養陰滋液。使榮血無枯竭之虞。其佐以小麥者。專藉鼓舞生陽之氣也。

白茯苓丸　治腎消兩腿漸細腰脚無力

茯苓　黃連　花粉　萆薢　熟地　覆盆子　人參

元參　石斛　蛇床子　雞肶胵　蜜丸　磁石湯送下

方解　此症由于上中消之傳變。肺胃熱邪入腎。消爍腎脂。令腎枯槁所致。故以熟地元參壯腎水。覆盆蛇床固腎精。茯苓交通心腎。萆薢清利濕熱。黃連瀉胃火。石斛養胃陰。人參補肺氣。花粉生津液。肶胵爲雞之脾。善治膈消。能消水谷。磁石其色作黑。補腎益精。攝納腎氣。並能引領諸藥以歸于腎者也。

鹿茸丸（丹溪）　治腎虛消渴小便無度

麥冬　鹿茸　熟地　黃芪　五味子　雞肶胵　肉蓯蓉

山萸肉　破故紙　炒牛夕　人參　茯苓　地骨皮　元參

方解　消渴而至小便無度。非但腎陰有告竭之危。卽腎陽亦有脫亡之勢。故以元參冬地培補陰血。人參黃芪專益肺氣。地骨皮退下焦之熱。五味萸肉濇精。肶胵開胃。茯苓健脾。尤妙在鹿茸蓯蓉故紙牛夕一大隊溫不傷陰之藥。大補命門之火。使眞陽一生。則陰自長矣。

今後

（文　芳）

你們還是要埋頭讀書　增加你們的學識

你們更其要細心診病　發揮你們的學力

這樣：中國醫學的前途　纔能大放光明

諸位同學的前途　同時大放光明

吐血論治

王輝中

凡一疾病。欲洞悉其澈底之源理。則必先研究其固有之生理。因病理乃生理之反常作用故也。吐血症亦然。今略舉血之生理如下。

血之生理

夫血者。水穀之精氣也。由水火合德而生。蓋水穀入胃。得胃之陽氣。與脾之陰液。膜壁頻頻蠕動。起消化之作用。先將蛋白質。凡易於消化者。皆化爲精微。滲出胃旁微細管。上輸於脾。由脾輸水於肺。通調三焦。由脾輸蛋白質於肝。淫氣於筋。由脾輸糖原質於胰。散精於肌。其非胃中所能消化者。尙有澱粉質脂肪質等。隨幽門括約筋之弛緩。下輸小腸。小腸之旁。左有膵右有膽。膵液膽液皆能分泌於小腸。膵液爲粘稠之液體。其味帶鹹。胆液爲綠褐色之液汁。其味甚苦。鹹苦合化。使小腸之食物。再起消化之作用。將其澱粉之最精者。變爲白色之乳糜。滲出小腸旁之微細管。賴脾氣之鼓舞。由會頸管上輸於心。會頸管者。卽小腸與心爲表裏上下交通之管。婦人之乳。卽由會頸管而分泌也。此小腸變化乳糜之理。卽內經所謂食氣入胃。濁氣歸心。濁氣者。卽澱粉質之重濁也。其云食氣入胃。未言輸入小腸而後變化者。以腸胃相連。古人簡質之故也。如陽明經之燥屎。本在大腸。而曰胃家實者。同一意義也。試觀靈蘭秘典曰。小腸者。受盛之官。化物出焉。豈非乳糜由小腸變化之明證乎。况胆汁注入小腸。化乳糜以輸者。心卽木能生火之奥旨也。至其小腸化剩之糟粕。尙有脂肪質等。未曾消化者。乃再下輸大腸。經大腸陽明之燥氣。吸收脂肪之精微。以補養全身之脂膏。所餘渣滓。次第成爲堅硬之質。排出於肛門。其由小腸所化之乳糜。旣由會頸管上輸於心。遂由心之左心房。經心中眞血之變化。成爲赤色之血。是卽內經所謂中焦受氣取汁。變化而赤。是爲血也。心中之血。流行於百脈。是卽內經所謂淫精於脈。脈氣流經者是也。血之流行於百脈。分動血靜血二種。動血由左心房之伸縮。漸次入於右心房。由左心室之伸縮。輸出於大動脈幹。考大動脈之部位。卽內經之任脈。故曰任爲陰脈之海。言其脈幹之大耳。任脈之血。漸次分枝。以循行十二經絡二十五絡。及微細之血管。以布滿於全身。供給諸組織之營養。以成人體之形象。是卽內經所謂目得之而能視。耳得之而能聽。手得之而能攝。掌得之而能握。足得之而能步。臟得之而能液。肺得之而能氣者是也。其血既至諸組織中。乃收取無用之老廢物。以成靜血。漸次併歸於大靜脈管。考大靜脈管之部位。卽內經之衝脈也。故曰衝爲血海。猶江河湖澤。匯歸於大海也。衝脈之血。漸次歸還於右心房。再入左心室。從肺動脈管入於肺中。漸次分布於肺毛細管。此卽內經所謂經氣歸肺。肺朝百脈是也。靜血既朝於肺。得鼻孔吸入之養氣。排去靜血之炭酸。吸收養素。復化潔淨之動血。循肺靜脈漸歸於左心房。與乳糜新化之血相幷。復循任脈而分布於全身。週而復始。循環無已。綜上所述。皆血之生理大概情形也。

吐血之病理及其治療法

既明血之生理。則吐血之病。由何部受傷而致引動者。卽可按此而推究矣。查血之暢行脈絡。其所能流動無滯者。完全賴以氣耳。內經云。氣爲血之帥。氣行則血行。氣滯則血亦爲之滯。故平人如氣道通順不滯。必一呼一吸。循環不已。若一旦不循其常。遂溢出於腸胃之間。隨氣上逆。於是吐出。所以西醫每謂吐血爲胃出血。與中醫謂吐血血不循經。胃熱上騰。火甚迫血。而致血熱妄行。可見二者皆斷爲胃病。是所見略同。况人身之氣。又游於血中。而出於血外。上則變爲呼吸。下則變爲二便。外則出於皮毛而爲汗。故氣卽無形之血。血卽有形之氣。氣中有血。血中有氣。血之與氣。異名同類。相依循行。不能互相違叛。違叛則百病卽欲叢生。有從口中咯而嘔出者。有從鼻中噴而流出者。有與欬嗽挾痰而出者。有與大小二便同時出者。種種不一而足。然人何以一患而爲吐血病。此因血本陰精。宜靜而不宜動。如動則爲病。血本營血。宜充而不宜損。如損則貧血。凡動血多由於火。火逼血而妄行。損血多由於氣。氣傷則血無以存。故有七情而動火者。有以勞倦色慾而傷陰者。或外邪不解。熱鬱於經。或縱飲不節。火動於中。或中氣虛寒。不能收攝。注陷於下。或陰盛格陽。則火不歸源。泛溢於上。傷陽絡則血外溢。傷陰絡則血內溢。各隨其主因而變生之。流於上者。見於七竅。行於下者。出於二陰。仲景曰。血本生於心。統於脾。藏於肝。凡吐血病。皆屬於肝。以肝血不藏也。是以患吐血者。必見胸部痞滿。氣重不暢。背脊痠楚。脘腹脇肋隱隱作痛。是因血從衝任之脈上充。氣血之行不得其和故也。病重者。來勢較爲亢盛。尙現辟辟彈指。漉漉有聲。其由背上來者。以治肺爲主。由脇下來者。以治肝爲主。蓋肺爲華蓋。位在背與胸膈之間。血之來路。既由其界分溢而出。自當治肺爲主。肝爲統血之藏。位在脇下。血從其地而來。則治當以肝爲是。治肺宜人參瀉肺湯。治肝宜佛手散及逍遙散。然肝肺雖係血之來路。而其吐出。實胃主之也。且血之歸宿。在於血海。衝爲血海。其脈麗於陽明。未有衝氣不上逆而血逆上者也。故仲景以治衝卽爲治血。治衝必責之於陽明。因陽明之氣以下行爲順。今反逆上者。失其下行之令。急宜調其胃。使氣順吐止。則血不致奔脫矣。故吐血以止血爲第一要務。止血則以破氣涼血爲第一要法。仲景瀉心湯。桃仁承氣湯等。卽此意也。然近世醫人每謂吐血爲虛勞症。症本屬於虛勞。安可再行破氣之方。此乃大謬也。殊不知吐血之症。營血雖虧。而其氣實不虧也。因其氣實。故欲患吐血症。仲景於此處。往往有獨到之妙者。皆因其能闡明斯意也。且大黃一味。性本苦寒。除瀉火之外。尙能通氣祛瘀。推陳致新。血逆者。服之無有不順。氣鬱者。飲之無有不疎。惟今人多棄而不用。誠爲可惜哉。然此皆指氣實而言。如氣虛者。殺雞焉用牛刀。當另用他法進行。取黑能凝血之旨。如十灰散。及金匱柏葉湯等。咸以爲主方也。惜今人方中多不參加以理氣祛瘀之品同用。如三七赤芍枳殼陳皮之類。亦頗爲憾事。因旣患吐血。瘀血豈有不爲積滯。如血吐止後。每見胸脇骨節疼痛仍然不愈者。皆因瘀血不去。流滯肢體。阻礙氣機也。如方中略能加以行氣祛瘀之物。則湊效當更捷。而方亦可十全無遺。內經云。邪之所湊。其氣必虛。吐血之後。營血耗損。爲勢所必然。故吐血止後。如身舒脈靜。當急治以補養血氣之法。挽救其眞陰。使其不致入於勞怯之門。血枯之途。然補法不一。亦宜分別而施治之。如精血枯竭。神形憔悴。肢體羸弱。腰痛足酸。自汗盜汗。頭暈目眩。耳鳴耳聾。遺精消渴。失音舌燥。發熱欬嗽。屬於腎水虧損。水不濟火者。當治以六味地黃丸一類補腎藥。如面色㿠白。怔忡健忘。驚悸盜汗。發熱體倦。食少不眠。因中氣虛而不能攝血。致血氣外溢者。當治以歸脾湯。及補中益氣湯等健脾藥。如心血不足。而見心悸失寐。寐後多夢。頭昏目花等症。當治以獨參湯。及四物湯之補中益氣一派生血藥。然於補養血氣之中。對於審調氣血之事。亦不可缺少。因血行未入正軌。忽然進以補法。每易反壅其氣。復成二次出血。總之滋陰行氣。肅肺疎肝。槪施之於諸吐血症也。須明其病源。虛虛實實。或以脾腎爲急。或以心腎爲急。或主疎肝。或主順肺。有是病當用是藥。以寒熱表裏陰陽虛實經緯其間。虛者宜補。陷者宜升。逆者宜降。滯者宜行。外寒者宜散。內寒者宜溫。實火者宜清。虛火者宜滋。當用寒涼而無傷敗脾胃之虞。竟用寒涼。當用溫補而無添火助邪之弊。竟用溫補。活血行氣。則非活血行氣不痊。滋陰降火。則非滋陰降火不愈。各經有各經治法。各症有各症治法。均宜隨機應變。臨證時審定。不可執一而拘泥也。

吐血症要方

(一)仲景瀉心湯　大黃二錢須用酒炒　黃連三錢　黃芩四錢

方以大黃爲主。大黃之性本爲寒降。故用於吐血之症。適有特別之功。因心爲君火。化生血液。是血卽火之魄。火卽血之魂。火升則血升。火降則血降。知血生於火。火生於心。瀉心卽是瀉火。瀉火卽是止血。然此方多用於氣實。如氣虛者不可用。

(一)十灰散　大薊　小薊　茅根　棕皮　側柏　大黃　丹皮　荷葉　茜艸　梔子各三錢

此方共十味藥。方中亦不脫大黃之降火。故瀉火止血之力可知。惟須完全炒黑成灰存性。取黑能凝血之旨。凝而不滯。止而不阻。誠虛人吐血之良方也。

(一)柏葉湯　側柏葉三錢　炮姜一錢五　艾葉三錢　馬通二兩

馬通卽馬糞。與童便相倣。側柏葉入肝經。專長止血逆吐衄。故用於吐血。亦有相當成績。用姜炭艾葉者。利用其溫能通行也。亦取其不滯之理。

(一)逍遙散　柴胡三錢　當歸四錢　白芍三錢　白朮三錢　雲苓三錢　甘艸一錢五　薄荷一錢　煨姜三錢

丹皮三錢　梔子二錢

此治肝經亢盛。脾不統血。胸悶不樂。方以柴胡疎肝。白朮健脾。餘則皆關於調和血氣也。

(一)桃仁承氣湯　桃仁　大黃　芒硝　桂枝

桃仁五錢　大黃二錢　芒硝三錢　桂枝二錢　桂枝稟肝經木火之氣以生。肝經亢者。見之卽疎。肝氣結者。遇之卽行。復有大黃桃仁芒硝之利瘀破積。實破瘀結以治吐血之要方也。

(一)獨參湯　獨人參一味。須選來自吉林上等者爲佳。挽救眞陰。專用於吐血後血氣欲脫者。頗有奇效。

(一)人參瀉肺湯　人參三錢　黃芩三錢　梔子三錢　枳殼二錢　甘艸一錢　連翹一錢　杏仁三錢　桔梗二錢

桑皮三錢　大黃一錢　薄荷一錢

是方瀉肺中伏火。肺體屬金。不自生火。皆由心火尅之故。藥多入於心肺二經。吐血與欬痰同時出者。可用。

(一)佛手散　即歸芎湯。方中惟當歸撫芎二味。爲活血行氣之要品。

(一)六味地黃丸　熟地一兩　山藥五錢　萸肉五錢　伏苓三錢　丹皮三錢　澤瀉三錢

(一)四物湯　生地四錢　當歸四錢　川芎　白芍三錢

(一)補中益氣湯　黃芪三錢　人參三錢　炙艸一錢　白朮三錢　當歸三錢　陳皮一錢　升麻一錢　柴胡二錢
生姜三錢　大棗三枚

(一)歸脾湯　白朮三錢　黃芪三錢　茯神三錢　人參三錢　遠志一錢　木香一錢　棗仁二錢　龍眼三枚去殼
當歸四錢　炙艸二錢。

以上四方。皆用之於吐血止後。乃調理之藥方也。症治可參見論文中。

贈別畢業諸同學

三年級魯六華

(一)

頻年聚首樂同堂　仁術仁心事業昌　傳到專家盧扁法　青囊滿載活人方

(二)

照眼榴花競鬥妍　歡欣鼓舞喜言旋　科分婦幼新傳道　骨換金丹抱水仙

(三)

讀罷歧黃返故鄉　懸壺濟世日臨牀　當前誰得稱良相　莫後西醫守舊章

(四)

醫林風雨正飄搖　母校何曾有暗潮　別後精神更團結　前途珍重共揚鑣

月經病症治概論

方道淵

導言

組成國家之要素。最主要者。莫如人民。質言之。無人民即無國家。故人類之繁殖。自不能間斷。而易始乾坤。詩首關雎。書傳釐降。禮着內則。春秋載王姬。蓋以夫婦為人道之造端。寓獎勵生育之意焉。今歐洲之德意諸國。獎勵結婚與多子者。與夫達法定結婚年齡而不結婚者。國家則抽以相當之稅率。使其從速結婚。亦無非使人民增多。為國家用。雖然。增加生殖。除結婚外。固無他法。而夫婦兩造之康健。亦不容忽視。若無康健之父母。焉有良好之兒童。男女因天賦之生理不同。女子有其生育之信號旗月經。且最易變病。若一旦受病。即不能生育。非特對於個人之宗姚斷絕。且對於國家之損失無窮。淵鑒於月經影響如此之巨。為作斯篇之動機。既可為治月經病之參考。又可為論文之塞責。尚祈高明者有以正之。

月經之生理

經脈別論云「食氣入胃。其清純津液之氣。歸於心。入於脈。變赤而為血。血有餘。則注於衝任。而為經水。」

程若水曰「婦人經水與乳。俱由脾胃所生。」

薛立齋曰「血者水穀之精氣也。和調五臟。洒陳六腑。在男子則化為精。在婦人則上化為乳汁。下為月水。」

齊仲甫曰「婦人月水。本於四經。二者衝任。二者手少陽少腸手少陰心。」

「……」

古聖先賢言月經之生理者。指不勝屈。茲舉數條。以為一例耳。以下各節。如經病之原因等等。亦依此例。皆舉數條。俾節篇幅。

觀乎上說。知婦人所以有月經者。由於食物入胃。消化後。經脾之吸收。（古書之言脾。皆非實質之脾。乃指小腸之吸收作用而言。近人陸淵雷氏。曾為文論之。）其精微化為精氣。下注血海（似指女子之內生殖器與其附屬之器官而言）而為月經。爾之於現代之生理學。合乎否乎。明眼人當能知之。

素問上古天眞論曰「女子二七而天癸至。任脉通。太衝脉盛。月事以時下。故有子。」此言女子初次月經來潮。約在年齡十四歲左右。後卽按時而下（一月一次）若與男子交。卽能受孕。故言「故有子」也。而月經之所以按時而下（西醫名之曰經輪迴）之理則未明言。僅言任脉通太衝脉盛也。任脉之所以通。太衝脉之所以盛。則絕無一言提及之。而任脉與太衝脉究爲人身之何部分。試觀

沈堯峯之言曰「天癸是女精。由任脉而來。月經是經血。由衝脉而來。」觀夫此語。任脉似乎卵巢。衝脉似乎子宮陰通等部分。而月經之來源。雖已明白曉暢說出。其所以能定期者。亦未有一言道及。而

陳良甫言定期之理曰「……常以三旬一見。以象月盈則虧。……」此乃無可解說。借月之盈虧以爲強解。亦卽所謂玄談歟？總觀上說。古人對於月經已明者。有下列三點。

（一）月經從精血來。人身之所以有精血。由食物經胃之消化。脾之吸取而化生。

（二）女精（卵子及各種與月經有關係之分泌）由任脉（卵巢）產生。

（三）月經由衝脉（子宮等部）而來。

西醫罵中醫爲時代之落伍者。學說不科學化。而含神祕色彩。應行淘汰等語。此言余亦承認。但不能一概而論。且爲學理上之攻擊則可。做治療上之批評則不可。因中醫之治療。皆從經驗得來。不尙虛僞。如傷寒論等書。句句皆金玉之言也。且觀其學說。果有勝於中醫否？

從切斷下等哺乳動物管轄子宮之神經。及卵巢割除與移植試驗之結果。僅知子宮定期之變更。（經輪迴）並不由於神經系統之節制。乃卵巢發生一種內分泌物質以宰制之。究竟何種體素。對於行經負有重大之責任。有二種學說。

（一）渠拉芬胞之關係　當渠拉芬胞分裂。釋出卵子時。胞內液質卽排出於卵巢外。被血液吸收。而胞表膜之激動素。便可運至子宮。使其粘膜增生。繼則血管破裂。和粘膜分解。經水卽來。而放卵時期約在經前十天左右。以時間上之關係言。似乎有理。然在未放卵前。何以胞液不受胞表膜所吸收。如果胞液老是被胞表膜吸收。何以胞液之胞表膜激動素。使子宮起定期之變動。

(二)黃體之關係 當渠拉芬胞分裂後。黃細胞卽慢慢在渠拉芬胞內生出。成爲黃體。而黃細胞分泌一種激動素。剌激子宮和生殖管別的部分。如陰道等。使其粘膜生長。繼以崩潰。經卽隨來。若卵不受精。黃體生長至兩三禮拜後便逐漸退化以致完全爲血所吸收。而歸於烏有。若卵巳受精。黃體仍繼續生長。以至懷孕下半期(六七月)根據此說。受精後黃體之活動日見增加。所以子宮的粘膜繼續生長。以造成一部分胎衣。若卵不受精則黃體不久便歸於凋謝。結果由其影響而生之子宮粘膜。便不能繼續維持下去而歸於崩潰。

上二說後者較前者爲勝。故近世學者多宗之。而經輪迴之理。終未能說出。較之於中醫學說。其勝者幾何。雖然人孰能知天下之一切一事一理。必待研究而後知。而西醫之研究學理。不假玄談以圓其說。不明者直言不知。此種精神豈中醫之所及哉。望我同志棄玄妄之學理。腳踏實地。宗科學之定律。步西醫之後塵。具百折不撓之精神。向前研究。庶中醫學不爲時代所淘汰。發揮光大普遍全球。豈病者之幸。抑民族之光也。

月經病之一般辨症法

中西醫術最後之目的。皆在救病者之疾苦。使登於衽席者也。而治療之根據則不同。中醫全在證候上推敲。不注意於病灶之所在。以寒熱虛實爲治療之綱領。故某症與某症並見則爲虛象。某症與某症並見。則爲熱象。……亦有寒熱虛實相雜者。其用藥也有是症卽用是藥。故每一方劑。不管其先期後期。與夫經來之多少。而症狀相同。虛實不異者。而同一方劑。皆可通治而愈之。故異於西醫治病以病灶爲病源中心。雖症狀相同。用藥必隨之而異。但其結果中西醫皆可治愈各病。異途同歸之妙。其在茲乎。中醫與西醫治療上着眼點不同。既如上述。若辨症與治療之法。皆以西說爲宗。則我同道必有盲人瞎馬。奔走何從之嘆。故本篇以中說爲中心。而副以西說。茲先將中醫辨症之法數則。約述於下。而分章論治繼焉。

(一)辨寒熱 依現在之習慣。稽以往之學說。皆以月經超前爲熱。退後爲寒。淵意經水來潮時間之前後。不能爲寒熱絕對之標準。何則月經來潮根於內分泌作用。巳如上述。而經輪迴之理。雖未明了。然月經先期要不外乎卵巢內分泌機能抗進。卽中醫所謂熱歟。退後則反是。卽中醫之謂寒也。若虛性興奮。卽中醫所謂氣虛不能攝血也。是可以其先期而斷爲熱歟。故欲明寒熱之眞諦者。不可以時間之先後。而定寒熱之標準。當着眼於症狀。而詳細推究之。茲舉寒熱之症狀於后。俾定治病之準繩。

熱者　心煩熱。而口渴。唇焦。舌燥。等。

寒者　少寐而怔忡。骨蒸且盜汗。脉虛神疲。氣怯懶言等等。

（二）辨虛實　虛實之辨。在於腹痛中求之。如腹痛而拒按者。實症也。腹痛而喜按者。虛症也。他如陣痛則爲實症。疛痛則爲虛症。按之西說。經前疼痛。爲子宮靜脉鬱血所致。即中醫所謂氣血凝滯之實症也。子宮粘膜脫落之疼痛。皆在經後。此中醫所謂氣血衰弱之虛症腹痛也。

（三）辨經色　欲求月經病時之色。當先明乎生理之色。欲明生理之經色。必先明其成分。夫月經雖爲子宮內膜微血管破裂出血之象。但雜有卵巢分泌之蛋白質液體。及子宮內膜脫落之上皮細胞。故其來也。初時必非正紅。而富有粘性之淡紅。不易凝固之液體。其在病時之深紅。或暗紫。或成團而結塊。或彌漫如米泔屋漏。如何機轉而致此。其理已明者雖多。而未明者亦不乏。（就我程度而言）此先聖後賢經驗辨症之結晶。豈可以其不明所以而忽視之。要之。參以其他之症狀。以別寒熱虛實。俾治療有所準繩可耳。略舉數條於下。俾可有循。

依現在之習慣。稽以往之學說。皆以經色鮮紅爲血熱。深紅紫黑乃熱之極也。按月經來潮。在極峯期時未始不紅。若一見鮮紅。就以爲血熱則謬矣。當察其排經量若逾於平時者。則斷爲血熱可也。反是。則視爲生理。而深紅與紫黑。是血離血管後。即爲非生理之血液。停留稍久。而色變深紅或紫黑歟。

淡紅爲虛爲弱。按血之所以紅者。赤血球之色也。若兼面色與他處皮色皆現慘白。斯則赤血球減少無疑。即中醫所謂虛弱症也。而主用養陰健脾胃。誰曰不宜。

成塊成片。而色紫暗。其氣腥臭者。熱也。按月經之血。凝固性缺乏。今成塊成片。反乎月經之條件。其非完全月經血可知。必也子宮出血無疑。斷其爲熱。治之以涼血固經。誰言不合科學原理也。

經來如米泔水。屋漏水。豆汁之黃濁色。皆以熱入血室使然。按此類經色。究何機轉使然。則不能解釋。且於臨床上亦未逢及。倘祈達者有以教之。

（四）脈辨法

「尺脈滑。氣血實婦人經水不利。」

「脈來狀如琴弦。若少腹痛主月水不利。」

「肝沉脈主自水不利。腰腹痛。」

「…………………」

脈分三關二十四形。余不信也。夫撓骨動脈硬分三段。某段屬某臟。某段屬某腑。有是理乎。如將竹一竿分爲三段。頭屬天。根屬地。中屬人可乎。余雲岫氏曾爲文辨之。至於二十四形就爲荒謬。病有千百。豈區區二十四形所能統馭。且脈之波動。根於心臟之收縮。豈千變萬化之病可憑此寸地爲診斷之標準哉。故余之意。切脈祇能察心臟機能之強弱。爲用寒熱藥之標準哉。然有時則不能爲寒熱之標準。如虛性興奮是也。若係虛性興奮重按之則無所謂無神是也。醫者茍細心理會。不難分別也。

月經病之種種

（一）經候無定——超前或後退

月經除季經（三月一行）對年（一年一行）暗經（終身不行）外。皆須一月一行。若未及期而至。謂之先期。逾期而至。謂之後期。先期後期。均謂之經候當定。

原因　趙養葵曰「經水如不及期而來者有火也。過期而來者火衰也。」

朱丹溪曰「經水先期而至者血熱也。後期而至者血虛也。」

薛立齋對於先期謂有數因。（1）脾經血燥（2）脾經鬱滯（3）肝經鬱火。（4）血分有熱。（5）勞役動火。對於後期亦有數因。（1）脾經血虛。（2）肝經血少。（3）體虛血弱。

觀乎上說。對於月經先期皆主張爲熱。後期皆主張爲寒。而寒熱二字。乃中醫之術語。其意義同於陰陽。若以陰陽二字代之。亦無不可。而生今之世。言病理就是寒也熱也。空洞無稽。未免顏慚。奈中醫治病皆依其經驗之術語。本屬無理可喻。若一旦去之。則使何適何從。故本篇取中西學說對立。使相形也下。醜態畢露。庶我同道見之有所勉焉。

西說言經之前後。卽經輪迴錯亂之現象也。然經輪迴之學理。雖今日學者尚未研究清楚。而月經來潮之理。却了然於指掌。根據此理以推究。當不外某種體素分泌亢進與減退耳

症狀　先期者未及四週而經來。後期者逾四週而經至。然不如此之簡單。每與腹痛腰痠等並見。

診斷　中醫用藥之標準。在症之寒熱虛實。而月經超前後退。又不能爲寒熱絕對之標準。旣如上述。故本病之診斷極難。所幸本病單獨發現極少。皆與其他症狀同時並現。可借以辨熱寒。爲用藥之準繩。（參照月經病之一般辨症法）

治法　熱者清之。寒者溫之。

應用方劑

1芩連四物湯　四物湯加黃芩黃連

2地骨皮飲　四物湯加丹皮地骨皮

3過期飲　熟地　當歸　川芎　桃仁　木通　肉桂　白芍　香附　紅花　莪朮　甘艸　木香

4先期湯　生地　芎藭　知母　黃連　阿膠　香附　當歸　黃柏　黃芩　川芎　艾叶　甘艸

5歸脾湯　人參　白朮　當歸　棗仁　龍眼肉　黃耆　茯神　甘艸　遠志　木香

6逍遙散　當歸　茯苓　甘艸　白芍　柴胡　白朮

（二）月經過多與崩漏

排經量之多寡。乃比較之言。非絕對之謂。而排經最普通約在一二百克。逾於此數。卽謂之過多。然過多乃指月經爲正調或近於正調經血過多之謂。若失其週期性。或無間歇者。均非爲月經過多。名之曰子宮出血。卽中醫之所謂崩漏。而月經過多之經血量增加。有由月經持續過長者。（卽中醫之所謂漏）或持續日數普通而出血過多者。（卽中醫所謂月經過多或崩）亦有之。

原因　中醫則以爲勞損氣血而傷衝任。或因脾胃虛損。不能攝血歸源。或因肝經有火。血得熱而下行。或因肝經有風。血被迫而妄行。……雖分門而別類。歸納言之。要不外乎營養不良。所謂脾胃虛弱。與夫各種之炎症性疾患。卽所謂火或熱。按之西醫學說。可分爲二。

一局部原因　最要者爲內膜肥厚。充血。而子宮粘膜息內。尤足至子宮出血。或月經過多。子宮實質炎。亦有爲月經過多之原因者。（卽中醫所謂火或熱）

（二）一般原因　慢性貧血及萎黃病。屢爲本病之原因。（卽中醫所謂脾虛不能攝血）而並非萎黃病之少女。其他亦無局部原因者。往往有大出血。（卽肝火太旺迫血妄行歟）於神精及身體激動後尤然。（怒動肝火血熱沸騰）脂肪過多症（中醫之所謂痰）亦爲本病之原因。

症狀　每月經來多量出血。或失其週期性。或淋漓不止。而呈慢性貧血之症狀者。

診斷　普通經血之量。因人而異。故出血量是否在於生理範圍內。或係病變。辨別至難。若僅憑患者之告訴。或據月經持續之日數。卽下月經過多之斷語。未免失之過早。須以出血及於全身影響而判定之。若以出血故。致患者陷於貧血。身體衰弱。或月經中不能起床者。則分明可視爲病徵。或經中混有多數凝血者。亦爲出血過多之明證。

療法　初起屬熱屬實者。與以清熱或去瘀。陷於貧血或神精衰弱者。以溫補氣血爲主。血下過急者。當以止血爲先。

應用方劑

1 芩連四物湯　見前

2 先期湯　見前

3 逍遙散　當歸　芍藥　茯苓　白朮　柴胡　甘艸

4 膠艾湯　地黃　阿膠　芍藥　當歸　川芎　甘艸　艾叶

5 滋血湯　人參　黃耆　當歸　芍藥　山藥　茯苓　川芎　熟地

6芎藭湯　川芎　黃耆　芍藥　地黃　吳萸　甘艸　當歸　乾薑

7黃柏散　黃芩　側柏　蒲黃　龍肝

8聖愈湯　四物湯加人參黃耆

（三）月經困難——經痛

月經困難云者月經時局部症狀超越尋常生理範圍。妨礙操作。因而就褥之謂也。

原因　王海藏曰「經事欲行臍腹絞痛者血滯也。」

朱丹溪曰「經將行腹痛屬氣之滯」又曰「經將來腹中陣痛乍作乍已者血熱氣實也。」

陳良甫曰「經來腹痛由風冷客於胞絡衝任或傷手太陽手少陰二經。」

概括諸家之說月經困難。當不外乎血滯氣滯兩端其治法不外去瘀行氣。西醫以病灶爲中心其分類如后。

局部原因　其病變或在卵巢。或在輸卵管或在子宮從而分爲卵巢性月經困難。及輸卵管性與子宮性月經困難。由此等器管炎症而起者。特名之曰炎症性月經困難。而卵巢性月經困難。其主要原因爲慢性卵巢炎。卵巢腫瘍等。輸卵管性月經困難。較爲習見。輸卵管收縮發陣痛狀疼痛。爲週知之事實。其重要原因爲輸卵管炎。子宮性月經困難原因很多。大別可分爲三

（一）機械性月經困難　由經血通路生有障礙。欲戰勝障礙。而排出經血。故子宮強度收縮。發爲疼痛。於強度子宮前屈或後屈與子宮肌腫等見之。

（二）充血性月經困難　內生殖器高度充血。主因爲痰症內膜充血。肥厚子宮口即生狹窄。實質層之炎症充血。使子宮收縮。疼痛愈增劇烈。

（三）發育不全　子宮發育不全。亦有爲月經困難之原因者。但不僅見於全身發育不全養營不良之婦人。而體格營養皆良之婦人亦見之。

一般原因　一般原因之月經困難。較爲罕見。大致不能證實局部原因時。則歸咎於患者之神經質。多見於神經質之婦人。精神

過勞及萎黃病等。

症候　爲局部之疼痛。發作性者有之連續性者有之。前一種由子宮收縮之陣痛狀疼痛。而輸卵管之收縮亦起陣痛狀疼痛。但其部位多偏於病側。後一種由於子宮附屬器之炎症而起。

診斷　其疼痛有與月經同時發作者。亦有起於經前二三日。經至時一同輕快者。或在月經中持續不已者。亦有在月經開始後一二日始發者。疼痛往往激甚而惡心嘔吐四肢厥冷失神等。間亦同時並見。然神經大致興奮。常訴頭痛偏頭痛神經痛等。此等病狀大都發生於高級社會之婦人。

治法　去瘀。行氣。

應用方劑

1 桂枝茯苓丸　桂枝　桃仁　芍藥　茯苓　丹皮

2 姜黃散　姜黃　白芍　延胡　蓬朮　官桂　當歸　丹皮　川芎　紅花

3 抵當湯　水蛭　蝱虫　桃仁　大黃

4 桂枝桃仁湯　桂枝　芍藥　桃仁　甘艸　生地黃

5 元胡索散　當歸　元胡　蒲黃　赤芍　官桂　姜黃　乳香　沒藥　木香　甘艸

6 加味烏藥湯　烏藥　縮砂　木香　延胡　香附　甘艸

7 烏藥散　烏藥　香附　木香　甘艸　當歸

8 土瓜根散　土瓜根　芍藥　桂枝　䗪虫

（四）月經閉止

自破瓜期至經閉期之間。應見月經之時期。如無月經者。謂月經閉止。但妊娠及授乳期之無月經。爲生理之現象。不能謂之經閉。

原因　素問曰「月事不來者。胞脉閉也。」又曰「二陽之病發心脾。有不得隱曲。女子不月……。」

張潔古曰。「女子月事不來者。先瀉心火。血自下也。」

齊仲甫曰。「婦人月事不來。此因風冷客於胞門。」

婁全善曰。「婦人經閉。有瘀血凝滯胞門。……。」

「…………………」

先賢之言月經閉止之因。一檢方書。指難勝屈。括而言之。不外二途。一爲榮養障礙。卽所謂二陽之病發心脾也。一爲局部病變。卽所謂風冷容於胞門瘀血凝滯也。而西說則分爲

（一）局部原因　由生殖器之發育不全生殖器之閉鎖症。兩側卵巢疾患。子宮粘膜萎縮等。（中醫所謂風冷客於胞門瘀血凝滯等是）

（二）一般原因　由營養障礙。尤甚者爲貧血。萎黃病。重症結核等。（卽中醫所謂二陽之病發心脾也）

（三）機能原因　由於精神激動驚恐悲哀等。（肝氣病歟）又望子過切之婦人。月經閉止。發生所謂想像姙娠者有之。（中國醫生所謂鬼胎者是）

症候　月經應至時而無月經。僅局部呈一般月經症狀者有之。或全無症狀者。或身體之他部。口鼻等週期出血以代月經者有之。此名代償性月經。卽中醫所謂倒經。

治法　攻瘀逐滯補養氣血。

應用方劑

1萬應丸　乳漆　牛膝

2土牛膝散　土牛膝　歸尾　桃仁泥　紅花

3三稜丸　三稜　川芎　牛膝　延胡　莪朮　蒲黃　菴蕳　丹皮　芫花　白芷　當歸　地龍　乾姜　大黃

4拍子仁丸　拍子仁　牛膝　卷柏　澤蘭　續斷　地黃

5 桃仁散　紅花　當歸　桃仁　牛膝

6 千金桃仁煎　大黃　桃仁　朴硝　䗪虫

7 斑苗通經丸　斑苗　桃仁　大黃

8 抵當湯或丸　見前

9 十全大補湯　八珍湯加肉桂黃耆

結論

總上各論。以中醫之目光。棄玄談之學理。依方藥之効用言。而月經病中醫之治療。表面觀之。似皆多爲對症之治療。然細究其理。多爲原因之療法。除過多暴下。用止血藥爲對症療法外。西醫亦然。如超前以芩連爲主藥。後退以補益爲先務。疼痛之任去瘀行氣。經閉之用攻瘀逐滯。而國藉西醫每言中醫治病爲幸中。此乃片面宣傳之語也。其自身對於月經病之治法。亦不外乎消炎。使子宮充血。改良營養等。闡之於中醫學名雖異。其實則一也。用誌數語。俾受西醫片面宣傳之毒者。有所驚醒。知國醫治療並非幸中。術語雖舊。其意皆符於現代之學理也。

送本院五屆畢業同學序

邱傳芳

荀子曰。學之不可以已也。青出於藍而勝於藍。冰生於水而寒於水。木直中繩。輮以爲輪。其曲中規。雖有槁暴。不復挺者。輮使之然也。故木受繩則正。金就礪則利。不獨學問爲然也。夫學校者。陶鑄士子之所。人才所由出也。環顧海內。學校如林。而完備之醫校尚付缺如。有之。自母校始。學校創設八年矣。隱然執全國醫校之牛耳。人才輩出。豈惟病家之幸。亦國醫之光也。歲月駸駸。我院又爲五屆畢業之期。回憶與本屆諸仝學接席談醫。對牀話雨。良師益友。極仝學之歡。曾日月之幾何。風流雲散。人非木石。能不興懷。讀杜工部海內存知已。天涯若比鄰之句。不禁憬然而悟。矧今交通便利。千里日還。雖天各一方。郵書如面。離別云乎哉。然與常人分袂。猶不能不黯然魂銷。況攻玉他山。情同手足者乎。以是攝影歡送。以誌鴻爪。今諸君咸慶材成。棫樸以去。皆具救世濟疴之心。立志不懈。發憤有爲。豈止造福桑梓而已哉。陸宣公所謂既活國又活人者也。傳芳不敏。愧無以贈。敢進數言。以爲左券。

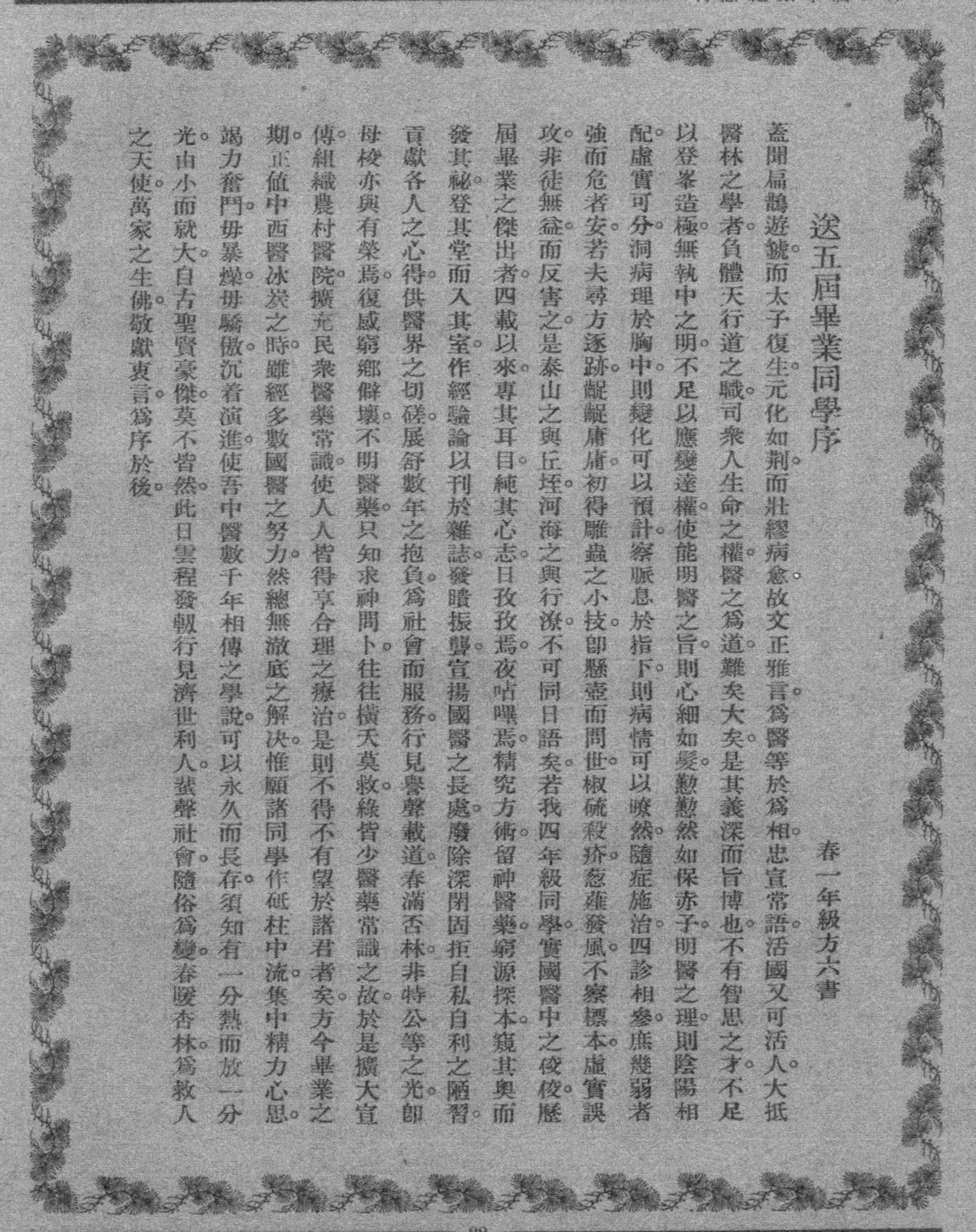

送五屆畢業同學序

春一年級方六書

蓋聞扁鵲遊虢。而太子復生。元化如荊。而壯繆病愈。故文正雅言。為醫等於為相。忠宣常語。活國又可活人。大抵醫林之學者。負體天行道之職。司衆人生命之權。醫之為道。難矣大矣。是其義深而旨博也。不有智思之才。不足以登峯造極。無執中之明。不足以應變達權。使能明醫之旨。則心細如髮。懃懃然如保赤子。明醫之理。則陰陽相配。虛實可分。洞病理於胸中。則變化可以預計。察脈息於指下。則病情可以瞭然。隨症施治。四診相參。庶幾弱者強而危者安。若夫尋方逐跡。齪齪庸庸。初得雕蟲之小技。即懸壺而問世。椒硫殺疥。葱薤發風。不察標本。虛實誤攻。非徒無益而反害之。是泰山之與丘垤。河海之與行潦。不可同日語矣。若我四年級同學。實國醫中之佼佼。歷屆畢業之傑出者。四載以來。專其耳目。純其心志。日孜孜焉。夜呫嗶焉。精究方術。留神醫藥。窮源探本。窺其奧而發其祕。登其堂而入其室。作經驗論以刊於雜誌。發聵振聾。宣揚國醫之長處。廢除深閉固拒自私自利之陋習。貢獻各人之心得。供醫界之切磋。展舒數年之抱負。為社會而服務。行見譽聲載道。春滿杏林。非特公等之光。即母校亦與有榮焉。復感窮鄉僻壤。不明醫藥。只知求神問卜。往往橫夭莫救。緣皆少醫藥常識之故。於是擴大宣傳。組織農村醫院。擴充民衆醫藥常識。使人人皆得享合理之療治。是則不得不有望於諸君者矣。方今畢業之期。正值中西醫冰炭之時。雖經多數國醫之努力。然總無澈底之解決。惟願諸同學作砥柱中流。集中精力心思。竭力奮鬥。毋暴燥。毋驕傲。沉着演進。使吾中醫數千年相傳之學說。可以永久而長存。須知有一分熱而放一分光。由小而就大。自古聖賢豪傑。莫不皆然。此日雲程發軔。行見濟世利人。蜚聲社會。隨俗為變。春暖杏林。為救人之天使。萬家之生佛。敬獻衷言。為序於後。

眼瞼病新說

朱殿

一 瞼緣炎　二 瞼虱病　三 瞼水腫　四 瞼腺炎
五 瞼板腺囊腫　六 倒睫　七 瞼內翻　八 瞼外翻

一 瞼緣炎（舊名爛弦風）

症狀　分潰瘍與不潰瘍兩種。不潰瘍者。瞼緣紅腫。且睫基有多數白色鱗屑。睫易於脫落。但仍復長。因毛囊未受損傷之故。單純性瞼充血。亦屬此類。但瞼緣無鱗。祗顯紅腫。潰瘍者。瞼緣亦顯紅腫。有黃痂粘其睫。若將此痂除去。則在睫下見有易出血之小潰瘍。睫歪曲脫落而疏。因毛囊被損不能再生故也。患此二種病者。晨起時上下二瞼常相粘合。作癢。作痛。流淚。羞明。用眼力作精工時。易致疲倦。

併發病及後患　此等患見於潰瘍者最多。如結合膜炎瞼板炎睫永久脫落。或多或少不等。瞼緣肥大。倒睫及瞼外翻等是。

原因　起居不合衞生。身體虛弱。或患疹熱病後。（痲疹爲甚）受烟及風塵等之激刺。睡眠太遲與不足。屈光不正。（遠視及散光爲最。）慢性結合膜炎。淚管病。以及鼻患。與不潔淨等是也。此病老幼均可得。惟小兒更甚。

療法　內服除濕湯。連翹。滑石。車前。枳壳。黃芩。川連。木通。甘草。陳皮。茯苓。荆芥。防風。小兒用黃芪湯。車前。細辛。黃芩。五味。蒼朮。黃連。

外治潰瘍者用萬全膏或銅綠膏頗效。

萬全膏

荆芥。防風。川連。文蛤。各五錢。銅綠五分。苦參根四錢。薄荷一錢。共末爲丸。桐子大。熱水化開一丸。乘熱洗目。日三次。數日即愈。

銅綠膏

用鮮銅綠三錢。研細末。以生密調塗粗碗內。將碗覆轉。燒艾烟薰至焦黑爲度。取起冷定。以乳汁調匀。蒸熱。搽患處甚效。未潰瘍者。可不必用藥外治。（西醫則用黃氯化高汞油膏外搽。）

二 瞼虱病（舊名虫痒爛弦風）

本症 卽瞼緣炎之有虫痒者。西醫對此症療法。祇有用黃氯化高汞油膏搽塗之一法。與瞼緣炎之療法雷同。我中醫則用八仙丹。日搽三四次。數日卽愈。

八仙丹

當歸七分。銅綠一錢。薄荷七分。白礬一錢。黃連五分。五倍子五分。餤硝五分。輕粉二分。研爲細末。用絹包。約龍眼大。泡洗。

三 瞼水腫

瞼水腫之原因有四。一爲炎性腫。常兒於瞼病及瞼附近之炎患。如瞼板腺炎。淚囊炎。副鼻竇炎等病。或兼見於眼球內部之劇炎。例如虹膜睫狀體炎。急性青光眼。全眼球膿炎。及眶結締組織炎等。二爲損傷之腫。因受外傷或昆虫所刺而致。三爲全身性病之腫。如因腎或心病所致。四非炎性之腫。於血管神經病性常見之。有再發及猝然而發。甚至令上下二瞼合閉。而眼球無改變。但患者甚懼。殊不知消散亦如發現之速。此病常見於婦女行經之時。

療法 炎性腫用調脾清毒飲。天花粉。連喬。荊芥穗。甘草。黍粘子。桔梗。白茯苓。白朮。薄荷。防風。陳皮。

非炎性之腫。（見第四之原因。）用羌活除風湯。羌活。獨活。川芎。桔梗。大黃。地骨皮。黃芩。蘇木。甘草。菊花。木賊。

四 瞼腺炎（舊名瞼邊癤 偸針）

症狀 瞼緣顯一紅腫處。患者覺痛。按之亦然。多有水腫狀。不久則腫上有黃點。卽表明化膿也。

原因 脾胃濕熱交蘊。大便祕結。屈光不正而未改者。易致之。

療法 外用熱布敷之。使其早熟。至見黃點時。則須拔去其中之睫。或以刀橫割而擠出其膿。內服先宜用退赤散。後用通精散。瀉脾飲。

退赤散　黃芩。黃連。白芷。當歸。赤芍。梔子。桑白皮。木通。桔梗。連翹。

通精散　防風。川芎。當歸。赤芍。大黃。芒硝。蒺藜。石膏。黃芩。甘草。桔梗。牙硝。黃連。羌活。滑石。荊芥。

瀉脾飲

茺蔚子。防風。黃芩。玄參。梔子。石膏。大黃。知母。黃柏。

五　瞼板腺囊腫（舊名胞生痰核症）

此症由於瞼板腺管閉塞而成其腺發慢性炎而腫脹。附近處亦然。多見於壯年。常有數腺同時患之。且有再生叢發之性。腺內有多數小圓細胞。間有巨細胞。其中央顯粘液性變有纖維組織包繞之。但無眞囊腫之衣

症狀　初起遲緩。症狀稍顯或全無數星期或數月後則長大大者如大豆。小者如小豆。至是則見有腫處。按之覺硬與瞼板粘着。而與皮則否。翻瞼視之。患處色紅或紫。日久則變灰色。間或有肉芽。此囊腫有時能自消散有時化濃（名內瞼板腺炎）而顯急性炎狀。有生於腺管者。由瞼邊凸出爲紅灰色結節。名瞼邊性瞼板腺囊腫。此患或致貌不雅觀。且刺激結合膜也。

療法　宜服防風散結湯或清胃湯

防風散結湯

玄參。前胡。赤芍。黃芩。土貝母。防風。蒼朮。白芷。陳皮。天花粉。

清胃湯

山梔仁。枳殼。蘇子。石羔。川連。陳皮。連喬。歸尾。荊芥。黃芩。防風。甘草。

六　倒睫

倒睫症。乃睫多寡不等向內倒長致磨擦其角膜。致顯充血。疼痛。流淚。羞明。角膜不透明。血管生成。及潰瘍等患。

原因　最常見者爲慢性沙眼（顆粒性結合膜炎）因令結合膜及瞼板成瘢而縮小所致。亦有因瞼緣炎。火傷。外傷。及手術傷而致者。

療法　分拔毛法。手術矯正法。初起藥物療治法。三種。倒睫初起。風熱上攻。可用石膏羌活散流氣飲等方治之。

石膏羌活散

蒼朮。羌活。密蒙花。白芷。石膏。牛蒡。木賊草。藁本。黃連。細辛。家菊花。荊芥。川芎。甘草。

流氣飲

荊芥。山梔。牛蒡子。蔓荊子。細辛。防風。白夕利。木賊草。玄參。人參。川芎。

拔毛法。對於少數倒睫。因其常復生長。須數星期用鑷拔去一次。倒睫或與正常睫無異。或變細短而色淡。故不易覓見。

手術法。在倒睫多或為全倒者。當用手術治療。此法之目的。在矯正睫之位置。或移植他處。此患常見於瞼內翻。故瞼內翻亦宜兼治之。

七　瞼內翻

瞼內翻　即瞼及睫向內翻轉之病。

種類有二。一、瘢痕性類。此因結合膜及瞼板有瘢痕之改變所致。於上瞼最常見之。二、痙攣性類。此因眼輪肌痙攣所致。大概見於下瞼。在老年者多。蓋因其眶內脂組織全失。致眼球深陷。及瞼皮寬鬆故也。(此名老年瞼內翻)

症狀　為角膜受刺戟及損傷之狀。如充血。疼痛。流淚。羞明。角膜不透明。及血管翳潰瘍等。

原因　瘢痕性類。以由遠年沙眼成瘢痕而改變者為最。次為瞼受外傷。或火傷。手術傷等所致。痙攣性類。由眼球萎縮。或失去眼瞼痙攣。瞼與結合膜發炎。及繃裹眼過久。(老年人多)所致。

療法　痙攣性類。不用外科手術治之。亦或有效。如由繃裹眼所致。可除去繃布。或先將小布捲置眶緣。以除其內翻之勢。然後繃之。由他故致者。必須除根。其瞼可將火棉膠刷於皮外。使向外翻。或用合口膏由瞼緣至頰上粘貼。以上均為簡易之法。如不見效。則須以手術治之。瘢痕性類。必用手術療法。瞼內翻之初起。用藥物治療。往往有效。將內翻倒睫之毛拔去。內服阿膠丸。用阿膠一兩。秦艽二錢。紫苑。兜鈴。各五錢。牛蒡子一兩。黃柏。川連。各一兩五錢。冬花五錢。桔梗一兩五錢。生甘草五錢。蜜丸。薄荷湯送下。脾胃積熱用清火湯。赤芍。黃芩。連喬。生地。枳殼。防風。荊芥。前胡。歸尾。生甘草。

八　瞼外翻

瞼外翻為瞼向外翻轉而露出結合膜。多少不等。上下瞼或單獨患之。或俱患之。

症狀　淚溢（因淚點外翻之故）甚至下瞼之皮被擦損。及成濕疹。追後結瘢收縮。則外翻加甚。其露出之結合膜變紅。且肥大。尤甚則角膜亦受傷。因瞼不能完全閉合而遮護也。

原因　一。因受傷結瘢收縮。如手術傷。湯傷。火傷。潰瘍。眶壁骨瘍等。名瘢痕性外翻。二。慢性結合膜炎及瞼緣炎。且多肥大者。此名機械的外翻。三。老年之瞼皮及眼輪肌鬆弛。此只見於下瞼。名老年瞼外翻。四。因面神經受患而致眼輪肌癱瘓。亦只見於下瞼。名癱瘓性瞼外翻。五。瞼緣之眼輪肌痙攣。此特見於嬰兒急性結合膜痙。名瞼攣性炎外翻。

療法　不施手術法。祇用一合宜之繃帶。將瞼安置合式而繃紮之。常能減輕其痙攣。在癱瘓性類。亦宜用繃紮法。同時並療治其瞼肌之癱患。在老年性者。亦用繃帶於夜間繃紮之。且剖開其淚管。令患者拭淚時。往上內拭。在輕度外翻兼結合膜肥厚者。其外露之結合膜用消炎退毒藥外搽。亦效。內服藥療法。黃芪湯與夜光柳紅丸。

黃芪湯

黃芪。黨參。白朮。大黃。遠志。防風。知母。地骨皮。

夜光柳紅丸

人參。川芎。荊芥。白芷。川烏。南星。石羔。石決明。草烏。藁本。雄黃。細辛。當歸。蒲黃。蒼朮。防風。薄荷。藿香。全蝎。何首烏。羌活。甘松。

日久病重。預用手術矯正之。

急性熱病與陰液

朱華谷

急性熱病以攻邪拔毒爲首務。故於陰液之盈虛。尤具密切之關係。若急性熱病患者而不足於斯。則於治法。因而產生頗多窒礙。

國醫藉治急性熱病之具大法者。首推仲景傷寒論。故欲探索此問題。先當上考大論。大論太陽篇曰。「咽喉乾燥者。不可發汗。」所以然者。上焦陰液不足故也。又曰。「淋家不可發汗。發汗必便血。」所以然者。下焦陰液不足故也。又曰。「瘡家雖身疼痛。不可發汗。汗出則痙。」所以然者。血液組織液亡失。有所不敷也。又曰。「衄家不可發汗。汗出必額上陷。脈急緊。直視不能眴。不得眠。」其所以不可發汗者。血燥於上也。又曰。「亡血家不可發汗。發汗則寒慄而振。」其所以不可發汗者。亦血液有所不敷也。又曰。「汗家復發汗。必恍惚心亂。小便已陰疼。」其所以不可發汗者。軀殼津液有所不敷也。

蓋國醫治療之原則。誠如西哲希氏Hippcrates所言。「本自然療能（即所謂正氣）之理。選機處變。以處置疾病。」非藥石自能祛病。助正氣以卻病耳。若正氣薄弱。陰液衰少。猶復不顧利害。竭澤而漁。則其不敗壞者幾希。故太陽篇仲景又諄諄申教之曰。「假令尺中遲者。不可發汗。何以知然。以榮氣不足。血少故也。」陽明篇曰。「陽明病。汗出多而渴者。不可與猪苓湯。以汗出胃中燥。猪苓湯復利其小便故也。」又曰。「陽明病。自汗出。若發汗。此爲津液內竭。雖鞕不可攻之。」

吾人以體內氧化作用而產生體溫。細胞藉體溫以營其生活。然體溫以攝氏三十七度左右爲準則。過或不及。皆足致病。故放溫造溫。須有合度。否則溫度不足。細胞之生活力因而薄弱。如是於國醫籍謂之陽虛。甚則謂之亡陽。陽虛者。體溫不足之謂也。亡陽者。體溫喪失之謂也。陰液之來源。由於飲食之水穀。而營消化、吸收、分泌諸作用。使水穀成爲陰液者。端賴各藏器細胞之生活力。故陰傷而陽不亡者。其陰自能再生。陽亡而陰不傷者。其陰亦無後繼。故良工治病。不患陰之傷。獨患陽之亡耳。

治傷寒論者。順六經之次序。致意於溫度之起伏。畫一曲綫以表之。當得一極顯明之波汶。陽明經者。陽氣極盛之時也。少陰經者。陽氣至衰之時也。惟其然。故陽明則爍石流金。津液枯涸。少陰則陰霾凜冽。津不滋生。損有餘。補不足。故治之之法。前者以折陽爲先。後者以扶陽是要。異塗同歸。其於顧全陰液一也。雖然。西諺有言。「事實爲最雄辯。」我欲載之空言。不如見之於行事之深切著明也。爰將大論所列。蒐輯排比。條辨以證之。

（一）陰陽俱傷或陽亡而陰不繼者

太陽篇曰。「太陽病。發汗。遂漏不止。其人惡風。小便難。四肢微急。難以屈伸者。桂枝加附子湯主之。」

夫發汗之法。當使遍身漐漐微似有汗。不可令如水流離。如桂枝湯服法條所云。遂漏不止者。如水流離之謂也。體溫藉汗液以放散。若汗流不止。體溫放散過多。則亡陽之證見矣。汗液出自血漿。汗流不止。血漿分泌過多。營養液之來源竭絕。則傷陰之證見矣。

「傷寒脈浮。自汗出。小便數。心煩。微惡寒。脚攣急。反與桂枝欲攻其表。此誤也。得之便厥。咽中乾。煩躁吐逆者。作甘草乾薑湯與之。以復其陽。（乾薑之溫。僅及腸胃。附子之溫。遍布全身。故此湯東邦山田正珍氏謂乾薑附子湯之誤。庶幾近是。）……若重發汗。復加燒鍼者。四逆湯主之。」

本條歷敍誤汗之變證。厥。咽中乾。無陰液以濡潤之故。煩躁吐逆。胃中寒也。皆陽氣喪失。細胞生活力不足所致。陰陽既兩感虛虧。而復重發汗。則陽益傷。復加燒鍼。則陰益竭矣。

「太陽中風。脈浮緊。發熱惡寒。身疼痛。不汗出而煩躁者。大青龍湯主之。若脈微弱。汗出惡風者。不可服之。服之則厥逆。筋惕肉瞤。此爲逆也。」

大青龍爲發汗兼清熱之重劑。所以治造溫機能亢盛。放溫機能衰減之證。脈微汗出惡風。爲放溫機能亢盛。造溫機能衰滅。近乎少陰證之見象。取治當於桂枝附子湯或附子湯之間。若施以大青龍。則南轅北轍。適得其反。宜乎虛虛而陽益亡。諸變蠭起矣。厥逆筋惕肉瞤者。陰液不得煦濡所致。乃陽亡而陰不繼之象。中土諸家暨東邦山田正珍等。多主眞武湯。吉益南涯氏則主茯苓四逆湯。總之皆扶陽之劑。

「下之後。復發汗。必振寒。脈微細。所以然者。以內外俱虛故也。」

本條以發汗虛其外。下之傷其內。振寒脈微者。陽氣虛弱也。脈細者。陰液不足也。治法當取擇於薑附四逆之輩。蓋亦陰陽兩傷之候。不可以自愈也。

少陰篇曰「少陰病下利清穀。裏寒外熱。手足厥逆。脈微欲絕。身反不惡寒。其人面色赤。或腹痛。或乾嘔。或咽痛。或利止脈不出者。通脈四逆湯主之。」

本條陽衰程度較四逆湯證更進一步。胃中枯燥則乾嘔。咽喉枯燥則咽痛。亦陽亡而津不繼之象。

厥陰篇曰「大汗出。熱不去。內拘急。四肢疼。又下利厥逆而惡寒者。四逆湯主之。」

大汗亡其陽。下利傷其陰。熱不去與上條外熱面色赤同理。乃格陽之候。拘急厥逆云云。亡津液骨節不利之象。蓋陰陽兩傷之證也。

「大汗若大下利而厥冷者。四逆湯主之。」

此條與上條相髣髴。亦陰陽兩傷之證。

「下利清穀。裏寒外熱。汗出而厥者。通脈四逆湯主之。」

此亦陰陽俱傷之證。裏寒外熱而汗出者。虛陽欲脫。外顯假熱之候也。厥者。陰液亡失。無以煦濡其骨節耳。

霍亂篇曰「惡寒脈微而復利。利止亡血也。四逆加人參湯主之。」

惡熱而脈微。足徵陽氣之衰。下利則傷陰。利止者。非病之欲解。血液亡失。(血液亡失。蓋指血漿而言。故認眞言之。當謂血液枯乾)無所復利耳。

「吐已下斷。汗出而厥。四肢拘急不解。脈微欲絕者。通脈四逆加猪膽汁湯主之。」

吐已下斷(千金作吐下已斷)吐下已斷者。非病差也。陰液盡竭。無所復吐復利耳。與上條之利止亡血同理。四肢拘急。脈微欲絕云云。則陽氣之衰脫。亦指顧間事矣。

(二)陽盛爍陰

(甲)抑陽

太陽篇曰。「服桂枝湯。大汗出後。大煩渴不解。脈洪大者。白虎加人參湯主之。」

太陽病發汗而大汗出之變證。首見於桂枝加附子湯證條。遂漏不止云云是也。惟彼所主證。乃造溫機能本不亢盛。而過劑以促進放溫。體溫放散過多。溫度不足。細胞之生活力以之薄弱。而影響及造溫機能之衰減者也。本條則反是。服藥之後。放溫機能固已亢盛。然造溫機能亦因刺激而同時亢盛。其程度甚於放溫機能有一倍乃至數倍者。且新陳代謝作用因高溫而亢盛。陰脈之消耗既多。腸胃得高溫反致消化不良。而不能食。則陰液之來源減少。唾腺粘膜不能分泌如常。斯唇舌乾燥大渴引飲等種種傷津之證象見矣。

「傷寒若吐若下後。七八日不解。熱結在裏。表裏俱熱。時時惡風。大渴。舌上乾燥而煩。欲飲水數升者。白虎加人參湯主之。」

陽明篇云。「何緣得陽明病。答曰。太陽病。若發汗。若下。若利小便。此亡津液。」由是觀之。不應吐下而吐下之。皆足以亡津液。熱結在裏。表裏俱熱云云。足徵造溫機能甚亢盛。陰液既傷於前。而復熱燥於後。宜乎舌上乾燥。飲水數升矣。

「傷寒無大熱。口燥渴。心煩。背微惡寒者。白虎加人參湯主之。」

本條亦熱甚燥陰之證。無大熱者。指肌表外候而言。非指病之性質也。蓋白虎湯證固當壯熱。然因皮膚盡量放散。故表熱間亦有不及大青龍證與麻黃湯證之甚者。惡寒者。汗出腠理疏。不任風寒耳。

「傷寒脈浮。發熱無汗。其表不解者。不可與白虎湯。渴欲飲水。無表證者。白虎加人參湯主之。」

本條證候。雖不完具。然渴欲飲水云云。亦足徵其爲陽盛燥陰之候。

陽明篇曰。「腹滿身重。難以轉側。口不仁。面垢。譫語遺尿。發汗則譫語。甚下之則額上生汗。手足逆冷。若自汗出者。白虎湯主之。」

面垢爲皮脂腺分泌亢進。素問痺論曰。「皮膚不榮。故爲不仁。」則此證之口不仁云者。足證液虧無以濡潤於舌。所致譫語云云。亦陽盛燥陰之果。

「陽明病。脈浮而緊。咽燥口苦。腹滿而喘。發熱汗出。不惡風。反惡熱。身重……若渴欲飲水。口乾舌燥者。白虎加人參湯主之。」

此條與上條同理。咽燥口苦。渴欲飲水。口乾舌燥云云。皆傷津之象。汗出而仍惡熱。足徵體溫之來源。多於去運動神路失躢於濡養而爲之遲鈍。故身重。喘者。呼吸促迫。以助其放溫耳。

(乙)瀉陽

陽明篇曰。「陽明病。脈遲。雖汗出不惡寒者。其身必重。短氣腹滿而喘。有潮熱者。此外欲解可攻裏也。手足濈然汗出者。此大便已鞕也。大承氣湯主之。……」

汗出不惡寒。身重短氣腹滿而喘。有潮熱。皆足徵裏熱熾盛。手足濈然汗出者。熱迫水液外出。足徵大便已鞕也。故用大承氣以下奪之。

「傷寒若吐若下後。不大便五六日。上至十餘日。日晡所發潮熱。不惡寒。獨語如見鬼狀。若劇者。發則不識人。循衣摸床。惕而不安。微喘直視。脈弦者生。濇者死。微者但發熱。讝語者。大承氣湯主之。……」

本條論陽明病腦證狀之劇者。如獨語如見鬼。發則不識人。循衣摸床。惕而不安。直視讝語。潮熱而不大便。則內熱熾盛可知。先曾吐下。則陰液已傷。腦神經既缺濡養。復受熱燥故爾。

「陽明病。其人多汗。以津液外出。胃中燥。大便必鞕。鞕則讝語。小承氣湯主之。……」

多汗是胃燥之因。便鞕是讝語之根。皆亡津液之故。

「陽脈微而汗出少者。爲自和也。汗出多者。爲太過。陽脈實。因發其汗。出多者。亦爲太過。太過者。爲陽絕於裏。(此句無所主。當疑誤置。)亡津液。大便因鞕也。」

自汗發汗。皆取遍身漐漐。不宜如水流離。如桂枝湯服法條所云。過汗則有亡陽傷津之變。本條則傷津之候也。

「傷寒六七日。目中不了了。睛不和。無表裏證。大便難。身微熱者。此爲實也。急下之。宜大承氣湯。」

經曰。「五藏六府之精。皆上注於目。」熱邪內爍。津液枯燥。精神不得上注於目。則不了了而睛不和矣。蓋亦腦病之外候。

「陽明病。發熱汗多者。急下之。宜大承氣湯。」

陽明病。發熱汗多。與白虎證何別。至曰「急下之。」則知本有胃實可下之證。而復發熱汗多。則胃愈燥。津愈竭矣。

「發汗不解。腹滿痛者。急下之。宜大承氣湯。」

發汗不解。則其汗徒傷津液。腹滿痛者。內部燥實之候也。

少陰篇曰。「少陰病。得之二三日。口乾咽燥者。急下之。宜大承氣湯。」

少陰篇用大承氣以急下者。共三條。本條暨以下一條。敍述傷陰之證象較審。而其病皆陽明。冠少陰病三字者。蓋卽少陰復轉陽明。所謂「中陰溜府」是也。

「少陰病。自利清水。色純青。心下必痛。口乾燥者。急下之。宜大承氣湯。」

燥矢內結。往往刺激腸粘膜。使之分泌亢進。故自利清水。卽後人所謂「熱結旁流」是也。大傷陰液。口乾燥。枯涸之象呈矣。

(三)養陰

太陽篇曰。「傷寒。灸結代。心動悸。灸甘草湯主之。」

脈結代云者。脈有歇止之謂。心動悸。卽西醫所謂心悸亢進是也。心悸亢進之因不一。本條證則以血液不足。血壓有低落之虞。心藏起代償性搏動興奮。故一方面則心藏大起大落。而生心悸亢進之自覺證。一方面則血液仍不能充盈脈管。而依次傳達於橈骨動脈。於是結代之脈象呈矣。

少陰篇曰。「少陰病。得之二三日以上。心中煩。不得臥。黃連阿膠湯主之。」

本條證非少陰病也。少陰病皆陽虛。宜用扶陽劑。不該用大隊滋陰意者。傷寒以六經分類。本方證無所附麗。姑附於少陰篇耳。心中煩。不得臥。皆陰虛陽越之象。

「少陰病。下利。咽痛。胸悶。心煩。豬膚湯主之。」

本方證。亦非少陰病。下利則傷陰。咽痛胸悶心煩。津虧假熱之徵。

「少陰病。咽中傷。生瘡。不能語言。聲不出者。苦酒湯主之。」

本條證似較上條重一等。咽中傷生瘡者。咽喉腐爛之謂歟。

總上所舉仲景之於顧全陰液也。凡三法。陰陽俱傷或陽亡而陰不繼者。但扶其陽。使體溫充足。細胞之生活力復其常態。消化、吸收、分泌諸作用得以健全。則陰液之不敷者不待滋而自復矣。譬之工廠。得勞力然後始能成其種種工業品。否則徒增原料。何所用哉。此所舉仲景桂枝附子、乾薑附子、四逆湯之用於陰陽兩傷之候。通脈四逆、四逆湯之用於陽亡而陰不繼之時。皆足為吾人所取法者也。亦有少參陰藥者。則霍亂篇之四逆加人參湯證。通脈四逆加猪膽汁湯是也。至其所以用猪膽汁者。或謂方劑配合之反佐法。以為此條證狀陽極虛陰極盛。（按此陰字乃對陽氣(體溫)為言。非指陰液之陰也、）所以用之以通格拒。或謂猪膽汁所以蓋陰。然細考之。陽極虛陰極盛之證。非祇此一條。他條多不用。而此條獨用者何也。則反佐以通格拒之說。縱似精覈不可通矣。至謂益陰。亦非區區猪膽汁所可濟事。意者所以用此。殆因暴吐而至無可復吐。則不特胃液盡涸。必且胃神經之痙攣難以平復。用猪膽汁者。一則賴其苦味以降其逆。一則取其潤以濡澤枯萎之胃耳。蓋所謂「土為萬物之母」而胃氣（古人所謂「胃」範圍甚廣。泛陽明胃家實之胃。係賅指腸胃而言。胃氣或脾胃連稱。則賅指消化器官與吸收機能。）須得陰陽調和。參猪膽汁者。庶垂竭之陰不為剛燥之劑刦奪耳。亦急則治標之法。考仲景之用人參。凡三目的。其一為胃機能衰弱。理中、瀉心之類是也。其二為強心復脈。通脈四逆加人參、炙甘草湯之類是也。其三為益津。人參白虎、竹葉石膏之類是也。霍亂篇之四逆加人參。為強心復脈而設。蓋陰液固藉陽氣以滋生。陽氣亦賴陰液以發動。此即勢力物質不能相離之理。亦即舊說陰陽互根之旨。涉臘哲學者類能道之。苟病至陰陽均竭。而徒振其陽。豪不顧其陰液。譬之無膏之火煽之使炎。無源之水激之使行。雖能取效當前。不旋踵而竭熄耳。雖然陰陽兩傷之證。總以扶陽為重。何則。蓋陽氣者生氣也。陰液傷者滋陰未可驟生。蓋前已言之。須有陽氣。然後細胞方可營其生活。而為之製造也。此先賢所以有血脫補氣之論。皆可推想及之。不待張介賓黃元御之流出而曲為申說者也。亦不容朱丹溪章虛谷之徒出而為之否認者也。

陽盛爍陰者。但撤其陽。俾體溫復於常度。細胞恢復其固有之生活。則日常飲食所進。無往而不可作製造陰液之原料。即或陰液為陽盛所傷。亦不待滋而自復矣。此仲景所以用白虎以抑陽。承氣以瀉陽。皆昭然若揭者也。故大論太陽篇曰。「凡病若發汗若吐若下若亡血亡津液。陰陽自和者。必自愈。」「大下之後。復發汗。小便不利。亡津液故也。勿治之。得小便利。必自愈。」又曰「太陽病發汗後。大汗出胃中乾。煩躁不得眠。欲得飲水者。少少與飲之。令胃氣和則愈。」夫所謂「勿治之」「必自愈。」非無治法也。亦非西醫之待期療法也。有恃無恐。非圖僥倖也。不必治也。

然亦有參滋潤藥者。則白虎湯中之配知母粳米。及或加人參是也。考服白虎湯之病證。古人謂之陽明經病。急性熱病在陽明經時。必見大渴引飲。則其胃津之傷亡。蓋甚。斯時也。清熱未必即去。而津傷勢難驟復。高熱羈留一時。陰液即相繼被爍。胃津有幾。其何以堪。後天以胃氣爲本。靈樞五味篇曰。「胃者五藏六府之海也。水穀皆入於胃。五藏六府皆稟氣於胃」。胃氣健則全身各器官皆受其惠。故用清熱兼可滋陰之知母粳米。（白虎之用粳米。僅服其清湯。故同時有清熱作用）爲之副而加「滋陰價」至高之人參。於所謂「壯火食氣」之時也。至大論辨陰陽易差後勞復病脈證幷治篇之竹葉石膏湯證條。謂主「傷寒解後虛羸少氣。氣逆欲吐者。」於是注家皆以爲治病後虛熱津液不足之劑。然考病後區區虛熱。未有用石膏如是之重者。故柯琴獨恃非議。來蘇集傷寒附翼中言曰。「三陽合病。脈浮大在關上。但欲睡而不得眠。合目則汗出。此湯主之。若用於傷寒解後虛羸少氣。氣逆欲吐者。則謬之甚矣。」可謂卓識。然則竹葉石膏湯之所以用石膏同量於白虎湯者。雖主證各異。亦人參白虎之意耳。非病後調理之劑。仍攻邪拔毒之方也。

夫陰陽俱傷。或陽亡而陰不繼者。當以扶陽爲主。陽盛爍陰者。當以撤陽爲先。不必斷斷於滋陰而陰自復。是則對於急性熱病爲言也。若夫述及慢性之雜病。則大相逕庭矣。蓋急性熱病之陰傷險虧。強半有關於陽氣之盛衰。雜病則大率無與於是焉。故陰虧之象一見。必汲汲於滋陰。此大論所以有炙甘草湯。黃連阿膠湯。猪膚湯。苦酒湯等之設。而未嘗以之爲攻邪拔毒也。

後世醫家對於急性熱病陰液之展望

自漢以後。歷晉隋唐宋數代醫家。其於急性熱病之治法。皆一本仲景矩矱。不敢背違。且都述而不作之流。故其於顧全陰液之道。自一仍傷寒論成法。相率無異辭。迨金元劉河間張子和李東垣朱丹溪出。或主寒涼。或主攻下。或主培土。或主養陰。各樹一幟。於是醫學之流派以興。然而對於急性熱病顧全陰液之道。固未嘗有顯著之變化者也。至有明薛已立齋氏習用六味、八味、以統治百病以爲「邪之所湊。其氣必虛。」於是急性熱病漸以牽及內傷。於是對急性熱病之陰液問題。漸與仲景相左。介賓張景岳則殆受王太僕「寒之不寒。責其無水。壯水之主。以制陽光」說之影響。於陽盛爍陰之候。漸以側重滋陰。觀其所制新方八陣寒陣中之抽薪飲、大清飲。治陽明熱證。卽其一例。而玉女煎中。參專以重濁滋陰爲務。而豪無清熱作用之熟地一味。則尤其彰明昭著者也。更有趙養葵獻可以益火爲法。其醫貫十二官論。尤荒謬絕倫。移命門爲君主之火。洄溪徐大椿闢之。其養火之論曰「立命門之火。乃人身之至寶。何世之養身者。不知寶養節欲。而日夜戕賊此火。旣病矣。治病者不知溫養此火。而日用寒涼。以直滅此火。焉望其有生氣邪。」然而此猶似專對雜病說法。無與於急性熱病也。其治火之論曰「火之有餘。緣眞水之不足也。毫不敢去火。祇補水以配火。壯水之主。以制陽光。」其對六淫病言、曰「若夫風寒暑濕燥火六者。入於人身。以客氣也。非主氣也。主氣固客氣不能入。』則直大張曉喩幾幾乎清法可以全廢。認實熱作虛陽。混內傷外感於一談。雖不敢非難仲景。然而其於治溫病之用六味地黃丸。易白虎湯中之粳米爲糯米。亦可知其伎倆矣。

遜清順治年間。西昌喩嘉言竊內經之唾餘。誤解經文表面。本「冬傷於寒。春必病溫。」「冬不藏精。春必病溫。」兩語立論。又加「冬傷於寒又兼冬不藏精。春月同時病發。」一條。創爲溫證三例。其溫證大意。曰「緣眞陰爲熱邪久耗。無以制亢陽。而燎原不熄也。」惟其以「冬不藏精」之「精」字。解作腎精。爲少陰經病。更以爲先聖後聖。其揆當一。於是以軒岐之六經。強合仲景之六經。而與大論之少陰篇合論。少陰篇固多陽虛。故於治溫。亦多用溫藥。故雖似於陽盛爍陰之際。有補陰配火之議。未嘗見諸實行也。至雍乾年間。葉香巖薛生白崛起於蘇吳。自以爲跳出仲景範圍。舉國醫家。靡然宗之。葉桂之謬。徵修陸九芝於其所著世補齋醫書中。已舉發無遺。葉氏溫熱論開首卽指不寒不熱。允執厥中之「溫」爲邪。化六氣爲七氣。已甚荒謬不經。夫「六氣」而曰「六淫。」無非偏勝爲病。魯昭公元年左氏傳曰「天有六氣。降生五味。發爲五色。徵爲五聲。淫生六疾。」杜氏注、「淫過也。」素問天元紀大論、氣交變大論、五常政大論、六元正紀大論、至眞要大論諸篇、亦莫不交互闡發。言之綦詳。明吳有性瘟疫論傷寒例正誤篇曰「夫四氣乃二氣之離合也。二氣卽一氣之升降也。升極則降。降極則升。升極之降爲陰。陽離。離則氣亢。氣亢則致病。亢氣者。冬之大寒。夏之大暑也。將升不升。將降不降。爲陰陽合。合則氣和。氣和則不致病。和氣者。卽春之溫煖。秋之清涼也。」又曰。

「若夏涼多煖。轉得春秋之和氣。豈有因其和而反致疾者。」烏乎。千古卓著。葉氏生吳氏之後。而不之見。邪抑見之未之詳也。惟其影響之大。流派之廣。一言之差。足以蒙人清智。是以貽害蒼生。爰就本題範圍。對於急性熱病之陰液問題。分別詳論之。

（一）益胃津

葉香巖溫熱論曰「若斑出而熱不解者。胃津亡也。主以甘寒。重則如玉女煎。輕則如梨皮蔗漿之類。」醫門棒喝章虛谷注曰「斑出則邪已透發。理當退熱。其熱仍不解。故知其胃津亡。水不濟火也。當以甘寒生津。」又曰「舌絳而光亮。胃陰亡也。急用甘涼濡潤之品。」溫熱經緯王孟英注曰「按光絳而胃陰亡者。炙甘草湯去薑桂加石斛。以蔗漿易飴糖。」葉氏於陽盛爍陰之候。主益胃津者甚多。如其在助戰汗曰。「法宜益胃。」又曰「舌苔白厚而乾燥者。此胃燥氣傷也。滋潤藥中加甘草。令甘守津還之意」云云。不可指數。所以獨舉此二條者。理論之外。更示用藥標準耳。章王二人。為葉氏信徒。章氏之演釋「斑出而熱不解」為「水不濟火」。意當「壯水以配火」。王氏之釋「甘涼濡潤之品」。主增損炙甘草湯。當非無據。吾人可證於葉氏醫案中。臨證指南溫熱欄吳姓一案。直標「劫奪胃津」。而用細生地、麥冬、元參心」。王姓一案曰「老人怕其液涸」。施「甘寒醒脾」。而用「鮮生地、麥冬、川斛。」暑欄金姓二案。以為「久熱胃液被劫」。而用「人參、麥冬」。次用「人參、天冬、生地、麥冬、」等品。皆其顯例。其意蓋為壯水可以制火。益津可以解熱。不必汲汲於抑陽也。其意蓋為梨皮、蔗漿、生地、石斛之品。不待經消化、吸收、分泌諸作用。入胃即可一躍而為胃津也。惟其視胃津如瓊漿玉液。故不待涸而先滋之。此所以於王嫗一案。胃津未涸而先著「怕其」二字。遂地冬石斛。用之而不疑也。

薛生白之益胃津法。與葉氏蓋無二致。吾人可探索於彼濕熱條辨中。第四條注曰。「胃液乾枯。火邪盤踞也。……胃液內涸。風邪獨勁也。然而胃中之津液。所關顧不鉅哉。」第十五條曰。「胃液受劫。膽火上衝。宜西瓜汁、金汁、鮮生地汁、甘蔗汁、磨服鬱金、木香、香附、烏藥等味。」第三十五條曰「津枯邪滯。宜鮮生地、蘆根、生首烏、鮮稻根等味。」注曰。「胃津劫奪。熱邪內據。」總之彼輩對於益胃津之定理。以為熱之所以不去。因胃津之傷亡。為無水以制火。不知胃津之所以傷亡。正因熱甚。熱甚而傷津。非因津傷而熱甚也。壯水制火之法。僅可為雜證虛性興奮。所謂陰虛火旺者設。不可施於急性熱病之陽盛時也。此時治法。當以積極的去其熱。不應消極的益其津。即或胃津之涸竭已甚。亦當仿白虎湯之制。淸熱之中。副以一二味潤劑。甚則如人參白虎。竹葉石膏之制。仍當以抑陽爲重。不可以益津爲先。否則胃津即或固已生矣。而熱邪依然盤踞。胃津仍蒙其刼。刼而又益。益而又刼。則其益津也亦將不勝益矣。雖醫者有許子之不憚煩。然血肉之軀。其何以堪。此先賢所以有「揚湯止沸。不知釜底抽薪」之論也。故彼葉薛二氏者。不論其所用藥品。事實是否與病情背違。而所恃理論。先已倒因爲果。不足法矣。

(二)滋腎陰

滋腎陰之法。用於陽盛爍陰之候。嚆矢於薛己。推波揚厲於趙獻可。蓋前已言之。至淸季。巍然自居爲温熱大師而奉行者。則葉桂是也。葉桂益胃津之失。已於上文論之。而其於滋腎陰一法。更於事實理論兩皆不通者也。其於温熱論曰。「……或其人腎水本素虧。雖未及下焦。先自徬徨矣。必驗之於舌。如甘寒之中。加入鹹寒。務要先安未受邪之地。恐其陷入易易耳」其論舌曰。「其有雖絳而不鮮。乾枯而萎者。腎陰涸也。急以阿膠、雞子黃、地黃、天冬等救之。緩則恐涸極而無救也」其論齒曰。「若如枯骨色者。腎陰枯也。」

臨證指南中。最可爲此種學說表見者。莫如温熱欄之席姓七案。案語謂「陰液盡涸……温邪久伏少陰……」既襲喻昌誤解經文「冬不藏精。春必病温」之誤。而復揑造古人陰虛火炎。骨蒸勞熱。上盛下虛。陽光蜚越。育陰袪熱之法。爲古人治温熱之法。而曰。「古人立法。全以育陰袪熱」於是絲豪不用袪熱解邪之藥。專任熟地炭、淡蓯蓉等濁膩滯邪之品。宜乎病邪不爲藥去。反爲藥留。日益增重。卒抵於不起之塗也。其事實與理論之背謬若此。尚可謂合邏輯乎。故嘗謂葉桂諄諄告人滋腎陰以袪邪熱之法。而事實則已顯示吾人不可或用者矣。

夫所謂少陰腎水。本急性熱病所罕犯之地。更非如葉說之若可一蹴而幾者。幸而葉氏果用鹹寒塡腎而得效。非鹹寒之功。必病之自欲愈耳。又何與於內經「熱淫於內。治以鹹寒」之旨哉。況火勢所至。玉石俱焚。果爾必爍腎水。亦必撤火爲先。何勞焦頭爛額。斤斤於塡腎之末技。而賫賊以糧哉。即推而至於雜病。丹溪朱震亨世所謂養陰派也。然其養陰劑中。多合知母、黃柏以制亢陽。亦未有一味滋陰爲務者。況急性熱病以攻邪拔毒爲要務。重濁滋陰。常有滯邪後顧之憂乎。然則阿膠、熟地。即有塡腎之功。

亦難逆火邪之侵矣。至謂用「鹹寒」可以「先安未受邪之地。」而可防邪毒之入陷。尤屬荒謬不經。使鹹寒而果可安腎。果可防邪毒之入陷。曷不先用苦熱。以遏其「逆傳心包」之路。又曷不常服辛涼。俾免「温邪」「首先犯肺」邪。

然而驟視之。非不佳妙。非不高超。幾若葉桂爲内經四氣調神論所謂「不治已病治未病。不治已亂治未亂」之「聖人。」又似合仲景金匱首條所述「上工治未病」之旨。頗得綢繆未雨之奧。誠哉。讀書之貴探本窮原。魚目之易於混珠。鄭聲之易於亂雅也。夫學術之演進。靡有止期。盡信書不如無書。古人之言。非必皆是。况喪亡散亂。因革損益。轉輾鐫刻。難免失眞。言而不當。孰得出而正之。豈可造鬼於枯骨。自寒心膽。因其譽爲聖賢。遂以自巳之本能徇之。昭昭之事實徇之。更豈可隱蔽於聖賢之說。牽強於疑似之間。以掩人耳目。誣累古人。致使天下後世。與之同徇哉。而章虛谷王孟英不以爲非。樂爲之注。吳鞠通雷少逸奉之如金科玉律。更爲之推演。作書。温病條辨下焦篇之小定風珠。大定風珠。時病論暑瘵篇之「甘鹹養陰法。」蓋深中葉氏之毒者。流風所及。遂成遜清醫學晦盲否塞之局。荼毒生靈。悲哉。陸九芝合論顧景文温證治吳鞠通温病條辨中所謂「滋膩傷陰。引邪内陷。」雖屬矯枉過正。不可一概而論。要非無據耳。

(三)清榮解毒

温熱家於陽盛爍陰時之濫施滋陰。前論已發其狂妄。而其用滋陰藥於所謂「熱入榮分」「熱入血分」之候。以爲清榮解毒。則不可謂非創獲也。

薛氏温熱條辨曰。「温熱證。壯熱口渴。舌黄或焦紅、發痙、神昏讝語。或笑。邪灼心包。營血已耗。宜犀角、羚羊角、連翹、生地、玄參、鈎藤、銀花露、鮮菖蒲、至寶丹等味。」又曰。「濕熱證數日後。汗出熱不除。或渴。忽頭昏不止者。榮液大虧。厥陽風火上升。宜羚羊角、蔓荆子、鈎藤、玄參、生地、女貞子等味。」又曰。「濕熱證。經水適來。壯熱口渴。譫語神昏。胸腹痛。或舌無苔。脈滑數。邪陷榮分。宜大劑犀角、紫草、茜根、貫仲、連翹、銀花露、鮮菖蒲等味。」又曰。「熱證上下失血。或汗血。毒邪陷入榮分。走竄欲泄。宜大劑犀角、生地、丹皮、赤芍、連翹、紫草、茜根、銀花等味。」

葉氏温熱論曰。「入血就恐耗血動血。直須涼血散血。如生地、丹皮、阿膠、赤芍等物。」又曰。「再論其熱入榮。舌色必絳。絳深紅色也……純絳鮮色者。包絡受病也。宜犀角、鮮生地、連翹、鬱金、石菖蒲等。」

考西醫籍急性熱病至某種程度。細菌原蟲之毒素滲入血中。而呈中毒現像。斯時也。循環系統被襲。血液週流爲之異變。甚則心臟爲之停頓。運動神經被襲。則肌肉爲之強直。手足爲之抽搐。薛氏所謂「厥陽」「風木」云云。於人身古人皆歸之於「肝」。肝者。泰半賅指神經而言。至謂風火上升而至頭痛不止。則非特運動神經受其侵襲。卽腦神經亦蒙其影響矣。神昏讝語躁擾發狂。皆毒熱侵襲知覺神經所致。所謂「熱入心包」（舊說以爲心主知覺。故一切腦神經疾患。皆歸之於心。又以「心爲君主之官」不可侵。乃移之於心包絡。）是也。既壯熱自必爍陰。故一方則用犀角、羚羊鎮靜之劑。一方則用解毒之紫草。銀花、赤芍、丹皮與夫兼可涼血潤燥之玄參。生地等味。是處處與新說吻合。可謂精思冥悟者矣。然則吾人固不可因其於陽盛爍陰時之主張偏用益津之不當。與夫葉氏滋腎陰之荒謬。並清榮一法。亦廢棄之也。惟葉氏於此時期。猶復參用陳穢濁膩而毫無清熱作用之熟地阿膠。可謂未達一間者矣。

結論

急性熱病之與陰液問題。余既集仲景學說於其前。復列諸賢所論於其後。比較之。褒貶之。或糾正其學理。或發覆其事實。則禹鼎在目。洞然豁然。是非謬妄。可以立顯。魑魅魍魎。無能施其技矣。不得已也。余豈好辯哉。由是吾人可得一定律曰。陰陽兩傷。或傷亡而陰不繼者。當以扶陽爲主。必不得已時。則少參陰藥以副之。陽盛爍陰時。當以折陽爲先。若遇津液傷亡過甚。或循環系統受障礙時。則折陽之外。亦可少參以陰藥。惟折陽之藥。不必定限膏黃。祇須視病勢之趨向。因證施宜。所謂「知犯何逆。隨證治之」可也。凡具清熱作用者。俱可施用。是則葉薛之石斛、玄參、生地、麥冬、梨皮、蔗漿之類。謂之清熱折陽之用可。謂之壯水以制火則不可也。王太僕之「壯水之主。以制陽光」云云。祇可爲陰虛火旺。外呈假熱之雜證說法。不可適用於陽盛爍陰之候也。至用滋膩塡腎之品。於熱勢方熾之時。或防邪毒之入陷。則萬萬不可或試。薛氏以涼血解毒之品。認爲邪陷榮分而用以清榮泄熱。可謂發前人所未發。雖不可謂跳出仲景範圍。確可補仲景書之不足。吾人當珍視之。

藥性發揮

沈宗吳

世界醫學之產生。遠在元始。當上古民智未啓。耕稼陶漁之法。咸未發明。鷙鳥猛獸害虫毒蛇。時以人類爲搏噬之的。茹毛飲血必屬不易之事。爲求生活之資料。不得不剟剥樹皮。羅掘草根。以塡飢饕。但草根樹皮之種類繁雜。含毒腐腸。比類皆是。或則服後發生瀉下。或則服後引起嘔吐。積習日久。對于此類草物。漸加認識。互相戒懼。具智慧者。能利用催吐之藥。療胸脘苦悶之證。促瀉之品。去腹滿便秘之患。醫藥萌芽。遂滋生于斯時。世界初起醫學之造成。固莫不如是。淮南子云。神農嘗百草滋味。一日而遇七十毒。由是醫方興焉。可知吾國之藥物學。已肇生于四千年前。在歷史上發現之早。世界各國無與比擬。今傳有神農本草經者。雖非全由神農所手著。在中國藥物學當爲嚆矢。厥後方士之說叢興。藥物學亦捲入漩渦。其間歷百代之嬗遞。數百年家之著述。藥物效能。深爲民衆所信仰。因受陰陽五行之說所支配。乃爲近世醫學詬病。良可惋惜。考吾國藥物學至周秦二漢。已形完備。興盛于齊梁。增補于唐宋。及至有明李時珍出。而始成洋洋大觀之本草綱目。遜清以降。洎乎近代。歐西醫學澎湃國內。藥物學有中西匯通之作。草木金石虫魚鳥獸之類。羅列雜陳。不下二千餘味。承神農之後。各家論本草學者。代有數人。若雷斅之炮炙論。述性味炮炙熬煮修事之法。若隱居之藥性總訣。述五味寒熱之性。若甄權之藥性論。述性味君臣佐使之宜。若善方之草性事類。述諸藥制使畏惡相反相成之巧。若潔古之珍珠囊。述氣味陰陽升降浮沉之性。遞至近代講藥物者。均以體色氣味之辨。以闡明藥理•爲藥物學之綱要。其論藥體以根主降。頭主補。莖則通利。枝達四肢。葉屬于陽主散。花屬于陰主補。子降而補。仁補而潤。蒂宣皮散。肉補油潤。中虛空者性多猛烈。細小尖者性均銳通。輕虛薄者能升。重實厚者能降。乾燥者能去濕。濕潤者能去燥。其論藥色以靑入肝胆。黃入脾胃。赤入心與小腸。白入肺與大腸。黑入腎與膀胱。其論藥氣以羶氣入肝。臊氣人心。香氣入脾。腥氣入肺。臭氣入腎。其論藥味。以酸味入肝走筋膜主收斂。苦味入心走血脈主通泄。甘味入脾走肌肉主和緩。辛味入肺走皮毛主疎散。淡味入胃主下滲。能滲泄。內經陰陽應象大論。爲其濫觴。穿鑿虛玄。無裨實用。其阻碍於醫藥之進展不淺。蒙蔽醫家之頭腦實深。須知每一藥物。雖含有二種以上之作用。不必區分於枝節根莖。間有麻黃根節之止汗。人參蘆烏附尖之催吐。與上說藥體之義。亦不相符也。若麻黃用薑之發汗。又能治喘。白芍用根之止痛。又能斂表。杏仁用仁之止咳。又能潤腸。芎藭用根之通行血瘀。頭痛。防已用根之治歷節風。利小便。皆出于單一之藥體。而能發揮二種以上之功能。且藥物一經入胃。經胃酸胆汁膵液之化合。有色者化爲無色。有味者化爲無味。其賦形與作用之關係。尤屬風馬牛之不相及。理想邏輯。不足爲中藥學之大法。顧藥味之辨。爲中醫界折肱之學。爲中醫而不明藥味。則表病用苦藥。易致內陷。裏病用辛味。常起增劇。猶未學操刀而使割也。其不殺人焉幾希。蓋苦味退熱。辛味發散。酸味收斂。甘味和緩。淡味滲利。事實可以證之。學理可以言之。試考中藥味之酸濇者。若五味烏梅秦皮地榆棕櫚訶子。頗多含如西藥之鞣酸。其性或能收縮血管。而著止血之效。或能減少腸分泌與腸充血。而著止瀉之效。或能制止汗腺之分泌。而著止汗之效。凡此皆與酸者收斂之說相脗合。其次味辛發散。味苦泄熱。味甘和緩。味淡下滲。皆具同樣之事實與學理。乃古來之經驗。未可一概抹殺。彼西藥有必羅卡而賓及阿司疋林。乃係酸味而能顯發汗之作用。斯脫羅仿丁幾及咖啡鹼。乃係苦味而能奏強心之效。利派巴樹脂及白檀油。乃係辛味而能具利尿之性。狄午雷汀及桂皮油。乃係甘味而一能利尿。一能健胃驅風。薩勃羅明及派派沃汀。乃係淡味而一能鎮靜。一能消化。五味之說。宜若未可爲藥物學之定義。雖然。一考中西藥物。能發散者。莫多于辛味。能泄熱者。莫多于苦味。能收斂者。莫多于酸味。能和緩者。莫多于甘味。能滲利者。莫多於淡味。故中藥之辨體色與氣入經入臟之說。固無研究之價値。剷除之不足惜。顧辨味之法。不可廢也。夫吾國醫學之演進。乃半由藥物而產生病理。如在元始醫學。胸悶之服催吐藥。一吐乃快。而始知有宿食之症。腹滿之服通便藥。一瀉如暢。而始知有便祕之患。今之談中醫學史者。咸以單方爲造成中醫學之主要原素。在今日高唱改進國醫學說之際。本草藥物。不首先翻造。不足以談改進。憶去年中央國醫館曾有採取西醫之病名。欲以統一中醫病名之議。卒遭全國醫界之反對。良以中醫之病名病理。皆可謀合於今說。而所持重之藥物。則經化驗者無多。經化驗而藥效成分未能發現。或不與本草學說相符者更多。則與所改之病名。有格不相合之勢也。近年以來。各國醫家。深思中藥在中國境內能巍然存在而不滅者。確有意想不到之效驗。甯犧牲其寶貴之光陰。潛心研究者。風起雲湧。最近俄國科學家巴夫畓科氏。在鹿茸中發現其藥效成分。含多量雄性內分泌。能增強肌體之活力。心臟之活動。並消滅心臟肌肉之疲弱。與中醫本草所載鹿茸能補氣助陽之說。相對不易。惟國內中醫。苦無精研科學之人才。西醫則懷排斥異已之心。家珍開啓。坐待異域。恥莫大焉。晚近新本草學著述漸多。賅備曉暢。殊覺尠覯。其著者有小泉榮次郎之新本草綱目。房雄之日用新本草。丁福保之化學實驗新本草。及中藥淺說。黃勞逸之新本草等。其源皆出日本。竊謂中藥之改進。當求本草所載由經驗證明之特效。如黃耆之補氣。白朮之補脾。熟地之補血。茯苓之利尿。決明之平肝等。然後加以科學上之實驗。以闡明藥效作用。東鄰日本自廢除漢醫學以來。研究中藥。仍不遺餘力。收獲頗多。防已精之治關節炎。桔梗素遠志精之治氣管支炎等。今西醫界治氣喘。謂爲特效之愛泛特林。乃係麻黃之有效成分。在數十年前。早經日人長井博士所發現。當時長井尚不知參考吾國本草學。祇知有散瞳作用。而間用於眼科。後經一美醫發明。始悉治喘竟有特效。乃應用於世界。設當時長井以吾國本草學爲參考。何至藥效之埋沒。至數十年哉。不知麻黃治喘。吾千年前本草已言之諄諄。於此可窺我中醫學偉大之一斑。中西醫實有合作之必要。故中醫之言藥理。固由經驗給與之意會而立說。其所謂補氣助陽。如人參黃耆附子鹿茸能旺脈搏。起衰弱。改變蒼白之皮膚。實具有興奮心肌。促進全身細胞生活機能之作用。所謂補血滋陰。如熟地鱉甲當歸首烏能變光苔。退虛熱。潤顏色。實含鐵質。以增補血中要素。及促進血液養化之作用。其言雖異。其合於近代醫學之原理一也。人身體溫增高之故。概因傳染細菌而產生毒素。有因造溫中樞之亢盛。有因放溫機能之減退。本草因有麻桂荊防蘇梗浮萍等取汗之品。名之曰發散解肌。去風去寒。此種藥品。芳香者含有揮發油。大都能刺激汗腺神經。排除毒素。及增加放溫之作用。有生地石斛知母山梔等退熱之品。名之曰瀉火清熱涼血。此種藥品。大都能制止造溫中樞之興奮。使體溫下降。同一退熱藥性之作用。異趨而相反也。所謂瀉下去積導滯潤腸蕩滌腸胃。皆本草通便之語。考通便之法有三。一爲刺激腸粘膜。使腸之蠕動亢進。糞便由是即行排出。本草有大黃蘆薈巴豆蓖麻子之屬。一爲制止腸之吸收。同時使腸分泌增加。本草有芒硝元明粉等之屬。世有鹽類下劑之稱者指是。一爲潤滑大腸。本草有瓜蔞仁火麻仁胡麻子之屬。內經云三焦者決瀆之官水道出也。證諸小便實出于二腎。非中醫所指正副睾丸之腎也。藏於腰脇。絡於網膜。人身水分。由腸胃而吸入淋巴血液。得貯於膀胱。排泄於外之總機括也。本草以通利小便之品。曰淡滲利尿。滲膀胱濕熱。如茯苓猪苓木通車前。大抵能促進腎臟血管之擴張。以增加利尿之速率所致。涌吐之法。今中醫已少注意。元之張子和以善用涌吐聞名。爲金元四大家之一。涌吐藥之藏乎本草者實繁。胆矾瓜蒂藜蘆芥末烏附尖參蘆老鴉蒜生桐油。涌吐劑中之卓卓者。僉能入口即吐。如鼓桴之相應可知此等藥物有異常之刺激性。使胃之知覺神經感受強烈之刺激。引起嘔吐中樞之反射。然能由十二指腸吸入血液而直接刺激延髓內之嘔吐中樞。如西藥之鹽酸阿撲嗎啡者。于中藥學中蓋寡。肺爲嬌臟。乃人身交換炭氣之機關。不可須臾脫離乎外界空氣之接觸。因是易受疾病之感染。爲咳爲嗽。治療之法。不外鎮咳與甯嗽。鎮咳所以麻醉咳嗽中樞。杏仁含有錆酸當屬之鎮咳劑。外吾于本草餘不多覯。甯嗽所以豁痰。痰之爲物。乃肺臟氣管支發炎之分泌物。咳嗽亦即驅除此種分泌物所施之作用。故藥物之能減少此種分泌物。即謂之去痰。或能使該項分泌物增加。使易咯出。亦謂之去痰。桔梗貝母麥冬遠志皂筴射干半夏蔗子。本草或稱之曰開肺行痰。或稱之曰降氣利肺。除貝母外。皆係刺激肺臟氣管支使分泌增加迫痰外出者。考吾中醫麻醉之法。久付闕如。因是臟腑賽瘍。割截縫補之術。讓諸西醫。後漢華元化以善用麻醉。受其術者。昏迷失覺。因剖腹剜肚。剔刮滌洗。名於後世。元化歿而無第二人矣。尋繹傷科之籍。有茉莉根者。凡骨節脫臼。骨節損折。以酒磨服一寸。則昏迷一日。二寸則昏迷二日。藉以割剔接補。猶西醫之用哥羅仿然。據此則麻醉腦神經之藥劑。中藥亦有茉莉根之一物矣。非獨此也。又證治準繩有整骨麻藥之方。草烏當歸白芷爲其配合。醫宗金鑑亦有整骨麻藥之方。麻黃胡茄子姜黃川烏草烏鬧陽花爲其配合。咸用於跌打損傷骨節脫臼。服後麻倒不知疼痛。據此覈之本草。則川烏草烏鬧陽花等。亦可麻醉知覺中樞無疑。餘若生之南星未製之半夏。以舌舐之。則生麻感。服後瞑眩。麻醉品在中藥學中誠難悉數也。且吾人臟器爲平滑肌所構成。一旦受過度之攣縮。輒發劇痛。此種作痛。不需以草烏鬧陽花茉莉根之麻醉中樞。丁香茴香肉桂烏藥。俱有消除此種痛苦之感。餘如白芍之療腹痛。當歸之止月經痛。乳香沒藥之定瘀痛。皆具有麻醉止痛之成分。惟不必限於知覺中樞耳。西醫安眠劑之含毒。人所共知。每爲世人作自殺之利器。中藥則不然。藥性和平。如酸棗茯神龍齒柏子仁之屬。雖大量進服。亦無危險。本草所謂安魂定魄養心者。疑有鎮靜大腦皮質自己興奮性旺盛之緩作用焉。泄瀉一症。方書以其原因爲脾虛。爲食積。處方之法。因不外乎補脾消食。須知中醫之所謂脾臟。非製造白血球生於肋下形如腰子色紫之脾也。乃指消化器全部吸收作用而言也。中藥中能促進此種作用者。即以補脾名之。著者如白朮。其次于薏豆蔻芡實蓮子。則作用較輕。陳皮佛手香緣。均含芳香之油質。能刺激胃腸粘膜。使消化液分泌亢盛。麥芽山查。能促進酵素之分解。使消化食物之速率增加。本草于此等藥物。皆列於健脾之例。藥物之能直接止瀉者。一爲能鎮靜腸之蠕動。

若西醫之用嗎啡。中醫之用粟殼。嗎啡與粟殼。其成分相等具有麻醉性耳。一爲能減少腸分泌與腸充血。若訶子五倍子禹糧赤石。類多含如鞣酸成分之具有收斂性耳。且此等收斂藥之作用。對於血證亦著偉效。地榆棕櫚藕節沒石子皆是也。凡止血藥之作用收縮血管之法其一也。如阿膠白芨之能促進血液之凝固者。能收止血之效。如生地山梔之能降低體溫中樞使血管收縮。本草所謂涼血者。亦著止血之效。凡植物之燒炭者。對於血症之效驗。爲時下醫家所公認樂用。蓋植物一經燒炭。仍能發揮其固有效能。其間又產生一種植物鹽基。此鹽基體。卽西醫止血劑中之鈣鹽也。中醫學之值得究研與信仰。豈此一端哉。由是觀之。中藥學雖由經驗給與之意會而立說。其能收療治之效驗。必合乎科學之原理所致。故徐之才有宣通補泄輕重澀滑燥濕十劑之分。西醫有興奮退熱利尿瀉下制汗發汗催吐驅虫麻醉消化等等之別。其制一也。惟中醫五行之說。牢不可破。譬如脘痛一症。實因神經橫受憂鬱之刺激。失其生理常態。引起胃臟之痙攣疼痛。而中醫學稱神經謂肝。由肝而代之以木。以胃指土。於是此種神經性胃痛之病理。謂木克土。稱此等治胃痛之藥效。謂伐肝疎木。玄奥曲折。令人驟難卒曉。中醫學之被詬病。目爲神祕者。亦不過如是而已。

補白

耆婆學醫七年。師見其勤且敏也。一日與劚藥鋤藥具。令徧察國中。凡草木不中藥用者。悉爲取來。耆婆求之不獲。空器以復其師。（見本經疏證）鄒澍譏之。意謂用一藥非歷數十百人不能確知。七年之功。胡其神耶。按耆婆此事見四至侯藏中原屬寓言。鄒氏疑以之爲眞而駁之。誤矣。　年社

趙養葵曰「治溫病將如何。……曰渴則知其腎水乾枯矣。蓋緣其人素有火者。冬時觸冒寒氣。……伏藏於肌膚。……火爲寒鬱於中。將腎水熬煎枯竭。……」喻昌曰「以精動則關開而氣泄。則寒風得入之矣。……而腎主閉藏。賊亦無門可出。彌甚相安。及至春月。……肝木用事。肝主疏泄。……於是吸引腎邪。勃勃內動。……矣」此皆好故玄其說者。惟見其心勞力拙耳。　年社

痧子

沈鳳祥

痧子之名稱　痧子今蘇松一帶所稱也。因以其形如堆沙。故以是名之。北方亦名曰疹子。緣係天地間沴戾不正之氣而發也。江西湖廣亦稱痲。及瘄。此皆方語之不同。然其患則一也。

痧子之病原　痧子之源。蓋由在母體妊娠之時。早已蘊有毒素。伏於五臟之間。比其生時。其新陳代謝之作用。倍增於常。故其毒有宣洩之必要。於是或生而遊風丹毒一時蠭起。或生而腮腫口糜雜然而作。此皆毒之宣洩之象也。然毒之盛者聚者由初生卽發。然毒之輕散者則一時不得發出。伏蘊於內。待時而動。其觸發之時期。往往於春夏之交。天氣動。地氣洩。時行之邪襲於外。蘊毒遂動於中。是以痧子之發。必有誘因。其發必密佈遍身。無微弗至。則因胎兒之各組織中。悉含有毒。故無處不洩也。如一部分未發。則爲一部之毒未透。故驗痧則當視透齊與否。以定施治之標準。然其發必先於頭面。蓋痧子屬陽。發於肺。故頭面爲必經之途也。

痧子之病理　此患大抵多由毒素熇灼肺胃所致。蓋肺主皮毛。發於肺。故其毒亦發於膚表。然痧子之不留形迹者。出於氣分也。

痧子之症狀　痧子將發。其初則但發熱。乍起乍止。手足稍冷。咳嗽。噴嚏。目紅而澀。眼淚汪汪等症。此痧子之候也。如是五六日（然亦有二三日或七八日者）始行發也。其初多於耳後腰間先見細細紅點。熱甚而氣粗。或竟譫語悶亂。然後由太陽兩頰漸漸散開。其點較前稍大。惟四肢尚少。至第三日則自頭至足無處不有。如者未到者。卽是不透也。其點聯絡成片如堆沙之狀。則爲出齊之候矣。痧子三日發透後。卽漸漸帶回矣。先由頭面。次及肢體。點則一日平。一日色則一日淡。一日此爲正回也。

痧子之形色　凡痧子之透發。形貴尖聳。色貴紅潤。如通紅者。發於心經。是火之正色也。紫燥不鮮者。火盛血熱也。白淡不起者。氣虛痰重心血不足也。如色黯不起者。則爲火邪內鬱也。其色黑者。則熱毒太甚。九死一生之疾也。

痧子之脉象　凡痧子自初極以至於回後。但看右手一指脉。如洪大有力。雖有變證。亦不爲害也。此卽景岳所云陽症得陽脉之義也。若細軟無力。則陽症得陰脉。元氣弱矣。安能勝此毒邪耶。故凡得陰脉者。卽當識爲補症。宜速救元神。用溫補托法。參酌治之。

痧子普通脉象。初起浮數。繼則洪數。熱甚則脉見弦大。胃熱有積者。必見洪實。至於胃家虛熱。多見洪滑。內有廢温。則見滑象。血分熱極。則見數而兼促。此其綱也。至部位之分。則右寸獨浮大者。當防熱入包絡。至於兩關。甯以較實爲佳。左關屬肝。左弦當防熱血之盛。右關屬脾。左弦當防積濕。或胃熱之甚。至於兩尺。則命門與腎所屬也。過於洪大。則裏熱必盛。過於細小。則邪毒難透。均所不利。然小兒之痧子。大都不全憑脉法。然有時亦不得不取之以憑證也。

痧子之舌苔　痧子屬大。故舌多有胎。其色白者爲肺熱。黃者爲胃熱。黃膩者爲濕。黃糙者爲濕熱。黑而濕者爲熱淫血分。黑而燥者爲熱淫氣分。若純黑者爲心絕。皆爲危候。驗苔之外。又當驗本。痧子以舌本紅者爲佳。如舌本紅甚而變紫黑者。則爲火亢心絕。亦屬危症。至於部位之分。大都紅於尖者爲心肺熱。紅於邊者爲肝胆熱。紅於根者下焦熱。如舌紅而出血。則急當寒涼清血。舌白不紅者。則當保其脾胃。

痧子之順逆　痧子如在春夏出者順。秋冬出者逆。頭面多者順。先從胸腹煖處起漸發至四肢者順。如從四肢起漸發至胸腹背者逆也。

痧子之輕重　痧子初起或熱或退。五六日而後出。鮮明似錦者輕。如初起一熱而出。或氣喘鼻乾作嘔驚狂者重。身體微汗潮潤者輕。咽喉腫痛不食者重。初見如芥子如米尖。再後成片。淡紅滋潤。頭面勻淨而多者輕。頭面不出。或紅紫暗燥者重。發透三日而漸回者輕。胃風回早者重。手足心如火熱非常者。其出必重。移寒於大腸變痢者重。

痧子之不治症　痧子如黑暗乾枯如煤。一出即沒。或變成黑斑者。牙疳臭爛者。鼻青糞黑者。初起眼白赤紅。聲啞唇腫腰痛腹脹。人事不淸。作渴煩亂。狂叫不安。口鼻出血。閉塞不出者。不出而喘。或出而喘者。無涕鼻煽。心前吸者。張口招肩。目無神者。嘔吐不食。洞泄不知者。回後遍體溫涼如故。但下體厥冷過膝者。回後餘毒內攻。尋衣摸床。譫語神昏者。回後泄痢不止。口渴目閉。四肢不溫者。皆不治之症也。

痧子之起居飲食　凡痧子自初熱以至回後。最忌風寒。如一犯之。則腠理閉。毒氣壅滯。遂變周身青紫。欲出不出。以致內攻煩躁。悶亂氣喘。神呆危亡立至矣。故衣被宜煖。房室宜密。此爲出痧之一大關係。患者豈可視爲泛泛乎。凡痧子自初出至回後。最忌葷腥厚味。犯之恐生痰涎。變爲驚搐之症。即辛熱酸鹹燥悍之物。亦不可食。犯之必多變證。且綿延難愈。故痧前宜食竹笋荸薺香蕈清粥之類。痧後宜食燒鴨肚肺甘蔗梨藕薺菜水芹糕粉之類是也。

痧子之治法　痧子貴乎透澈。主治大法。宜先用透發使毒盡透於肌表也。若過用寒涼。則毒熱必不能透出。多致毒氣內攻喘悶而斃。至若已出透者。又當用清利之品。使內無餘熱。以免痧後諸證。且痧子屬陽熱甚則陰分受傷。血爲所耗。故囘後須以養血爲主。可保萬全。此痧子首尾主治之大法也。

痧子一症。非熱不出。故出時身先熱也。表裏無邪者。熱必和緩。毒氣鬆動。則易出而易透。故兼風寒食熱諸症。其熱必壯。毒氣鬱遏則難出而難透。治以宣毒發表湯。然或有兼見之症。宜於此方加減治之。

[宣毒發表湯]　升麻　葛根　前胡　桔梗　枳殼　荊芥　防風　薄荷　連翹　木通　牛蒡　生草

有汗或口渴甚者。去防風。加白姜蠶。驚搐啼叫者。去防風。加鈎鈎茯神燈心。便難者加瓜蔞知母。內熱加黃芩。食滯加南查炭。

痧子見點。貴乎透澈。出後細密紅潤爲佳。然有不透澈者。須察其因。如風寒閉塞。必有風熱、無汗、頭疼、嘔噁。痧色淡紅而黯之症。宜用升麻葛根加蘇叶川芎牛蒡子。有因熱毒壅滯者。必面赤身熱。譫語煩渴。痧色赤紫而滯黯。宜用三黃石膏湯。又有正氣虛弱而不能洩毒外出者。必面色㿠白。身微熱。精神倦怠。痧色白而不紅。宜以人參敗毒散主之。

[升麻葛根湯]　升麻　葛根　白芍　甘草

[三黃石膏湯]　麻黃　石膏　淡豆豉　黃柏　黃連　梔子　黃芩

[人參敗毒散]　人參　川芎　羌活　獨活　前胡　枳殼　桔梗　柴胡　生草　赤苓

痧子見點三日之後。當漸次沒落。則爲順症。若一二日點卽收沒。此爲太速。因調攝不愼。或爲風寒所襲。或爲邪穢所觸。以致毒反內攻。輕則煩渴譫妄。重則神昏悶亂。急宜內服荊防解毒湯。外用胡荽酒薰其衣被。使痧透出。方保無虞。如當散不散者。此因虛內留滯於肌表也。其症漸熱煩渴口燥咽乾。但不可純用寒涼之劑。宜以柴胡四物湯主之。使血分和暢。餘熱悉除。痧卽沒矣。

[荊防解毒湯]　薄荷　連翹　荊芥　防風　黃連　黃芩　牛蒡　大靑　犀角　人中黃

[胡荽酒]　胡荽四兩先以好酒煎一二沸入胡荽煎少時候溫可用

[柴胡四物湯] 白芍　當歸　川芎　生地　人參　柴胡　淡竹叶　地骨皮　知母　麥冬　黃芩

痧子非熱不出。若既出透。其熱當減。倘仍大熱。此毒盛壅遏也。宜用化毒清表湯治之。痧已沒落而身熱者。此餘熱留於肌表也。宜柴胡清熱飲治之。

[化毒清表湯] 葛根　薄荷　地骨皮　牛蒡　連翹　防風　黃芩　黃連　元參　知母　木通　桔梗

[柴胡清熱飲] 柴胡　黃芩　赤芍　生地　麥冬　地骨皮　知母　生草

痧子出後而煩渴者。乃毒熱壅盛也。蓋心爲熱擾則煩。胃爲熱鬱則渴。如在未出時。宜升麻葛根加麥冬天花粉。如已出者。宜白虎湯。沒後煩渴者。用竹叶石膏湯。

[白虎湯] 石膏　生知母　生甘草　粳米

[竹葉石膏湯] 人參　麥冬　石膏　生知母　竹叶　甘草

痧子未出如譫妄者。此乃毒火太盛。熱昏心神也。宜三黃石羔湯主之。如已出而譫妄者。宜黃連解毒湯主之。

[黃連解毒湯] 黃連　川柏　牛蒡　黑枝　竹叶　防風　黃芩　知母　連翹　元參　甘草　荊芥

痧子如初出未透。無汗而喘急者。此表實拂鬱其毒也。宜用麻杏石甘湯發之。如痧子已出胸滿而喘急者。此毒氣內攻。肺金受尅。宜用清氣化毒飲清之。若遲延失治。以致肺葉焦灼。則難救矣。

[麻杏石甘湯] 石羔　麻黃　杏仁　生甘草

[清氣化毒飲] 前胡　桔梗　括蔞仁　連翹　桑皮　杏仁　黃芩　黃連　元參　生甘草　麥冬

痧子咳嗽者。當分初沒治之。初起效速。此爲風邪所鬱。以升麻葛根湯加前胡桔梗蘇叶杏仁治之。若已出咳嗽者。乃肺爲火灼。以清金甯嗽湯主之。

[清金甯嗽湯] 橘紅　前胡　生甘草　杏仁　桑皮　川連　括蔞仁　桔梗　浙貝母

痧子毒盛上攻咽喉。輕則腫痛。甚則湯水難下。最爲可慮。表邪鬱遏。痧毒不能發舒於外。致咽喉作痛者。元參升麻湯主之。裏熱壅癥。或痧已發於外而咽喉作痛。以涼膈消毒飲主之。

[元參升麻湯] 荊芥 防風 升麻 牛蒡 元參 生甘草

[涼膈消毒飲] 荊芥穗 防風 連翹 薄荷叶 黃芩 生梔子 生甘草 牛蒡子

痧子失音者。乃熱毒閉塞肺竅而然也。如痧子初起失音者。以元參升麻湯主之。痧已發而失音者。加減涼膈散主之。痧子回後失音者。兒茶散主之。

[加減涼膈散] 薄荷 生梔子 元參 連翹 生甘草 苦桔梗 麥冬 牛蒡子 黃芩

痧子而症見嘔吐者。出於邪火內迫。胃氣冲逆也。須以竹茹石羔湯。味中清熱。其吐自止。

[兒茶散] 硼砂二錢 孩兒茶五錢 共爲細末。涼水一盅。調茶一匙服之。

[竹茹石羔湯] 半夏 赤苓 陳皮 竹茹 生甘草 石羔

痧子泄瀉。乃毒熱移入腸胃。而傳化失常也。治者切不可用溫涼諸劑。痧子初起。如瀉者。以升麻葛根湯加赤苓猪苓澤瀉主之。痧子已出而作瀉者。以黃連解毒湯加赤苓木通主之。

痧子而症見作痢者。謂之夾痧痢。因毒熱未解。移於大腸所致也。有腹痛欲解。或赤或白。與赤白相兼者。宜用清熱導滯湯主之。不可輕投澀劑。

[清熱導滯湯] 山查 厚朴 生甘草 枳壳 梹榔 當歸 白芍 條芩 連翹 牛蒡 青皮 黃連

小兒痧子而腹疼者。由食滯凝結。毒氣不得宣發於外。故不時曲腰啼叫。兩眉頻蹙。須以加味平胃散治之。滯消毒解。而痛自除矣。

[加味平胃散] 防風 升麻 枳壳 葛根 蒼朮 陳皮 厚朴 南山查 麥芽 生甘草

痧子而症見衄血。此因肺開竅於鼻。毒熱上冲。肺氣載血妄行而衄血也。然衄則有發散之義。以毒從衄解。不須止之。但不可太過。過則血脫而陰亡也。如衄甚者。宜外用髮灰散吹入鼻中。內服犀角地黃湯。其血可止。

[犀角地黃湯] 犀角 白芍 黑山梔 尖生 丹皮 黃芩 當歸 紅花 藕汁 甘草

痧子一症。非祗小兒患此。成人亦間患之。其治法大同小異。惟孕婦出痧。又當別治。茲因篇幅有限。容後細贅。

歡送本屆同學畢業文

三年級張應春

歲甲戌之夏。第五屆同學已達畢業之期。羨小成之已告。可少遂其初衷。回思四年以來。朝攻夜讀。夙夜匪懈。每孜孜而不倦。恆兀兀以窮年。究本探源。各求深造。一堂躋躋。其樂何如。乃者驪歌將唱。共懷惜別之情。勞燕分飛。徒有烟雲之想。應追隨級後。勉效切磋。自問駑駘。難邀雅望。惟當判袂之時。聊供芻蕘之語。按醫為國家之命脈。陰陽燥濕。悉賴以調。疾病癘疫。悉賴以除。苟非其人。必至僨事。我國自黃帝製內經以來。數千年於茲矣。經歷朝明哲之探討。各種疾病之明證。鉅細悉臻。詳備無遺。惟迄於今。歐化漸昌。國粹遞弛。且不特醫學為然也。倘不挽狂瀾於既倒。必致論滅於將來。我校創辦以來。於今十載。造就人才。已屬不少。深得社會之贊許。是皆諸教師之循循善誘。與諸同學之孜孜不倦有以致之也。今諸子學成致用。共展長才。鵬舉冲天。早賦凌雲之句。鶯歌遍地。僉稱化雨之功。廣譽盛名。無待筮卜而知之矣。抑更有進者。醫乃治病之工也。上古以來。天子諸侯。皆有醫官。如周禮醫師掌醫之政令。即醫官也。五代有翰林醫官史。宋代有翰林醫官院。置使副各二人。明仿儒學之制。置醫官。謂之醫學。府正科一人。州典科一人。遜清沿其例。民國以來。分設大學。遍立醫院。可知醫之為例代所重視。非偶然也。諸子發仞方始。應如何乾惕。以副病者之屬望。而解除衆生之痛苦。應學雖未成。竊具此願。是以瑣瑣陳詞。覺愛諸子之心。不敢期望諸子之功。更不覺其言之於衷。而忘其率直也。別矣諸子。珍重加餐。依依此念。常繞於夢寐間矣。謹書數語。藉當贈別云爾。

素問中所論之氣血二字的探原與分類

汪少成

一 緒論

我國自有歷史以來。迄於今日。幾有四五千餘年之悠久。中間文化之盛衰。人物之消長。見於可靠之史乘。亦且三四千年。實爲東方開化極早之國家也。而號稱與人類歷史同時產生之醫學。亦於其時出焉。推厥其歷史之悠久。殆與開國之歷史相並。是吾國醫學有四五千年之歷史。亦無庸置疑者也。

顧鴻濛初闢。文字未興。凡欲傳款曲互達心意者。僅能語言傳授而已。是言之無文。行之不遠。迨至結繩爲治之世。文字之事始興。與文化傳遞之事。亦漸著。顧簡而陋。亦未足與言致遠。然從斯文化之光輝。遂日見吐露。而人間一切神祕之事。亦遂日爲萬能之人類所窺破。是以文化進步之速。亦一日千里。故終殷之世。醫學已見史乘。註一 自周以降。文物大備。醫學亦日見昌明。註二 迄春秋之季。名醫迭出。註三 而尤以戰國時之醫術。足可凌轢千古。註四 度其時之醫術著於簡牘者。當不尠矣。而不知世亂時移。雖秦火燔六經。而未及斯文。而卒無片牘殘簡以遺於今者。註五 是斯文之喪。殆無傳人乎。斯醫學與文化息息相關之說。亦甚較然無疑矣。

雖然。秦火不收醫籍。而醫籍無傳。顧古人傳授學術。不全在於輕籍之完否。而多以口頭相授爲多。若尚書之伏生本草之樓護。註六 可以證也。攷先秦醫學。間有見存於今者。其惟素問一書乎。

內經之名。昉見漢書藝文志。而素問之名。則始見於張仲景傷寒論序。若初見於史傳者。則爲北齊書馬嗣明傳及北史崔彧傳。然今所傳者共二十四卷。而仲景序曰素問九卷。其卷數不合。且傷寒論中所言。皆與今之素問蹊徑相異。是仲景所見之素問。又與今日所傳之素問有異矣。至其卷數不合者。晉皇甫謐甲乙經序中已有論及曰。按七略藝文志黃帝內經十八卷。今鍼經九卷。素問九卷。二九十八卷。卽內經也。唐王冰序內經亦用其說。獨明胡應麟經籍會通中有異其詞。謂素問卽今之內經。而今之素問。卽漢志黃帝內外經五十五卷。六朝亡逸後所綴緝而易此名者。（約略其詞）其言甚當。但士安去漢未遠。其序中所言。當亦自古相傳之說。不可廢也。

統之素問一書中有先秦以前之說。從種種歷史去觀察之。殆無可疑。註七 是吾人欲求皇古醫學之眞傳。舍此實無更有眞確之書可供吾人研究。則萬難否認矣。

今日所傳之素問。雖曰殘破不全。然吾國歷來學醫而成名家者。莫不取資於此。是雖殘膏賸馥。亦足沾溉百代矣。吾生也晚。又適在新舊潮流相激相盪之世。稍受新文化之青年。一提起素問一書。無不掩耳却走。以爲素問乃一玄學之書。完全爲幾個陰陽五行之字眼所組成。斯言也。余向所心折。惟余以爲尺有所短。寸有所長。嘗見以新學說附會舊學說者。未嘗一見其是。以新舊學說附會以爲新說者。亦未一見其眞。故余在本書中爬除空虛之論。而獨以「氣血」二字提出討論。攷覈其本身源流之所自。而分析下述數章。雖未能一一犂然有當於心。然離素問所持論旨之中心。或不遠乎。若謂如莊生化腐臭爲神奇。則吾豈敢。

一 關於生理方面

吾人能生存於天地之間。除飲食而外。惟空氣而已。得之則昌。失之則死。顧除自然之空氣而外。而古人亦有所謂自身發生者是耳。其所說生氣生成之道。由於飲食入於胃中。待其消化以後。有用者卽成爲氣血。無用者卽爲糟粕。皆從二便及其他排泄器官排泄於體外。

不過古人所說之氣。並非絕對指爲空氣。亦不絕對指氣血之氣。其意爲包涵空氣及動力之氣。凡使物能推動者。皆以氣字名之。頗可以力字代之。故俗有氣力二字連用之名。關於此地解釋。素問中頗已見及。故陰陽應象大論曰。

陽爲氣。陰爲味。味歸形。形歸氣。氣歸精。精歸化。精食歸。形食味。化生精。氣生形。味傷形。氣傷精。精化爲氣。氣傷於味。

此處所稱陰陽。是氣味二字之代名詞。其云味歸形。形歸氣者。乃從飲食以後所發生功用而言。味當是指飲食二字。而消化飲食。亦必須賴氣爲之鼓動。但飲食不得其當。氣之動作。亦不能隨原有規律而反爲所病矣。故有以下。味傷形。氣傷精。蓋萬物之動作。必須合乎其本性。若反其道而行之。卽生我者。反爲我所害矣。素問所言生化之道。亦猶是耳。

不啻素問所言如是。卽古人亦知氣從飲食中所發生。故許氏說文有氣或作餼之字。蓋未表示從飲食以後所發生者也。由此觀之。知古人亦知氣從飲食中所發生之原理矣。

氣又可分爲榮氣與衞氣之別。而皆由於穀氣所發生。不過有精與悍之別而已。痺病論曰。

榮者水穀之精氣也。和調於五藏。洒陳於六府。乃能入於脈也。故循脈上下。貫五藏絡六府也。衞者水穀之悍氣也。其氣慓疾滑利。不能入於脈也。

於此吾人可識榮氣居於體內。而衞氣則留守於身體之表層。以捍衞外來之大風苛毒者也。吾人從此種文字上觀察之。榮衞二氣。其性質與上述動力之氣以外。尙有調劑藏府之均衡。捍衞體外之風邪的功用。衞氣之解釋不過如是。而榮氣之調和於五藏。洒陳於六府。乃能入於血脈。諸種理由。在素問經脈別論中。似乎曾作如是解釋曰。

食氣入胃。散精於肝。淫氣於筋。食氣入胃。濁氣歸心。淫精於脈。脈氣流經。經氣歸於肺。肺朝百脈。輸精於皮毛。毛脈合精。行氣於府。府精神明。留於四藏。氣歸於權衡。權衡以平。氣口成寸。以决死生。飲入於胃。游溢精氣。上輸於脾。脾氣散精。上歸於肺。通調水道。下輸膀胱。水精四布。五經並行。合於四時五藏陰陽。揆度以爲常也。

此段經文。頗可詮釋上文痺病論所引之文字。可知古人以經注經。自亦有其理由存焉。以上皆爲吾人從飲食以後所發生之正氣。可稱之爲體內之氣。此氣字亦可作動力解釋。但是此氣雖從體內發生。然亦必須借外界之空氣以鼓盪之。然後其效力始宏。素問中對於自然界中之氣體。亦曾重視。且分出下列種種關係。

一 關係於自然界中物者。

一 關係於時間者。

一 關係藏府者。

茲先述關於自然界中之語。生氣通天論曰。

夫自古通天者生之本。本於陰陽。天地之間。六合之內。其氣九州九竅。五藏十二節。皆通乎天氣。

又曰。

陰陽應象大論曰。

天氣通於肺。地氣通於嗌。風氣通於肝。雷氣通於心。谷氣通於脾。雨氣通於腎。

關於時間者。六節藏象論曰。

夫六六之節。九九制會者。所以正天之度。氣之數也。天度者。所以制日月之行也。氣數者。所以紀化生之用也。

又曰。

心者生之本。神之變也。其華在面。……通於夏氣。

肺者氣之本。魄之處也。其華在毛。……通於秋氣。

腎者主蟄封藏之本。精之處也。其華在髮。……通於冬氣。

肝者罷極之本。魂之居也。其華在爪。……通於春氣。

關於藏府者。六節藏象論曰。

五氣入鼻。藏於心肺。上使五色脩明。音聲能彰。五味入口。藏於腸胃。味有所藏。以養五氣。氣和而生。津液相成。神乃自生。

統覽上文素問中所論自然界中及時間藏府諸氣。頗有天人感應之義。本來天人感應之說。出於西京董仲舒。註八 可是戰國時騶衍已有九州迂闊之論。註九 而仲舒不過抽其緒論以作天人感應之說而已。其後劉向父子。益復推波助浪。侈談災異。遂風靡一世。素問綴緝於其時。遂不免受其影響。然先秦時代已發其端。決非完全產生於西漢。則又不待言矣。

人身體內之動力——氣——既然從飲食及外界自然界中所發生。則其安危如何。亦自然繫於此發生之母。所謂生之者彼。病之者彼。死之者亦彼。吾人既探索氣血所發生之原因。當有進一步研究其患疾病之事實矣。

二 病理方面

上文所述。皆屬於生理一類之氣血。皆吾人順其道而行之事。苟一旦逆其道而行。百疾斯作。玆亦條列左方。

五藏生成篇曰。

臥出而風吹之。血凝於膚者爲痺。凝於脉者爲泣。凝於足者爲厥。此三者血行而不得反其空。故爲痺也。

但僅屬臥出而風吹之。遂成痺病乎。是其病理亦非如是簡單者。蓋吾人臥出而風吹之者之時甚多。非皆遂成斯疾。成斯者。又必有其他主要原因在焉。故其下卽提出成病主要之原因曰。

人有大谷十二分。小谿三百五十四名。少十二俞。此皆衛氣之所留止。邪氣之所客也。

可知成爲痺病之主要原因。係衛氣不能捍衛外邪。故虛邪得以乘之。而羈踞於膚。於脉。於足。血道之凝泣。由於氣道之不行。氣滯血凝。而百病以成。萬邪奔集矣。非成痺厥諸病爲然。成痺厥諸病者。尤其著焉者耳。

上述氣血之生理。與時令有關。故氣血爲病之原因。尤與時令寒暑相關也。試讀八正神明論文曰。

是故天溫日明。則人血淖液而衛氣浮。故血易寫。氣易行。天寒日陰。則人血凝泣而衛氣沉。月始生。則血氣始精。衛氣始行。月郭滿。則血氣實。肌肉堅。月郭空。則肌肉減。經絡虛。衛氣去。形獨居。是以因天時而調血氣也。

上述兩節經文。悉指人因氣血而病。氣血實由天時殊異而病。故善爲醫者。當於天時之寒暑而消息之。斯得矣。是故經脉別論有曰「府精神明。留於四藏。氣歸於權衡。權衡以平。」故病皆由於氣之不得平衡之故耳。

離合眞邪論曰。

夫邪之入於脉也。寒則血凝泣。暑則氣淖澤。虛邪因而入客。亦如經水之得風也。

此外對於七情之氣。尤與人體安危相繫。故擧痛論有曰。

怒則氣上。喜則氣緩。悲則氣消。恐則氣下。寒則氣收。炅則氣泄。驚則氣亂。勞則氣耗。思則氣結。九氣不同。何病之生。……

怒則氣逆。甚則嘔血及飧泄。喜則氣和志達。榮衛通利。故氣緩矣。悲則心系急。肺布葉擧而上焦不通。榮衛不散。熱氣在中。故氣消矣。恐則精卻。卻則上焦閉。閉則氣還。還則下焦脹。故氣不行矣。寒則腠理閉。氣不行。故氣收矣。炅則腠理開。榮衛通。汗大泄。故氣泄矣。驚則氣無所倚。神無所歸。慮無所定。故氣耗矣。思則心有所存。神有所歸。正氣留而不行。故氣結矣。內除寒暑二氣之外。皆屬七情之氣。由是觀之。吾人情慾之惡劣及和平。其有關切於身體之健康與否。既如是之重大。豈僅古謂憂能傷人已哉。是司命者當注意審察。而尤爲攝生者之重當調節矣。

因天時人事與氣道相反而病者。已述於上矣。玆述因天時人事與氣道相反成病。而藏府亦因此而不行其職者。太陰陽明篇曰。

今脾病不能爲胃行其津液。四支不得稟水穀氣。氣日以衰。脉道不利。筋骨肌肉。皆無氣以生。故不用焉。

上述凡吾人所以爲病者。皆由氣血相離相合之。故但亦有因氣血相反而病者。故調經論有曰。

氣血以并。陰陽相傾。氣亂於衞。血逆於經。血氣離居。一虛一實。血并於陰。氣并於陽。故爲驚狂。血并於陽。氣并於陰。乃爲炅中。血并於上。氣并於下。心煩惋善怒。血并於下。氣并於上。亂而善忘。

又刺志論曰。

氣實形實。氣虛形虛。此其常也。反此者病。穀盛氣盛。穀虛氣虛。此其常也。反此者病。脉實血實。脉虛血虛。此其常也。反此者病。

至其何以相并而成疾乎。則經中亦曾明白解釋。故其下文曰。

有者爲實。無者爲虛。故氣并則無血。血并則無氣。今血與氣相失。故爲虛焉。絡之與孫脉俱輸於經。血與氣并。則爲實焉。血之與氣并走於上。則爲大厥。厥則暴死。氣復反則生。不反則死。

由斯以言。凡氣血有實有虛。不得平衡。俱足爲病矣。豈待外邪之入而後病也。

四　治法方面

氣血之有關於生理病理者。予既已述之上文矣。而關於治療之機要。自當摘出述之。觀素問上氣血之道。對於治法上頗占重要地位。蓋吾人之安危。既全繫於氣血。氣血一旦不能平衡。萬病因而蠭起。治之之法。務必平其不平。而後氣血以調。萬病斯去矣。故經脉別論曰。

肺朝百脉。輸精於皮毛。毛脉合精。行氣於府。府精神明。留於四藏。氣歸於權衡。權衡以平。

夫氣爲血之帥。氣行則血行。故治血莫先於利氣。素問中所謂氣歸於權衡。權衡以平。意在斯也。然治法之要。當亦須注意其天時人事藏府也。藏氣法時論有云

故邪氣之客於身也。以勝相加。至其所生而愈。至其所不勝而甚。至其所生而持。自得其位而起。

經中所言。臨床時類皆可驗。而尤以患風疾者之驗更著。是氣血之有關時令者。又八正神明論曰。是故「天溫日明。則人血淖液。而衞氣浮。故血易寫。氣易行。天寒日陰。則人血凝泣。而衞氣沉。月始生。則血氣始精。衞氣始行。月郭滿。則血氣實。肌肉堅。月郭空。則肌肉減。經絡虛。衞氣去。形獨居。是以因天時而調血氣也。」（此段已引見前、因不可分、故重引之、）此尤可見治病者天時與吾人血氣之關係不可須臾離矣。又調經論亦曰。「血氣者。喜溫而惡寒。寒則泣不能流。溫則消而去之。是故氣之所幷爲血虛。血之所幷爲氣虛。」

人身氣血對於天時有重大關係。固無論矣。然而人身體肉氣血之診。尤須留意者。故寶命全形論有曰。

五曰知藏府氣血之診。

何謂氣血之診。蓋六經有多氣少血者。有少氣多血者。多氣多血者。明乎此而後溫涼攻補之法始可施。明乎此而後痼疾新病可以去。至其補泄溫涼之法。亦必須注視氣血虛實如何。離合眞邪論曰。

眞經者。經氣也。經氣亦虛。故曰其來不可逢。此之謂也。故曰候邪不審。大氣已過。寫之則眞氣脫。脫則不復。邪氣復至。而病益蓄。故曰其往不可追。此之謂也。

又曰。

若先若後者。血氣已盡。其病不可下。故曰知其可取如發機。不知其取如扣椎。故曰知機道者。不可挂以髮。不知機道者。扣之不發。此之謂也。

誠哉可愈之機。稍縱卽逝。所謂間不容髮是也。而時下之醫臨病趦趄苟且。坐失可愈之機。而夭扎人命。又誰之過歟。吾願談斯文

者之三復斯言。而無忽氣血往來虛實之候也。

五 結論

氣血本爲人身不可無之物。有之亦須平衡。各守其職。則病自不起。壽自不摧矣。但氣尤較血爲重。歷觀諸病。血病而引起氣病者甚少。氣病則無不引起血病者。人徒知血之病。而不知氣預爲之病也。故素問曰。百病生於氣。諒哉斯言。素問詳於論氣於原因而略於血也以此。故茲篇遂不得不如是矣。歷觀吾國中醫論氣血之道。莫不推演陰陽五行生尅之說。故曼衍無極。幾於千篇一律。茲篇除經文原有陰陽五行生尅之意外。絕不加入一句陰陽五行生尅之語。以變本而加厲。茲篇之作。亦不拾人牙慧。雖一絲一縷。亦自爲機杼。而完全用演繹與歸納之法而貫串之。雖有差誤。未能盡合整理古代醫學之法。吾以爲整理古代醫書之法。大抵不外于是。且吾知讀是篇者。對于氣血二字之原理如何。必有一系統之印象。非如前人之論。如建章宮殿千門万戶。莫知出入也。千慮一得。料爲知者首肯。惟因篇幅所限。未能盡抒鄙見。此則祇有留待他日再爲修改賡續矣。嗚呼。整理國醫之說。隨地而揚聲者已數年。於茲而觀其成績。不過互相抄襲。或採西人之言。而未能消化。以成矛盾扞格之邪說而已。然而其能爲整理之工作者。吾日望之也。

六 注文

註一　書云。若藥弗瞑眩厥疾弗瘳。詩云。多將熇熇。不可救藥。此醫學文字之見於商周之世。而最早者。

註二　見周禮天官。

註三　見左傳昭公元年。醫和論晉候之疾事。

注四　史記扁鵲傳。又戰國策秦策中。

注五　見文獻通攷經籍攷序曰。若醫藥卜巫種樹之書。當時雖未嘗廢錮。而並無一卷傳至今者。

注六　漢書樓護傳。

注七　見素問識解題。

注八　見春秋繁露錄。

注九　見史記荀孟列傳。

有評王肯堂者。謂六科準繩之廣博。反不及張氏醫通之精約。此言誠確。雖然。非博無由返約。六科準繩之眞價值。豈果不及醫通矣哉。（年祉）

觀聚方要補十卷。本八十卷。日人丹波元簡所輯。經其子若孫。刪揆補訂。以行世。眞不愧爲丹波之後矣。嘗考名醫之後。每多不肖。一如富家之紈袴子弟。克繩祖武者蓋寡。如丹波者。曾有幾人。（年祉）

裘吉生曰。國醫之發明。當求之于小部書中。非怪論也。一人之精神才力。本極有限。發明豈易言哉。彼著書等身者。豈皆其所發明。初不過循循相因。縱其筆鋒。以欺後人而已。（年祉）

鄒澍謂不得舍藥性論方。又不容舍方義論藥。斯言蓋得之矣。故耑讀藥性者。未必能知藥性。耑攻方義者。亦未必能通方義。藥與方相倚而不能相離。缺一則踣。經過此關者。當知澍言之不謬。（年祉）

醫林改錯一書。贊之者奉爲奇寶。以爲國醫界之革命先鋒。惡之者詆爲妄論。實竊西醫之餘緒。詳閱其內容。多不可思考者。如謂心中無血。豈非奇談。故吾甯從後者。不敢引爲國醫之光榮。（年祉）

古之著書者。惟恐其書之不得行于世。故每僞託名人神仙所作。故僞書獨多。有清之季。尚有此風。今則不然。未有著書之學力。而惟恐其名之不世知。輒偸竊連綴。以爲己有。故抄襲之風獨盛。（年祉）

調經論治

李冰妍

導言

治病之道難。治婦人之病更難。昔丹溪有云甯治拾男。不治一女。以斯言而細味之。可知婦人病之難治矣。因婦人生理心理病理實有異於男子者。而病亦異之。夫男子苟能清心寡慾。調節得時。康健倘保偶病亦不越正規。醫者從其病而治之。察其癥結而療之。未有不中肯綮者。治婦人之病則不然。蓋婦女每月受月事之羈束。寒熱失調。或心理有所不快。則月事隨之而不調。百病叢生。綜錯難辨。非精當處方。實難收效。故治婦科者。首宜研究調經。

天癸與月經之區別

通常每誤指月經卽爲天癸。實得不然。考之內經。經曰「女子二七而天癸至。任脉通。太衝脉勝。月事以時下。故能有子。又曰「丈夫二八而天癸至。精氣溢。得陰陽和。故能有子。二者同是天癸至。乃能有子。則知誤天癸爲月經之非矣。蓋天癸者。乃女子精液分祕。亦猶男之精液耳。惟女子以血爲本。以經爲常。循環系之血液。由衝任之脉。下注於子宮。應月而滲出於子宮口外。使生理上血有新陳代謝之機能。一月一盈。生理起排卵之作用。定時而下者。月經是也。女子一生行經。凡三十五年。四十九歲卵巢萎縮時。月經乃止。月經經過之期間。康健生育。實系乎月經之調節。故與女子一生之關係。可謂大矣。

經來異常之種類及原因

月經每越三旬而一行。月月如斯。則其常也。或先或後。或通或塞。必爲病矣。惟其以稟賦之異者。兩月一行。謂之並月。三月一行。謂之居經。一年一行。謂之避年。一生不知而能受孕者。謂之暗經。此乃所稟之不同。生理之變態。非病也。毋須療治。故傅青主曰。按季行經。爲有仙骨。因誤服藥而反至不調者。所謂仙骨者。卽生理之變態是也。又有經之異於常者。當其經行之際。吐血衄血。血逆上沖而妄行者。謂之逆經。有受孕數月。經來如故。而其胎不隕者。謂之漏胎。又有數年不行。一行則產子者。又有月月行經而能受孕者。此皆出於異常也。陳修園曰。此等婦人。性多乖僻。語亦信矣。蓋失信失期之故也。然考其不調。必有其因。則所謂內因外因不外內因等。經云「天暑地熱。則經水沸溢。卒風瀑起。則經水波湧。而人處於氣交之中。當行經之際。居處不愼。衞生失宜。六淫之邪。乘虛而入於胞宮。遂傷衝任之脉。此其外因者一也。又云「百病皆生於氣。故其七情之發也。不中於調節。飲食之進也。寒溫亂投。於是九氣投於血脉之中。而氣又爲血之師。氣不流暢。血安能調。此其內因者二也。又緒氏曰。女子血未行。強與之合。則他日有難名之疾。蓋女子未及天癸之期。生理尚未成熟。男子苟與合。或月事適來未斷之時。而縱慾不已。任脉損傷。血海不固。生理變化。皆令不調。崩漏等症起於不知不覺中。此則不內外者三也。然根據以上諸因。調而不調之中。若可分爲數種。先期後期。居經淋瀝崩漏等。其最要者。應審其來潮之多寡。體質之肥瘦。色澤之正否。性情之溫暴。咸宜細察之。多寡者水火之消長。熱則狂崩。寒則艱少。熱則乾涸。虛則凝結。皆足以辨證。實蓋色澤者。寒熱之標準也。血從火化。以紅爲正。以紫爲有風熱。黑爲熱甚。然火退焦枯。則屬於寒。淡白者爲虛寒。黃濁爲濕。或如米泔。或如屋漏。或似豆汁。或成塊片者。皆予人以診斷之機。大抵肥者多陽虛而痰勝。瘦者多陰虛而火旺。性情溫柔者。工愁善鬱。暴厲者。氣旺易怒。此則察其形。而審其性。探其源。以溯其流。則月經之療治。不致茫無頭緒矣。

先期經來

婦人有先期而月經至者。咸說皆主血熱。而實亦有氣份之熱。實熱則經來甚多。虛熱則經來必甚小。血份之熱。色多鮮豔。氣份之熱。色多紫黑。此等症狀。咸關於腎。蓋腎中水火交旺。則生理機能擴張。以致水旺血多。火旺血熱。乃有餘之症。非不足之病。治者須操其互濟之道。切不可使其水之不足。或火之有餘。治之之法。但少清其熱。不必洩其火。方用傅青主之清經散可也。又有先期經來。只一二點滴者。方腎中火旺。而陰水虧損。以致肝火上沖。氣逆嘔吐等症。治者苟一見先期經來。俱以爲熱。但洩火而不補水。其病有不增劇者乎。治之宜用兩地湯。以清其骨腎之熱。其經自調。故治者須分別細微。否則用藥鮮克有効。

經水後期

經水有後期而治者。人咸以爲血虛故也。實則不然。蓋後期之多少。各有不同。經水後期而來少者。血寒不足。而後期而來多者。血寒而有餘。經之來也。出於腎。五臟六腑之血皆歸之。故經來諸經之血盡來相付。血既出矣。則體內虧空。而成不足。治宜補中溫散。不可謂逾期者。全不足也。方用溫經攝血湯。以補其肝腎脾三經之精血。而使之以調和。兩症觀之。一前一後。

而治之各有不同。皆造方者之妙也。

經水過多

有婦人經水過多。行後復行。而色痿黃。四肢倦怠。不欲舉動者。乃血虛不能歸經之故也。本以血旺經始多。血虛經漸寡。今則血虛而經轉多。良以血歸於經。雖旺而經亦不多。血不歸經。雖衰而亦血不少。世人每見經水過多。咸指爲血熱。故治之多誤也。倘經水果因於旺而出。自是健康之體。一行則止。必不至於一行再行。而面色痿黃困乏無力。故而不攝。此則血虛之明徵。蓋血虛氣弱。陰傷及陽。倦於一身。血損精散。骨髓中空。以致色不華於面也。治宜大補其血。而引之歸經。方用四物加白朮。續斷。山萸肉。黑芥穗。或其他等藥。只須隨症處方。無不百擊百中者。又有經水來而不斷。衝任受傷。或因經行而合陰陽。外邪客於胞內。滯於血海。使然。治之但養其元氣。則病自除。若妄攻其邪。必傷其氣。凡經來多而續前數日者。爲內熱血散也。四物加芩朮。肥者痰勝。投清海滄沙丸。瘦者火多。治宜固經丸。或經水過多。不屬肥瘦。咸屬於熱。四物芩連湯主之。並服三補丸。

經來腹痛

氣血循行。以榮於一身。血氣勝。陰陽和。則形體康泰。若外虧衛氣之充養。內乏榮血之灌溉。血氣不足。經候將行。腹部即痛。是爲痛經症。此症有虛實之分。實者或因寒滯。或因血滯。或因氣滯。或因熱滯。虛者有因氣虛。有因血虛。然實者多痛於未行之前。虛者多痛於既行之後。實者經過痛減。虛者經去而痛益甚。大都可按可揉者爲虛。拒按拒揉者爲實。有滯無滯。於此可察。但實中有虛。虛中有實。則當於形氣稟質而分辨之。有經行氣逆作痛者。全滯而不虛。須順其氣。宜調經飲治之。甚宜者排氣飲之類亦可用。若血氣俱滯者。失笑散主之。若寒滯於經。或因外寒所逆。或數日不慎寒涼。以致凝結不行。留聚爲痛。無虛者須去其寒。宜調經飲加姜桂萸肉之類主之。或和胃飲。若血熱血燥。以致于滯澁不行而作痛者。宜加味四物。或保陰煎加減治之。

先期經來腹痛

婦人有腹痛前數日而後經行。其血紫黑。乃火熱不化之故。夫肝之性。舒則通暢。鬱即不達。經欲行。而肝不應。則滯抑其氣。而痛生。然經滿不能內藏。而肝中之鬱火焚燒。內追經出。其火因之而怒洩。經來紫黑成塊。正鬱火外達耳。治宜大洩其肝中之火。然洩肝火而不解肝之鬱。則熱之標可治。而熱之本未除。又何益焉。方用宣鬱通經湯。又有經行之際。少腹疼痛。腎氣之涸也。經水乃氣血循行之排洩物。滿則溢。虛則閉。腎水一虛。則氣必熱。故腎作痛。治須以舒肝之品。而益以補腎之味。則水足而肝安。肝安則逆順。痛無由發。方用調肝湯。以平其肝。而轉其氣。則症有不藥到春回者矣。

熱入血室

婦人當傷寒傷風之時。月經適來。邪入心胞。而瘋狂有如瘧狀。晝則安靜。夜則讝語。如見鬼狀。此乃熱入血室之症也。治者無犯胃氣及上二焦。投以小柴胡湯。若其症或因勞役怒氣而變此病者。用小柴胡湯加生地黃治之。而血或虛者。用四物加柴胡。若病愈而熱未止。或元氣素弱。並用補中益氣湯。脾氣素鬱。用濟生歸脾湯。血氣素虛。用十全大補治之。

枯閉崩漏

崩閉枯漏者。實非一症。經事過多。輕者爲之漏。重者爲之崩。經水不足。月事不通者。爲之閉。夫衝任之脈。宜求滋養。陰陽不偏。月事以時下。則體康魄健。病無從生。倘經行失常。喜怒不節。疲極過度。思慮焦鬱。而傷其肝。肝傷則不能藏血於胞宮。宮不傳血於血海。所以枯閉崩漏等症起。漏下者。淋漉不斷。崩中暴下。如注。乃漏下之甚者。其狀如猪肝。如泔如涕。至有如乾血相雜者。此皆衝任虛損。喜怒勞役之甚者。致傷肝而然。應投平肝補氣之品。或補中益氣湯。或晨服地黃丸。夕服參朮大補丸。以平爲期。而枯閉者。欲其不枯。必須榮養氣血。大補經水。不能濫用攻血之劑。視其虛實分而治之。若血滯經閉而枯者。直須大黃乾漆之類。推陳致新。俾舊血去。而新血生。若氣旺而血枯者。起於勞役焦思。則宜溫和滋補。或兼痰火溫熱者。尤宜淸之涼之。每以肉桂爲佐者。正以其熱則行之義。以引其流動耳。治者切不可純服峻藥。以傷營陰。而致有意外之變也。

結論

婦女月經若行之失常。或期有前後。或量有多少。或色有紫淡。皆可徵其人病之寒熱虛實。惟月經病每非子宮一部份之病症。與全身其他病症息息相關。故治月經病者。必須詳問病人經行狀態。探討全身其他病症。則調經之道。可望如願以償矣。

喉症論治

李雨亭

導言

萬病之起。蓋不出乎六淫爲之誘因。尤以咽喉之症爲多。而主因也不出乎心肝肺脾腎胃。爲風寒暑濕燥火所惑。故前賢云「寒暖非時致成厲疫。」不無所因而現代科學所謂傳染性病者。又恰相符也。但當時崇尚迷信。皆以爲鬼神之祟。故當流行病發而反事無濟之禳神祈佛。不知預防不識趨避。而更不顧調治。死於非命者亦不知凡幾。殊爲可嘆。醫之庸者。又偏執成見。每遇喉症。輒與寒涼大劑。或偏表散。以爲能舍本求末。而不究本源。妄投過當。而致不起者。常有所見。不知病有所本。事有所因。豈能妄施妄爲哉。試觀白喉與喉痧兩症。一主鎮降。一主表散。絲毫不容假借。可知病有各證。治有各主。安能偏執成見。妄舉數症分列於后。乞

高明裁政。

總論

喉與咽不同。喉者乃肺腕呼吸之門戶。主出而不納。咽者胃腕水穀之道路。主納不出。蓋咽喉司呼吸。主升降。此人身之緊關橐籥也。然其病發各有因果。證亦不同。名目頗繁。經云一陰一陽結謂之喉脾。一陰者乃少陰君火。一陽者乃少陽相火。手少陰心脈挾咽。足少陰腎脈循喉嚨。其人膈間素有痰涎。或因飲食醇酒過量。或因忿怒失常。或因房室不節。蓋飲食過度。則胃火動也。此乃富貴者多犯之。忿怒失常。肝火動也。婦人多犯之。房室不節。腎勞火動。故男子多犯。云火動則痰上。而痰熱熾灼。壅塞咽嗌之間。痰者火之本。火者乃痰之標。火性急速。所以內外腫痛。水漿不入。乃外症之最危者。治療之法。急則治其標。緩則治其本。治標則以丸散以吐其痰涎。散其熱毒。治本則與湯劑降火補虛。仍當以其寒熱虛實而施治。實火須用正治。虛火須用從治。臨症辨別。不容或誤也。又素問云。邪客於足少陰之絡。令人咽痛。不可納食。又曰足少陰之絡。循喉嚨通舌本。凡喉痛者。皆屬少陰之病也。但有寒熱虛實之分。少陰之火。直如奔馬。逆衝於上。到此咽喉緊鎖之處。氣鬱結而不得舒。故或腫或痛也。其症必內熱口乾而赤。痰涎湧上。尺脉必數而無力。蓋緣腎未虧損。而相火無制。須用六味地黃麥冬五味大劑。又有色慾過度。元陽損虧。無根之火。遊行無制。客於咽

喉而痛者。須用八味腎氣丸大劑。湯服冷飲。引火歸原。庶無危象。此論陰虛咽痛而無他症者之治法。又有緊喉風者。其或由於高粱厚味。飲食不節。而致肺胃積熱。復受風邪。風熱相搏。上壅咽喉。而腫痛暴發。甚則風痰壅塞。湯水不下。聲音嘶啞。脉象浮數有力。此乃實火實症也。治法先用三稜鍼刺少商穴（屬手太陰肺經。在兩手大指內側去指甲角旁韭葉許取之）出惡血以瀉其熱。痰盛者以探吐法。吹玉匙開關散。內服清咽利膈湯。荊芥穗。防風。連蕎殼。牛蒡子。桔梗。薄荷。甘艸。金銀花。玄參。黃連。山梔。黃芩。大黃。芒硝。淡竹葉。就病者之輕重。及年齡之多寡而斟酌用之。更有風毒喉痺。風熱喉痺。酒毒喉痺。陰毒喉痺。傷寒喉痺。考之傷寒喉痺者。乃經傷寒後餘邪未淨。遺毒不散。熱入心脾兩經。待至六淫一觸。遺毒乘機發洩而致成喉痺。胸悶心悸。自利。咽喉微腫或痛。主以加味四七氣湯。白茯苓。蘇梗。檳榔。神粬。半夏。青皮。熟南星。白荳蔻。枳實。厚朴。杏仁。砂仁。益智。生薑等。而陰毒喉痺則由陰虛熱邪內結。初覺時癢。紅絲硬痛。嚥飲難下。喉腔色呈淡紅。口渴咽乾。或唇紅頰赤。尺脉無神。主以甘露飲。天麥冬。生熟地。黃芩。枇杷葉。鮮石斛。陳枳殼。茵陳。生甘艸。吹與珠黃散。酒毒喉痺者因久常嗜酒。或猝飲過度。酒毒蒸積於心脾兩經。發如雞卵。其色鮮紅。壅塞喉間。光澤瑩瑩。發熱惡寒。頭痛項強。先宜刺破去毒。吹冰硼散。內服粘子解毒湯加葛花。枳椇。鼠粘子。花粉。連翹。升麻。甘草。生地。梔子。白朮。防風。桔梗。黃芩。川連。青皮。元參。按葛花枳椇兩味。均能解酒。風熱喉痺者。乃熱毒積於肺胃。每因感風。而風熱相搏而成。其喉間紅腫而紫。其形若拳。亦有內外皆赤腫。壯熱惡寒。治宜吹冰硼散。服清咽利膈湯。風毒喉痺者。乃因素有痰積。偶觸風邪。風痰相搏。壅塞喉間。內外皆腫。微紅或白色。痛連腮頷。初起宜服荊防敗毒散。待寒熱退。改用清咽利膈湯。吹玉鑰匙。荊防敗毒散。荊防枳殼桔梗甘。雲苓羌活川芎柴。獨活前胡薄荷參。又有慢喉風。纏喉風。啞瘴喉風。弄舌喉風。纏舌喉風。走馬喉風。名類甚繁。然咽喉爲人身最要緊之門戶。清濁之氣。上下其間。終日不休。受經氣之所托。某經之濁氣上行逆蒸。而咽喉之病成矣。然亦不出乎六淫之氣。各有所見。考慢喉風之成。由平素體質虛弱。更兼暴怒。或飲食無度。過食五辛。或憂慮太過。七情火逼。以致脾氣不能中護。虛火易升。其發必緩。其色淡。其腫微。其咽乾。舌苔白滑。便溺清利。不思飲食。唇如凡石。脉來沉遲無力。虛火虛證也。若於午前痛甚者。屬於陽虛。宜與四君子湯加桔梗玄參麥冬牛蒡之類。或於午後痛甚者。屬於陰虛。宜施與四物湯倍生地加桔梗玄參之類。若尚未得效。再用少陰甘桔湯宣之。達之。有虛熱者。甘露飲清之。俱吹玉鑰匙散。少陰甘桔湯。桔梗。甘艸。川芎。黃芩。陳皮。玄參。柴胡。升麻。羌活。葱。白。纏喉風者由不積飲食。或醇酒辛燥積熱。鬱於肺胃。復感風邪。邪熱相搏上壅咽喉。其候則喉麻痒發癢腫痛。紅絲纏繞。聲音殊。艱嚥。飲難下。痰聲如拽鋸。可照緊喉風症同治。或有腫達外而繞及頸項。頭面紅赤焰焰。此藥不勝任。急用瓷鋒於頸項腫甚處砭出惡血。以鵝子清調乳香沒藥塗之。若喉內腫痕紫黑。用銀鍼輕刺出惡血。再以淡鹽湯漱蕩吐之。啞瘴喉風者與緊喉風相類。亦由肺胃蘊熱。積久生痰。風痰相搏而起。脉象浮數而有力。可仿照緊喉法施治。弄舌喉風者。症頗險惡。因心脾實火與外寒鬱遏。凝滯而成。咽喉腫痛。痰涎堵塞。音啞。言澀舌出不收。時時攪動。覺舌痕胸悶。常欲以手捫之者。治急鍼其少商穴出血為佳。隨與蟾酥丸徐徐嚥下。若痰涎上湧不能嚥藥者。急以探吐法。繼與清咽利膈湯投之。頻吹玉鑰匙散。以期消盡為可。或喉內起如松子及魚鱗狀。不垢不塞者。此是虛陽上浮。切忌鍼刺。宜用蜜炙附子片唅嚥其汁便愈。纏舌喉風。走馬喉風。二症皆由脾腎火鬱所致。症甚者咽喉下頰皆腫。口噤舌捲腫大。上有青筋狀若蚯蚓。舌生黃刺。舌苔白。宜鍼少商。隨施探吐之法。刮其舌苔。劃其青筋淺去惡血。繼刺舌下腫塊。以淡鹽湯漱蕩。吹冰硼散。走馬喉風者。乃邪熱客於心肺。火熾炎上。喉舌之間暴腫。轉腫而轉大者。皆與鍼刺舌尖。淡鹽湯漱蕩。以去惡血。隨吹玉鑰匙。俱服三黃涼膈散。川連。梔子。黃柏。川芎。赤芍。甘艸，蘇荷。青皮。陳皮。金銀花。花粉。當歸。射干。玄參。燈芯。淡竹葉。又有喉閉。蛾喉。喉閉者。由肝肺火盛。復受風寒相搏而致。其候乃卒然喉中閉塞。氣不宣通。欲言不能語。可刺少商。隨與雄黃解毒丸冷水磨汁灌下。吹與玉匙開關散。內服八正順氣。

蛾喉一症。亦因醇酒辛燥致傷肺胃。鬱遏而成。發有腫痛於喉間兩邊者。名曰雙蛾。世稱易治。亦有腫於一邊者。名曰單蛾。世稱難治。形如白菓。察其有惡寒發熱表症者。則與荊防敗毒散散之。如不惡寒發熱而無表症者。祇與辛涼清利。外用鵝翎蘸米醋攪喉中。或吹冰硼散去其涎沫。令以着力一咯。不破再咯。以期穿破。流去紫血、或與紫金錠磨水下之。即安然矣。而更有令人害怕視為狠虎之白喉。丹痧兩症。我國古無是症。亦無專論。考之丹痧發源。始流行於西北寒帶之地。自西歷一八七三年。在上海租界為第一次發見。死於猩紅熱（即我國舊說之喉痧亦名爛喉丹痧紅痧）之病者。後至西歷一九〇二年。上海乃大流行此症。逐處播於西南名省。菲島均曾發現。然在寒溫地帶為較多。熱帶較少。況每發於冬春為多。夏秋甚少。如張石頑先生謂手太陽足陽明蘊熱。每於冬春溫邪一觸而發。洵不虛言。更據Paginsky氏之報告。為一種鏈鎖狀球菌之傳染而致。此菌名為溶血性鏈鎖狀球菌。

然今醫界尙難決認。總之傳染力甚強且迅速。乘溫和之空氣而傳佈。由鼻腔及咽喉粘膜。或扁桃線。咽喉淋巴腺而傳入肺胃。更足爲證。咽喉爲肺胃之門戶。暴寒束於外。疫毒鬱於內。蒸騰肺胃兩經。厥少陽之火乘勢上亢。於是發爲爛喉痧痧。其候初起寒熱煩燥。嘔噁。咽喉腫痛腐爛。舌苔或白如積粉。或薄膩而黃。脉或浮數。或鬱數。甚則脉沉似伏。此時邪熱鬱於氣分。速當表散取汗爲佳。輕則解肌透痧。加減升麻葛根湯。重則麻杏甘石湯。如壯熱口渴煩燥。咽喉腫痛腐爛。舌邊尖紅絳中有黃苔。痧痧蜜佈。甚則神昏譫語。此時疫邪化火。漸由氣而入血。當即生津清營解毒。佐使疎透。宣達以冀邪從氣分而解。輕則用黑膏湯。鮮石斛。淡豆豉之類。重則涼血清氣湯。俱用錫類散吹之。待舌色光紅或成焦糙。痧子佈齊。氣分之邪已透。改用養陰清肺湯。切勿再表。表之則氣虛恐陷。又恐引動肝風而致痙厥。不可不愼也。

（鮮肌透痧湯）荊芥穗。淨蟬衣。嫩射干。生甘艸。粉葛根。熟牛蒡。輕馬勃。苦桔梗。粉前胡。連翹殼。炙殭蠶。淡豆豉。鮮竹落。紫背浮萍。

（加減升麻湯）川升麻。生甘艸。連翹殼。炙殭蠶。粉葛根。苦桔梗。金銀花。乾荷葉。薄荷葉。芍赤京淨蟬衣。陳萊菔。

（加減麻杏石甘湯）淨麻黃。生石羔。象貝母。鮮竹葉。光杏仁。川射干。炙殭蠶。白萊菔汁。生甘艸。連翹殼。薄荷葉。京玄參。

（加減黑膏湯）淡豆豉。薄荷葉。翹殼。炙殭蠶。鮮生地。生石羔。京赤芍。淨蟬衣。鮮石斛。生甘艸。象山貝。淨萍草。鮮竹葉。茆蘆根。

（涼營清氣湯）犀角尖。磨冲 鮮石斛。黑山梔。牡丹皮。鮮生地。薄荷叶。川雅連。京赤芍。京玄參。生石羔。生甘草。連翹殼。鮮竹叶。茆蘆根。金汁。冲服 如痰多加竹瀝一兩冲服珠黃散每日服二分。

（養陰清肺湯）玄參。麥冬。牡丹皮。川貝母。薄荷叶。生地黃。生甘草。東白芍。

（錫類散）象牙屑 三錢焙 壁錢 二百個焙 犀黃 五分 梅片 五分 靑代 六錢 人指甲 五分炙 珠粉 一錢 共研細末

白喉一症。世稱難治。然非難治。不過未明其理耳。或但知爲肺金熱灼。而不知由胃之蒸。就即知胃之熱。而不知由腸之寒。腸寒則下焦凝滯。其胃氣不能下達。而上灼於肺。經云。喉嚨爲氣之上下要塞。一線之地。上當其衝。終日蒸騰。無有休息。然亦有陰虛水虧。水火不濟。燥火上蒸。或飲食不節。炙煿熱伏於腸胃。胃失降令。上逼於肺。而肺爲氣之總會。喉爲氣之出入之關。肺之本色上現於喉。更以病之初起。類若傷寒。其脉象浮緊或數。惡寒發熱。頭痛背痠。遍身骨節疼痛。而喉間白塊。有當發而即現者。有二三日而隨見者。喉或痛甚而或微痛而亦有不痛而但微哽者。是以世人有未慎察。每拘執泥見。悞投表散。而致火毒蔓佈。必致喪命。誠可慨矣。考白喉初起發熱。此時鬱勃之火全集於肺胃二經。故脈象未有不浮緊者。迨熱退白現（白點或白條或白塊）而肺虛之本象又見。苟不細心診治。過用寒涼。或仍表散。必致不救。實以白喉絲毫不容表散。祇有養陰清肺神仙活命除溫化毒三湯。隨症活用。庶無危敗。茲錄于后。

（養陰清肺湯）大生地 一兩　麥冬 六錢去心　炒白芍 四錢　薄荷 二錢五分　京元參 八錢　丹皮 四錢　川貝母 四錢去心　生甘草 二錢

每日服用兩劑。重則三劑。若病勢無增。卽使加甚。仍照此方。始終不可移易。分量不可加減。於小兒可照原方折半。如喉間腫甚者加煅石羔四錢。大便燥結數日不通者。加青甯丸二錢元明粉二錢。胸下痕滿而悶者。加神麯二錢焦查二錢。小便短赤者加大木通一錢澤瀉二錢知母二錢。燥渴者加天冬三錢馬兜鈴三錢。面赤身熱或舌苔黃色者加銀花四錢連翹二錢。

（神仙活命湯）龍胆草 二錢　元參 八錢　馬兜鈴 三錢　板藍根 三錢　生石羔 五錢　白芍 三錢　川黃柏 一錢五分　生甘草 一錢　瓜蔞 三錢　大生地 一兩　生梔子 二錢

若遇極實之體質。而白喉起卽極痛且閉。飲水卽嗆。眼紅聲啞。白點立見。口出臭氣者。方可照服此方。如舌有芒刺譫語神昏者加犀角鎊二錢。大便閉塞胸下滿痕而悶者加中樸二錢枳實二錢。便閉甚者。再加萊菔子二錢生大黃二錢。小便短赤者加知母三錢澤瀉二錢車前子三錢。俟病稍減。卽改服養陰清肺湯。

若遇白喉初起。症象輕而白未見者。卽服除溫化毒湯。或白象可見。或症勢加重者。卽服養陰清肺湯。

（除溫化毒湯）粉葛根 二錢　金銀花 二錢　枇杷叶 一錢半去毛炙　薄荷 五分　生地 二錢　冬桑叶 二錢　小木通 八分　竹叶 一錢　貝母 二錢去毛　生甘草 八分　如大閉者加瓜蔞二錢郁李仁二錢。胸下脹悶者加炒枳壳一錢五分炒麥芽二錢。

以上三方加味各法。均須隨時斟酌。若見症不甚重者。或於所備二三味中。酌加一味。或以分量減輕。庶無偏誤。俱用吹喉冰硼砂散或吹喉鳳衣散或吹喉瓜霜散或用（八寶吹喉散）點舌丹 二分　人中白 一分半　木爐核炭 一分　冰片 一分　硼砂 一分半

（吹喉冰硼砂散）冰片 三分 硼砂 一錢 膽礬 五分 燈心灰 一錢五分 共爲細末每用少許吹入喉內

（吹喉鳳衣散）青果炭 二錢 黃柏 一錢 川貝母 一錢去心 冰片 五分 兒茶 一錢 薄荷叶 一錢 鳳凰衣 五分 即初生小鷄蛋殼內衣 共研細末每用少許

（吹喉瓜霜散）西瓜霜 二錢 上辰砂 四分 上冰片 二分 人中白 二分 明雄黃 四厘 共爲細末頻吹喉內

茲錄白喉禁忌之藥於后以便參究。

麻黃。桑白皮。紫荆皮。杏仁。牛蒡子。山豆根。射干。天花粉。川羌活。荆芥。防風。黃芩。桔梗。柴胡。前胡。升麻。殭蠶。蟬退。桂枝。細辛。蘇叶。馬勃。等。此皆庸醫慣用之藥。而致傷害者。不可計勝。殊可浩嘆矣。

（玉匙開關散）牙皂 一錢 明凡 一錢入蜒蚰二條拌勻陰乾 火硝 錢半 腰黃 三分 硼砂 錢半 殭蠶 一錢 山豆根 一錢 冰片 三分 共研細末如痰多者加胆凡。熱甚者加朴硝夏令潮熱者加龍骨。腐爛者加輕粉。每用少許吹喉內。

（玉鑰匙）元明粉 五錢 硼砂 五錢 炙殭蠶 五分 硃砂 六分 冰片 五分 西瓜霜 錢半 研細末

（金箍散）五倍子 川草烏 天南星 生半夏 黃柏 白芷 甘草 狼毒 陳小粉炒黃 調敷外用

結論

由是觀之。可知咽喉症治各有主。經。寒熱虛實。皆可引症。豈得偏於寒涼。或任意表散。然亦未可畏懼寒涼。絕言忌表。總以細察病情。究之症狀。推其原委。病屬寒熱。或是虛實。切實診治。應於寒涼則與寒涼。應於表解當與疎達。所謂正從之法。不可不究。際此歐風美雨之秋。雙管齊下。西醫之移入我國。日愈日繁。且終日圖滅國醫。以生理解剖論理。雖可代我國醫之以六氣爲名。五行爲理。然而論理幷非實用。考歐西醫之基礎。雖在科學。而科學之應用。在乎實驗解剖。就以實驗解剖之所得。亦僅可知病之局部形態。而病之起源。罔然不問。所謂舍本求末。而病又安能貫澈乎。試觀咽喉病症。位置幾何。而病狀之多。原因之複雜。就以局部治療。不求本末。豈眞能勝任哉。所以國醫之顚撲不滅。還賴五千餘年用藥之標準。在乎審證。審證確而用藥必當。絕不以空虛理論。而實用治療。就以實用治療而名爲「實用國醫」讀者以諸君爲然乎不然。

神農本草經之研究

周桂庭

一 緒論

本草之名。昉自漢書。今所流傳神農本草經內容。大抵包含動植鑛三界。以植物占多。故混名之曰本草。然因年湮代遠。積習相沿。遂忘名實。今研究此學者。稱爲本草學。

作者久抱澈底研索本草之起源。苦無善本及材料。因循未果。近來時與朋輩論列及此。若有所獲。故于此道鑽研益力。關于本草善本之書。亦得稍窺一二。或自購或借自朋輩。如明盧復手錄本草經。清孫星衍及姪鳳卿共輯之神農本草經。金山顧尚之神農本草經。湘潭王壬秋神農本草。又去年於范天磬先生處手抄日人森立之之神農本草經及攷異。諸書對本草經之研究。參覈同異。頗能見梁代以前之眞。至于朱墨之文。惟經史證類大觀本草尚留其式形。下亦皆零章殘什。無足觀焉。遭茲淑世。五厄爲毒。苟能及時保存之。光大之。豈僅不使斯文盡喪。而留千古聖哲之緒餘乎。雖然。余覽宋元以及明清學者之書。皆斷斷于一草一木名之異同。而于本草經之前身及形成與發展。反多見略。余夙尙方書。薜枕此書。亦既有年。謹以管窺所及。述之于左。至于本文次序。以上古幼稚之藥物考察爲出發點。探其源流脉絡。究其進退消長。次則述其已成文化史之一部藥物學的變遷中。以小題標明。務使展卷了然。至所引各說。皆列作者之名。以示不掠他人之美。亦著述之例宜爾也。

二 藥物在山海經之探討

或問藥物爲未有人類而已有。抑有人類而始有。吾知其必曰有人類而有也。測其心。不過承襲此四五千年原有歷史之謬見而已。有史以前藥物情形如何。從前醫學家。了無提及。亦足證其日光之短近矣。須知古代文化之發生。多不見于經傳。而恆在古代神話一類書中見之。此新近研究古史文化者所共認。非余故作驚人之說也。例如本草在人類以前即已發生。如述異記之射蛇自療。註一 異苑之傷蛇銜藥。註二 酉陽雜俎之鳥鵲能毒等。註三 足表現未有人類各動物自療之本能。藥物學之起。即在此也。進而探求有史之藥物學。首推山海經一書。其中藥品甚衆。蓋吾國古代極早本草之雛形也。我國青年醫學史家范天磬氏。亦早已轉其似炬目光于此。將本書山海經中各藥。依次標明。列表敍述。道其本原。題其名曰「中國古代迷信的藥物」 註四 始爲本草學放一淺光輝。然范氏之文。可商榷者甚夥。如以「中國古代」命名。其文當網羅古代迷信藥物。非狹義可比。而范氏取材範圍。僅一部山海經。其他四部之書。關于此類片段材料。極少言及。此不適。「中國古代」之題也。神農本草經一書。成于漢末(下詳。)爲中古時物。且無關「迷信的藥物」。而范氏反題倍述。不言本經隻藥。專重攷據一方。是「中國古代迷信的藥物」。趨于「文不對題」矣。以范氏卓識過人。恐其爲完璧之累。願范氏於百尺竿頭再進一步。

攷山海經一書。非成于一朝一人之手。實經數時期之作品也。今因篇幅有限。不能詳述。其大概可分三期。(一)五藏山經(即藥物出現之所。)成于東周都洛陽時。(二)海內外經成於春秋戰國之間。(三)荒經及海內經。當是漢武帝開拓西北邊境之地。而置爲郡縣以前所成。註五 此近可靠之證也。有一部份確爲最古之藥物。治古代藥學史者。所當取證也。內中所載藥品。由范氏統計。約有植物五十二。動物六十二。鑛物三。水類二。未詳者二。共得一百二十三。註六 其豐富之量。概可見矣。如藥中之黃金。白金。銀。銅。鉄。錫。雄黃。丹粟。青碧。磁石等品。與本經同者。其效用大體一致。間有一二異者。如磁石類。但亦不多見。可知當時博物知識。已有相當進步。而所謂藥物學者。則尚未至成熟時期。夫醫學上所謂藥物學。必確定其効用。明瞭其治法。方可稱爲藥物。以當時民智矇昧。尚處于半開化之境。同時受巫覡、厭勝 Charms 之熏淘。故不能處重於此。試觀尚書金縢之册文。註七 論語之「子疾病。子路請禱」。及離騷之「巫咸將夕降」。等記載。其醫學情形。概可知也。

註一 述異記卷上云。宋武帝微時。伐荻於新洲。見一大蛇。長數丈。遂射之。傷。明日復往觀之。聞杵臼聲。覘見數青衣童子。搗藥。問其故。答曰。我王爲劉寄奴所射。今合藥傅之。帝曰。何神也。童子不答。帝叱之。皆散。收得藥。因此名爲劉寄奴。

註二　異苑卷三云。昔有田父耕地。値見傷蛇在焉。有一蛇銜草著瘡上。經日。傷蛇走。田父取其餘叶。以治瘡。皆驗。本（桂按當作本字）不知草名。因以蛇銜爲名。抱朴子云。蛇銜能續已斷之指如故。是也。

註三　酉陽雜俎卷十九云。……建甯郡烏句山南五百里。牧靡草可以解毒。百卉方盛。烏散誤食烏喙中毒。必急飛牧靡上。啄牧靡以解毒也。

註四　見新醫藥刊十二十三十四期之專著。

註五　見先秦徑籍攷下册小川琢治之山海經攷。

註六　中尾萬三博士於漢藥與食療本草的研究（原文載皇漢醫界）內所統計者。動物四十六。植物二十一。其數與范氏不合。當有誤處。抑約略其數歟。

註七　武王克殷二年。患疾不豫。周公常憂在心。乃禱祀於大王王季文王之神前。願以身替武王之疾。次日霍愈。

二　本草出現之時期

本草之名。攷於古籍。始見於前漢成帝卽位建始二年（紀元前三十一年。）漢書成帝世紀云。有方士者。副佐本草待詔。七十餘人皆歸家。又漢平帝四年（西記五年。）平帝世紀云。有徵天下通知逸經。古記。天文。歷算。鐘律。小學。史篇。方術。本草。以及五經。論語。孝經。爾雅教授者。在所爲駕一封軺傳。遣詣京師。此爲應用本草名之始。又同書王莽時有樓護者。能自「誦醫經本草方術數十萬言。」皆可爲證。史記倉公傳。亦載有處方藥名。內計有滑石。半夏。蘘碭。（有作莨碭。）苦參數品。其效用可指者。苦參一味。然文爲今世本草所不錄。至宋大中祥符元年（西記一一〇八年。）大觀本草。始引史記補其效用。由是觀之。當春秋戰國之時。知藥已不少。至漢始用爲處方。故漢以前無本草專書之刊行。一切皆係口授。吾人讀樓護傳可證也。至于賈公彥引中經簿有子儀本草一卷。疑漢以前已有本草專書刊行。攷子儀乃周末人（紀元前二五〇年前後）與晉荀勗中經簿（西紀二八〇年前後）相距已遠。當爲後人僞託無疑。何以漢書藝文志無一本草揭載耶。是與神農本草經同出一轍。按孫星衍神農本草經自序云。

予按藝文志有神農黃帝食藥七卷。今本僞爲食禁。賈公彥周禮醫師疏引其文正作食藥。宋人不考。遂疑本草非七略中書。

孫氏謂藝文志之神農黃帝食禁（据王謨補註本葉德輝校以禁爲藥誤。）七卷。卽神農本草經。實難旨定。且本經所舉產地時有今傳後漢地名。故此種附會之論。殊爲無理。而解釋本草之名。亦敷衍了事。惟湘潭王壬秋先生所輯之神農本草後敍所言則較明白。其敍云。

神農嘗百草。蓋金石木果。燦然各別。唯草爲難識。炎黃之傳。唯別草而已。後遂本之以分百品。故曰本草。

舉此。論比森立之及鄭文焯 註八 同。孫氏與顧尙之則解釋糢糊。唯中尾萬三氏獨創見解。不特臆斷其解釋本草名云。

食有藥効者……動物之數。較植物爲多。宜注意之。因食物視爲藥物之原因。乃動物較植物無毒。植物得之雖易。但食之毒否。固非初民所知。註九

寥寥數言。已破數千年之傳統謬見。今本草之義。得大白于世。不致再有趨於疑竇之中者。中尾氏之功也。至于趙燏黃氏新著現代本草生藥學緒論中歷代本草沿革史略一文。註十 與徐澤漢藥與食療本草的研究同。註十一 而無增減。豈趙氏暗爲引用。抹煞作者心血而竊居其功乎。嗚呼。藥物研究家。

註八　見書帶草堂從書之醫詁卷上本草條。爲北海鄭文焯氏著。

註九　見皇漢醫報之漢藥與食療本草的研究一文。

註十　又見中報醫藥週刊十月卅日之生藥學與中國歷代本草沿革之關係一文。

註十一　見漢和藥學第二期。徐衡之譯。

四　神農本草經之性質及其成書時代

本草經之冠以神農。當不出鄭玄所注之疾醫。其文云。

五藥草木虫石穀也。其治合之齊。則存乎神農子儀之術。

以其神農子儀並稱。又爲最古之語。是神農二字或由此來。然學者皆附會所傳。似有其事。如謝利恆氏云。

本草肇自神農。註十二

又陳邦賢氏云

神農氏辨別某某也催吐。某也促瀉。註十三

蓋神農嘗藥辨味……以帝皇之尊而首定一醫藥。不得不崇拜我神農氏之神明仁智。註十四

于陳氏所言本草經確爲神農手創。不然何能知辨別催吐爲某藥。促瀉又爲某藥乎。皆附會無稽之談也。卽趙燏黃氏亦云。與謝氏陳氏倡言神農爲吾國醫藥鼻祖之論。同出一轍。要之。此種附會謬誤見解。實非忠實古代醫史者之態度。果如謝陳趙諸氏所言。則淮南子之「神農嘗百草」。及干寶搜神記之「以赤鞭鞭百草」。等文。皆有其事矣。惟日人森氏獨具慧眼。其自序云。

其冠以神農二字者。猶內經冠以黃帝二字。未始出神農氏也。

此說甚是。如周髀算經。假周公問天文於商高。周公始傳其書。本草經之冠以神農。亦猶是也。此外皆鑿空逃虛。不徵名實。眩惑世俗。不足爲訓。觀于各種古籍。添以昔賢名姓。加以古代年號。此等贋品僞書。指不勝屈。惟僞託神農之事。當另有意在。以予推想。吾國古代農事發明甚早。卽吾國一切學術。莫不由此萌芽。其印象於民族中必甚深刻也。大凡一種學說之行。必以古代聖賢號召。尤在漢時經秦火以後。漢初朝野人士。皆汲汲以求遺書爲務。獻書者往往勦鈔舊籍。或僞造章本。託古代某人所作。以售炫。神農卽古人視爲其中一大聖人。故假託神農嘗百草爲醫藥之起源。其事頗相眞近。唯其嘗別百草。其意是別百草之可食與否而言。非有關醫藥。不然則社會進化說全不適用矣。而原因結果之理亦將破壞矣。何以言之。文字未興時代之神農。已能作本草。是無因。本草出現于後若干千年。而醫學藥學上更無他之表見。是無果。無因無果。是無進化也。故 Mackenzie's Myths of Crete and Pre-Hellenic Europe氏云。

人類的經驗不能到處一律。而他們所見的地形與氣候。也不能到處一律。有些民族早進於農業文化時代。於是他們的神

話就呈現了農業社會的色彩。註十四可知假託精神有民族文化進步之影響也。註十五再以中尾氏之論與范氏藥物統計之數揣之於神農嘗百草實爲無稽之談。即各氏勉強牽合之論亦信望不孚矣。

通觀本經全書。其根據與產地語氣與文字。當爲桐君雷公等之僞作。陶宏景又謂本草經已爲張機華佗輩之添改。蓋以其出產地名乃後漢制度故耳。（按北齊顏之推有此說。）如植物類之葡萄胡麻等品亦漢世張騫通西域帶回之物。漢以前未有此藥。（按鄭玄注周禮謂葡萄在以前已有其說不足恃。）故此說較合當時事實。再以本經五石補五藏而言似有今文五行之味。蓋今文五行始創于漢。以金木水火土分配五藏。不分月令與氣。因時以得氣因氣以定位。一理也。故不主古文春祭脾夏祭肺季夏祭心。秋祭肝冬祭腎以月令言位之說。何以知今文不分月令與氣。即以人參而言。以其粗處似人頭。旁枝似手根似脚。宛如人形。人以心爲主心司五藏之氣五藏之氣合五行。（春。夏。季夏。秋。冬也。）五行與天地人日月同參故名人參是以經文于人參條有「補五藏」之說。即今世亦以爲最寶貴藥品也此種學理全據想象推測而來其受當時五行之說無疑又何况當時今五行正值旺盛期中。豈有不受其影響乎。此可作吾說之一旁證也。

註十二　見中國醫學院院刊六期醫學源流。

註十三　見陳氏中國醫學史。

註十四　見中央研院院務月刊趙氏之新本草圖誌自序。又社會醫報一八四期國產藥物專號之本草沿革。亦趙作。

註十五　Introduction. P. 23——24

五　神農本草經之原形

趙氏之本草正統及旁出系譜。註十六一文云本草學所結晶之神農本草經。在今世流傳之本有

神農本草五卷。神農本草八卷。神農本草經三卷。

而隋書經籍志所舉。

神農本草八卷（梁有神農本草五卷。神農本草屬物二卷。神農明堂圖一卷。）神農本草四卷。（雷公集註）神農本草經

三卷。

趙氏所舉神農本草五卷。若爲經籍志中之「梁有神農本草五卷。」而下有本草八卷。是明言此八卷乃經籍志中之八卷。則五卷本又據於何書。下又舉陶氏名醫別錄三卷。想趙氏乃深信掌禹錫之「四字當作三字傳寫之誤也。」之說。此種謬誤。森氏早已駁正。其自序有云。

此說非是。何以知其然。陶序後有云。右三卷其中下二卷。藥合七百三十種。據此則知陶氏所云三卷者。卽唐宋諸類書等所引本草經。朱墨混雜者。而梁錄隋志所稱本草紀三卷。蓋斥是也。若陶氏以前本。則必是四卷。非三卷也。註十七

觀影印燉煌古寫本之本草集注。註十八 陶序作四卷。非三卷。故陶所見四卷本是無可疑也。然明之盧復清之孫星衍及王壬秋。皆妄意條析經文。以充實本經三卷之數。唯清之顧尙之則作四卷。今趙氏不詳加細考。而據潛妄之論。以四作三。實漠視沿革之關係也。隋志所舉本草三卷。當爲陶隱居校定而成。卽隋志所舉八卷本之注脚。何以知之。梁七錄云。

隱居本草十卷。陶弘景本草經集注七卷。

其中之集注本。已分別記載于隋志。此斑斑可攷。故掌禹錫於陶序中按梁七錄之論。不但可疑。亦漠視沿革之關係。其內容可在陶氏集注中得知。然陶氏以前之古本。以吾攷之。一爲陶序所言之四卷。（亦或卽隋志所舉第二之雷公集注本。）一爲隋志所舉神農本草八卷本中之五卷。神農本草經之原形。大槪如此而已矣。

註十六　見十月卅日之申報醫藥週刊。

註十七　見森立之神農本草經自序。

註十八　爲上虞羅振玉複印本。

六　神農本草經之內容

欲窺陶隱居以前古本草之內容。張華博物志之藥物類有「神農經曰」三則。其中二則大體相同。故今之序錄及序例僅有一則相同。可見張華所見之本草與今本乃同一系統。其或尙有異本乎。則集注所增者是已。而陶氏集注之底本。乃華佗弟子吳普

本草之六卷本其書在唐尚傳於世。今已遺佚。欲使陶氏本復其眞面目之嘗試者。明有盧復之萬歷刊本。（日本有寬政十一年鈴木暘谷之複刻本。予爲光緒乙酉年之經刊本。小川氏云。宋時刊本陶序脫一草字。後遂稱神農本經。明盧氏始恢復其原來之書名。然予所藏亦爲神農本經。當爲後複刊所誤也。）淸有孫星衍之乾隆刊本。（予爲光緒辛卯年周氏刊本。）又顧觀光（尙之）之家刊本。王壬秋之光緒乙酉尊經書院刻本。日本有森立之嘉永七年溫和藥室藏本。（予爲抄本。）此書據康賴醫心方及新修本草而成。故靚明淸學者之未靚。惟新修本草只五卷。今范氏藏有十一卷。（德淸傅雲龍影印日本今版權已歸羅振玉予所藏者同。）與宋本千金方及翼方等醫書著本草攷遺一卷。未知何日刊世。原稿予已在去年閱過。與森氏之書相較。則森氏所謂「眞古本」又踏錯誤之處矣。余雲岫氏之神農本草三品異同攷 註十九 惜其所見古本不多。故無多大意義。以上所述諸氏。皆各欲復神農本草經之眞面目的嘗試者。然諸氏之努力攷證。凡經陶氏刪添之地。不爲陶氏之語。當深刻記憶之。本草集注陶序云。

今之所存。有此四卷。是其本經。所出郡縣。乃後漢時制。疑仲景元化等所記。又有桐君採藥錄。說其華（證類本華作花。）葉形色。藥對四卷。論其佐使相須。魏晉以（證類本以作已。）來。吳普李當之等。更復損益。或五百九十五。或四百卅（證類本卅作四。）一。或三百一十九。或三品混糅。冷熱舛錯。草石不分。蟲獸無辯。且所主治。互有得失。醫家不能備見。則識致（證類本致作智。）有淺深。今輒苞綜諸經。細括煩省。以神農本經三品。合三百六十五爲主。又進名醫副（證類本副作別。）品。亦三百六十五。合七百三十種。精麤（證類本麤作麄。）皆取。無復遺落。分別（證類本別作副。）科條。區畛物類。兼注詺世（證類本世作時。）用土地所出。及仙經道術所須。幷此序。錄合爲七卷。

今世本草。皆以爲出自陶氏之手作底本也。以前之神農本草。或科條之分別。物類之區畛。皆糢糊難明。草石虫獸之區別。亦不清楚。陶氏依据之四卷。是不能復原矣。而研究此學之諸民。所舉各藥之種類及名稱。古爲何形。雖大略可以推知。但順序及記載之形式。決無詳細之事實可見矣。

註十九　見社會醫報國產藥物專號。

七　朱墨文及白文墨之別

吾國古書。如經文傳文及註文之區別。常以朱與墨分之。此爲吾國古時慣用之體裁。觀五經等書。于墨字之經文中。常書以朱之註文。而本經之原文却是朱。後人加補之文爲墨。陶序云。

朱墨雜（小川氏本雜作襍。）書。幷（幷作並。）子（桂按諸皆作子。疑是予誤。）註。今（小川氏本無。）大書分爲七卷（小川氏本卷作篇。誤。）註二十

由此觀之。當經陶氏之手校定。至宋開寶（西紀九七四年年）重定本草時。方以朱代墨底白字。保存原有之面目。故序云「朱字墨字無本皆同。」此掌氏改體之理也。然其他經文較之。其空格割註體裁皆異。即予藏之唐新修本草。概不用朱。全文皆墨。似此區別全然漠視。唯各割註下。加「謹按」二字。是此尚可見唐本註云之區別。又攷燉煌之本草集注古寫本。有朱點標於章首爲別。而無朱文。據小川氏見原本陶序之次。

本草經卷上。有割註　本草經卷中。同上　本草經卷下。

其十五字。特施朱點於各字之中。而今世本草序例。「上藥二百卄種」以下經文施以朱點於章首之標記。亦無全文皆白。再以陶序「藥對四卷。論其佐使相須」之語推測。可知陶氏序錄之「上藥云云」以下之文字。當爲名醫附加。因其未施朱點。是爲眞正陶氏之校定本。然唐新修本草以細字割註之陶注。其序錄之陶注依然照樣大書。但其中有殘闕與否。已不可得知矣。以宋槧本序錄 註二十一 之大字陶序校之。大約可推知唐本草中序錄爲陶氏舊觀。然陶注冠以「本說如此。今案」之語。與原經文對之。故皆妄斷爲名醫所傳。如「上藥云云」之文。本屬神農本草經之經文。因施以朱點。則宋槧本誤爲白字。此古今各氏所不知也。

又以燉煌陶氏本加之探討。其以朱、墨分書者。當避煩而起。至後變爲全墨。于字之中。標以朱點而已。假此朱墨雜集。代以朱點區別。爲六朝至唐所不通行之方法。此不可不知。又以唐新修本草言之。以其朱點無用而煩。尤不便鏤板。是以省略。終而成爲全無朱點可以區別之本草經矣。

註二十　見日本支那歷史地理研究第十章。小川塚治著。

註二一　萬歷年校正宋板大觀本草。

八　唐宋之諱字

據燉煌本草集註序錄卷末有。

開元六年九月十一日尉遲盧麟

於都寫本草一卷辰時寫了記

又據小川氏云。

二行的跋文。其前行所著墨色較濃。而前後的書法又甚異。顯爲後人所加入。註二二

由此推測。可知燉煌本爲六朝抄本。因書法不同。而文中又有唐天子之諱字未避。與闕畫。爲六朝抄本無疑。與今唐新修本草對之。唐初三代之諱字悉行改避。宋以後之本亦將歷代諱字悉行改避。此可得知也。今引小川氏之文以其著顯者。「如陶隱居序文的

惠被生民。（生改作羣生）

世用。（改作時用）

又序錄文的

許世子。（世子改作太子）

世用。（改作俗用）

密覆勿泄。泄精。（泄字概改作洩）

皆以太宗諱世民」卽如字書含有諱字者。亦悉行改之。如

主治。治病。（治皆改爲療）

採治。(治。改爲造。)

治。數百杵(治。改爲擣。)

治。葛(治。改爲野。)

至殆。命(殆。改爲殞。)

上四則爲高宗諱治之故。後一則以其與治一部爲台。亦在避改之例。然今本尚有一二「世。」「民。」「治」者。或爲遺漏。或後世復其闕畫。而此種避改之舉。當在高宗顯慶年間蘇敬李勣編纂新修本草時所加。殆無容疑也。

此外序錄陶注之「竟」多作「畢。」地名「恆山」改爲「常山。」此與宋槧本之「鏡」「恆」等字。常有闕畫同。大約避忌唐穆宗諱恆也。又据史諱舉例 註二三。云唐李世勣後爲李勣。今新修本草卽李勣也。又序錄中名醫殷淵源改爲殷仲堪。蓋避唐祖宗諱淵。故新修本草乃殷仲堪。至宋避宋太祖諱匡胤。以殷改商。今本遂爲商仲堪。已另爲一人矣。姓名悉改。實幽默之致。要之避諱於吾國特有之風俗。其俗起於周。成於秦。盛於唐宋。其歷史垂二千年。其流弊足以淆亂古書。若反利用。則可解釋古文書之疑滯。辨別古書之眞僞。故避諱學又爲史學中一補助科學也。

註二二 支那歷史地理研究第十章。

註二三 見燕京學報第四期。

九 結論

由上述觀之。則陶弘景之原本。已可略窺其原來面目。然於今日科學昌明之世。似此分類不精。效用不確之本草。本無多用。而欲爲吾國古代藥學史及生藥史之研究者。實小有裨益之文。老子曰。「言者不知。知者不言。」此作者仰望海內高賢之指正也。

十 參攷書

1山海經。2史記。3漢書。4漢書藝文志。5博物志。(6)述異記。7異苑。8酉陽雜俎。9隋書經籍志。9唐新修本草。10本草集注序錄。11大觀本草。12經史證類大觀本草。13盧復神農本經。14顧觀光神農本草經。15孫星衍及姪馮翼合輯神農本草經。

17王王秋神農本經。18森立之神農本草經及攷異。19尚書20周禮。21中國醫學變遷史。22中國醫學史。23史諱舉例。24支那歷史地理研究。25古書源流。26先秦經籍攷。27皇漢醫報。28社會醫報。29醫詁。30中國神話研究ABC。31中國醫學院院刊。32本草綱目。33漢和藥學。34現代生藥學。36 Introduction

送畢業同學序

秋一朱次豐

吾院向多憂國憂民之士。本屆畢業同學。其尤也。學成而歸。其道必有合矣。諸君行乎哉。吾聞醫之爲道也。既活國且活人焉。方今國難殷。民族弱。將隨諸君而轉移矣。諸君勉乎哉。爲諸君祝曰。攻補溫涼丸散膏湯。醫民醫國至大至剛。

歡送本屆畢業同學序

三年級周　行

光陰有限。學術無盡。以寶貴之光陰。求無盡之學術。孳孳矻矻。猶恐不及。凡百學術如是。學醫者何莫不然。所謂畢業者。不過依學校之規定。將某部之功課修習完畢。暫告一結束而已。至光之大之。發揮進展。則有待於後此之更事研求矣。今我校四年級同學行將畢業他去。回憶平日相聚一堂。切磋砥礪。情如手足。一旦分袂天涯地角。重聚何時。不禁黯然。惟方今醫術競爭。西醫藥喧賓奪主。正有志之士憤發有爲之時也。我本屆畢業同學抱博學多才。固可挽國醫向日之令譽。抱救人救國之宏願。將使草木皆兵。金石盡將。蜚名雀噪。廣譽鴻傳。不特報師長訓誨之功。並足爲他日國醫復興之功臣矣。諸君行矣。勉之勉之。並祝前程之無窮。

中風研究

林廷光

中風一證。在現代學說。謂之腦出血。或腦溢血。此與內經血之與氣。幷走於上。則爲大厥者。原無異旨。蓋氣卽血壓之謂。上卽指頭腦而言。大厥卽出血而昏瞀之謂也。稽諸古籍。有眞假內外閉脫之分。又有藏府經絡血脈之別。而痰火氣虛非風等說。各縱其辭。間取軒岐仲師之訓。證以現代學說。多方檢討。似有所獲。竊以爲病原所在。旣同屬於腦部血管之破裂。則無所謂眞假。岐伯謂中風大法有四。以風懿（卽猝中）偏枯風痱風痹之四者爲訓。而謂風痹則爲類於風狀。仲師謂中風之爲病。當半身不遂。若但臂不舉者。此爲痹。則所謂眞類者。舉痹之對於其他三者而言也。至舉地域之南北爲言。謂西北土地高阜。風氣剛猛。病多眞中。東南土地卑下。濕熱熾盛。多爲類中。而內經旣寒中與熱中幷舉。則更無地可分。且九宮八風。皆足以爲病。卽西北之折風傷人。亦爲主病暴死。並非概指眞中而言也。若謂類者。因於寒、暑、濕、火、氣、食、虛、惡諸證之猝倒者。不省人事。神經昏迷而言。旣無偏枯喎斜痲痹之證狀。僅屬於腦部充血。繼而至於出血者。而後人於痰火氣虛諸因。亦直接足以使腦部出血。則更無眞類之辨。是蓋中醫於風之各義。過於廣泛。此又當爲古人諒解。而不能過於苛責者也。是故眞類者。證類之分。內外者。病因之各殊。閉與脫者。病狀之過程。藏府經絡血脈之分。乃病情之深淺。出血之後。身體各部所受之影響耳。

仲師於口目喎斜。肌膚不仁。爲邪在於絡。則風痱是也。左右不遂。筋首不用。爲邪在于經。則偏枯是也。昏不識人。便溺阻隔。爲邪在於府。神昏譫語。唇緩涎出。爲邪在於藏。此則擊仆猝中之風懿是也。經謂三虛（乘年之衰。逢月之空。失時之和。因爲賊風所傷。此爲氣候之關係。）而偏中於邪。則爲擊仆偏枯。此則完全由於外因者也。觀於諸續命與風引三生與三化寒熱分治。皆從外風主說也。是以上古聖人之教下也。皆謂之虛邪賊風。避之有時。對于八風之邪。無不避如矢石。其爲厲也。中人人病。中物物病。初無關於身體之強弱也。又云。人氣血虛。其衛氣去。形獨居。肌肉減。皮膚縱。腠理開。則其入深。其爲病人也。卒暴者。卽眞氣去。邪氣獨留。發爲偏枯之旨。則由以內虛而感召外風。兩虛相得。乃客其形者也。所謂清靜則肉腠閉拒。雖有大風苛毒。勿之能害是也。至於內奪而厥。則爲瘖痱。大怒則形氣絕。而血菀於上。則爲薄厥（猝中）有傷於筋。縱其若不容（風痱）汗出偏沮。使人偏枯（明言偏枯）凡治消癉。擊仆。偏枯。痿、厥、氣滿發熱。肥貴人則高粱之疾。諸說乃完全與外風無關。師謂內風是也。由是可知後人所主痰火氣血諸虛之說。無不本於此。而各發一義。蓋後人之病。完全由於外風者少。無不由於以內召外。或純由於內因而病。茲三者。無不由於腦部之出血。皆當從眞中立說。其由於因之不同。固不得謂之類。但外風則閉症爲多。內風與介乎虛實之間者。則以脫證爲多。此其大概也。

推繹仲師諸說。皆從內虛而感召外風爲主。旨此於辨脈可以尋之。一則曰。脈微而數。中風使然。微爲無陽。衞陽虛弱。內腠不能閉拒。因身形而遇賊風也。數則爲熱。亦卽主痰主火之所根據也。再則曰。寸口脈浮而緊。緊則爲寒。浮則爲虛。虛昏相搏。邪在皮膚。浮者血虛。絡脈共虛。蓋浮則爲虛表陽之虛也。緊則爲寒邪氣之急也。寒卽風之互辭。緊比弦粗。弦爲風象。虛寒相搏者。卽虛風相搏。衞陽雖虛。仍與賊風相抵抗也。轉相搏擊。氣虛而抵抗之力。則血隨氣而上衝。與賊風相抵抗。而脈搏轉浮。血壓因之而亢進。二部充血。而脈管之中反顯貧血。此所謂浮者血虛絡脈其虛也。上部血管充血之甚。則破裂而溢出。由是猝然昏仆。則完全不能抵抗。賊風由皮膚而入於絡。絡再由之而入經。入府。入藏。此可知分四部淺深之次第。謂非後人氣血虛之所根據乎。又曰。寸口則遲而緩。遲則爲寒。緩則爲虛。榮緩則亡血。衞緩則中風。由此以觀。則從貧血而中風。亦後人血虛之所根據也。

經謂來徐生疾。上虛下實。爲惡風也。故中惡風者。陽氣受也。至於上虛下實之證。則曰狗蒙招尤（卽神識昏蒙）目冥耳聾。過在足少陽厥陰。甚則入肝。至於來疾去徐。上實下虛。爲厥巔疾。是以頭痛巔疾。下虛上實。過在足少陰巨陽。甚則入腎。由此以觀。則腦部溢血之現象。及所以出血之由。更可明瞭。蓋脈之來爲自裏而達表。來徐者。自裏達表之正氣不足也。去爲由表入裏。去疾者。自外入裏之邪氣有餘也。來徐則正氣不達於上。是爲上虛。上虛則腦爲之不滿。去疾則邪氣直中於下。是爲下實。下實則氣逆而上衝。邪之所湊。其氣必虛。氣虛則邪實。故爲惡中於上。頭爲諸陽之會。故中惡風者。腦部受邪而爲病也。是以見狗蒙招尤目冥耳聾等證。無非由肝陰虛而肝陽上亢。於是腦血管破裂而溢出。此卽現代血壓亢進之因也。若脈來疾而去徐。可知在下腎氣。先衰。則腦部之血管早已有所障礙。而呈硬化。故爲下虛上實。因硬化而觸犯諸因。驟然破裂。是則完全爲頭巔腦部之疾。此與現代所謂血管硬化之因。非相符合乎。然斯亦無非氣血之相幷耳。血之所幷。爲氣虛。氣之所幷。爲血虛。上虛下實者。先爲血幷於上。下虛上實者。先爲血并於上。此中一實一虛之分。自當根據於肝腎爲治療之大綱。蓋一爲肝陰之虛。一爲腎陽之虛也。而亦諸證辨閉脫之焦點也。

然則既爲腦部受病。腦爲中樞神經之主宰。倘腦血管之破裂血液外溢。壓迫其中樞神經。則昏倒不識人。若停止心臟之運動。及肺部之呼吸。或衝破其眼球。此非所謂中藏之脫證乎。若溢血以後。遂下循脈道而入於消化器管。此非中府之閉證乎。若但累及於運動神經。則引起麻痹。而不遂不用。此則同於中經之理也。若但麻塞於皮膚細胞。則爲不仁。頭面上之靜脈管流通不利。則口目喎斜。此則同於中絡之理也。故竊以經絡藏府之分。實爲溢血以後。血液溢出之多寡。及被壓迫後所發出之變化。斯則病情淺深之次第。可以徹底明瞭矣。

由前以觀。血管硬化。多爲腎陽之虛。血壓亢進。多由肝陰之虛。陽虛則平時間之新陳代謝早起障礙。以致於排泄之老廢物（即痰瘀等）阻塞於脈道。（即血管）一旦驟遇諸因。則脈道頓時停滯。心房鬱血。並脈道久陳之痰瘀。上沖於大腦血管。能不頃刻破裂乎。陰虛則平時間之情感。易於興奮。而血行迅速。故驟受刺激。週身局部之血管。頓時緊縮而狹小。血行之循環。更爲迅速。血壓自因之而上沖。此則所以溢血之病理。更爲透切。故竊以爲中風之大法。除純因於外風。其由於因內召外。或純由內因從於肝腎陰陽之虛實。握其大綱。則一切古人之成方。皆足以奔赴於腕下。而尤爲扼要者。必當從去瘀去痰。及降其血壓。斯則仲師之侯氏黑散。實爲預防中風善後調理之第一方也。喻氏以爲塡寒空竅者。實爲癡人說夢。內經所謂天明。則日月不明。邪害空竅者。乃指腦空之清竅而言也。緣此方以參朮補氣。芎歸和血。姜辛以通腎陽。黃芩以淸肝熱。桔梗桂枝並入心肺。所以助呼吸。血液之循環。伏苓以除痰濕。牡蠣以平血壓。菊花防風去大風爲君。礬石之爲用。正所以搜滌脈道中之痰瘀。並外塡寒之意也。與酒調服。乃通行脈道之鄉道。常宜冷食者。冷則血壓下降。熱則血壓上升也。此方之眞義。晦於世者二千餘載。又因喻氏之臆說。益令人走入岐途。焉可勝歎哉。」—

小兒痙病之診療概說

林學光

一 釋名

小兒痙病。古稱風強病。唐孫思邈名曰驚癇。宋錢仲陽名曰驚風。因其病態爲風強之形。而發作則有類於癇也。若痙之與驚。音韻相同。則轉注之傳變也。或曰。在小兒謂之急慢驚。在大人則謂之痙癇。病原既同。在大人既可名痙。在小兒亦當以痙名之。始覺妥善。故名之曰小兒痙病。

二 概論

大凡疾病之起。不外三因。惟三因中。其最多者。莫如內外二因。外因者。外感六淫之風寒暑濕燥火。內因者。內傷七情之喜怒憂思悲恐驚。然而七情在成人則有之。在小兒則絕少。蓋小兒天真爲性。原無所謂悲思憂慮。其所以能致成內因者。飲食之所傷耳。夫以嫩弱之腸胃。受過量之食品。非獨難以消化。而且有損傷臟腑之可能。當其傷也。腠理以疎。風寒易襲。因其形體未充。傳變比之大人迅速。故當其在表不解。轉瞬變化。一經傳變。危險之候以生。故喻嘉言曰。小兒傷寒。要在三日內即愈者爲貴。若到傳經。則無力耐之矣。故小兒痙病之由來也。莫不由傳變有以致之。然傳變之因不一。有由外感起者。有當內傷致者。經曰。太陽中風。重感寒濕。而變痙。金匱曰。太陽病發熱無汗反惡寒者。名曰剛痙。又曰。太陽病發熱汗出而不惡寒者。名曰柔痙。此言外感於六淫之邪。皆足以致痙之因。醫門法律曰。痙之爲病。強直反張病也。其病在筋脈。筋脈拘急。所以反張。其疎在血液。血液枯燥。所以筋攣。此言內傷陰液致痙之因也。是以外感內傷。皆足以致痙明矣。然邪盛正虛。因而致痙。固爲一大原因。其亦有治療不得法而轉屬者。即以當外感之始也。本當疎肌解表。以調和其營衛。乃醫者不以此着手。而妄施攻下。以致津液受傷。陰虛陽旺。陽旺則熱熾。陰虛則血液枯涸。內則筋失其滋潤。外則表邪無外出之機。表熱仍在。痙症以成矣。外邪之中人也。非邪之有輕重。乃因人身之體質有虛實而變化耳。惟病雖多變。總不出寒熱虛實。是故能明此四者。雖有千變萬化。總不能逃醫者之三指矣。然則痙病有剛柔之分。其有項強背張。無汗者。剛痙也。亦爲表實之症。當以汗解。頭項強背反張。而有汗者。柔痙也。爲表虛之症。當和其營衛。剛柔之患本無定例。乃病者體質虛實所致。而非急慢之謂也。蓋小兒體質未堅。腠理未固。易於外感。而速於傳變。故當其入裏。則立化熱。熱熾則汗出身炎。津液已傷。筋失所養。而呈角弓反張。此俗稱爲驚風是也。然考驚風之名。始於錢氏。而錢氏直訣謂急驚者。皆有無陰二字。是明示痙之由於津液受傷。陽旺陰虛無疑義矣。其故主治之方。主以瀉青丸者。以內熱甚熾。非瀉其熱。無以救將絕之陰津。所謂因於大驚聞大聲而發者。當是借端。錢氏又曰。若熱極。雖不因聞聲及驚。亦自發搐。此可據也。至於所謂急者。所謂慢者。以其來暴。卽稱之爲急性。以其勢緩。故稱爲慢性。慢性者。多由於津液耗竭之後有以致也。急性屬實熱。慢性屬虛寒。實熱宜涼瀉。虛寒宜溫補。然急性亦有寒者。慢性亦有熱者。此不過略以大概而言耳。金匱曰。太陽病。發熱脈沉細者。名曰痙。爲難治。按太陽證。其脈當浮。今反沉細。沉細之脈屬少陰。少陰屬腎。督脈起於腎中。腎陰素虛。寒邪侵襲督脈。直入於腎中。病原在腎。此急性之屬於寒者也。若投以涼瀉。百無一救。蓋發熱項背強直之症象。易誤認爲熱性。而妄投寒涼。以寒投寒。是無異於雪上加霜。欲免其不入枉死城者幾希。夫熱性之痙症。其脈雖則有時見沉。必現弦直堅勁。且急性之熱症。先必煩躁。脈證不符。妄加施治。此我爲赤子悲也。傷寒論曰。少陰之爲病。脈微細。但欲寐。又曰。少陰病。發熱脈沉者。與麻附細辛湯。是此症之治。當用小續命湯。經云。肝移熱於腎。傳爲痙。則非慢性而屬熱者乎。治療之法。當是清洩肝經。而滋腎陰。若拘執成說。必致僨事。

三 原因

小兒痙病之來原。多由於保護失慎之所致。因人身有一種天然之抵抗力。但此天然抵抗力。正如我人之腦筋。愈用愈靈。反是則鈍矣。當貧苦者之家。房廊卑隘。戶牖蕭疎。衣褓單薄。處處磨練。此天然抵抗力與外邪奮鬥也。於是皮膚常堅。腠理常密。膚強腠固。客邪難犯。富裕之家。過於慎重。每慮風寒之來侵。於是重衣厚裘。務使外邪之不得犯其身。殊不知因此而天然抵抗力。日步於衰老而淘汰。因是偶然失慎。風寒乘虛而頓來。若於濕氣之爲病。乃由於衣褓不乾。衾褥遺尿。澡浴糞穢。遇兒有病。重衣複被。包裹嚴密。以致汗出淋漓。失於更換。濕久寒生。此寒濕之所由來也。內熱者。有感外界之邪。傳變入裏。化熱傷津灼液。或因飲食停滯。久積化熱。此內熱之所由來也。皆足致痙之因。

四 症狀

初起之證狀與外感無異。發熱惡寒頭痛。或有汗或無汗。繼則身熱足寒。頭項強急。惡寒。時頭熱面赤目赤。獨頭動搖。卒口噤。背反張。然何以知其非外感而爲痙乎。曰。當從脉搏求之。金匱曰。夫痙脉按之緊如弦直。上下行。按太陽病有汗者爲虛邪。脉當浮緩。無汗者爲實邪。脉當浮緊。今脉雖俱浮。而見勁急弦直之象。其將爲痙無疑。此時不能作外感看矣。若因內傷而致痙。脉雖沉。亦必現勁急弦直。則知其將成痙矣。

五 病理

外感風寒之邪。首先患太陽經。太陽經脉起於目內眥。上額交巔。下腦後。挾脊抵腰。入絡腎。下屬膀胱。循髀下至踝。終足小指。且與督脉並行於背。而達於腦。督脉則起於腎中。下至胞宮。下行絡陰器。循二陰之間。至尻貫脊。歷腰俞。上腦交巔。至顖會。入鼻。絡於人中。故督脉之爲病。當呈背強反折。衝頭痛。目似脫。太陽經之爲病。當現項如拔。脊痛腰折。體不可屈。膕如結。踹如裂。種種之證象。西醫稱爲腦脊髓膜炎。而以腦與脊柱爲特症。有相吻合處。外感之證。初起惡寒發熱。頭項強者。因太陽經受邪。衛氣不護於表。故爲惡寒。發熱者。太陽與陽明並有之症。太陽受寒邪所束。陽明之熱無以發泄。悉奔於表。故身爲之熱。亦即本身反抗之作用。所謂寒鬱生熱是也。若邪在陽明。則但熱不惡寒矣。頭痛者。太陽與督脉並行於頭上。督脉主陽。太陽受寒邪外束。督脉之陽氣無以外泄。上患於頭。故頭爲之痛。陽明熱勢上炎。或肝陽上元。皆足以致頭痛。項強者。太陽受寒邪。寒性引急。故項爲之強。至於頭熱者。陽鬱於上。面赤目赤。陽明之熱症也。頭搖口噤背部反張。邪熱併於厥陰之證也。經云。諸風掉搖。皆屬於肝。且肝主筋肉。脈失所養。而爲反張矣。故痙病每多現肝經之症象。陽明主潤宗筋。腎主五液。陽明熱熾。則筋脉不滋潤。腎陰虛。則水不涵木。於是厥陽上元。而現熱象。筋脉不潤。而呈角弓反張。內則熱熾鑠津耗液。外則寒邪拘急。此皆致痙之原由也。

六 治療

痙病之來原。既皆由外感內傷。其主要原因爲津液燔竭。然後有以致之。治療則當處處以留其津液爲要務。故雖有可汗可下者。總當顧其津液。痙病之治療。莫詳金匱。因此治療之法。應以金匱爲主。金匱曰。太陽病。無汗而小便反少。氣上衝胸。口噤不語。欲作剛痙。葛根湯主之。又曰。太陽病。其證備。身體強几几。脉反沉遲。此爲痙。括蔞桂枝湯主之。此病在太陽經。當用汗法。葛根湯有麻黃桂枝者。因寒濕外束。非用辛溫發散之品。無以開其肌腠。而用葛根白芍者。以養陰清液。生津舒筋。桂枝湯加括蔞。名曰括蔞桂枝湯。用括蔞以生津。白芍可以養陰液。得桂枝又如調和營衞。此汗劑加生津之品。以顧其津液也。又曰。痙爲病。胸滿口噤。臥不着席。脚攣急。必齘齒。可與大承氣湯。此爲陽明熱熾之證。蓋熱勢上炎。津液已傷。非用大承氣急下法。無以救將絕之陰。卽所謂急下存津之法也。由是觀之。治療之法。不但以救津液爲要務。且當從太陽陽明着手。仲景示人以大法。則在人之倘變化耳。是故初起見寒重熱輕。苔薄白無汗者。當用葛根。麻黃、桂枝、白芍、甘草、生姜、大棗。若寒不甚重。身熱有汗。當用葛根、桂枝、豆豉、白芍、黃芩、甘草、葱白之類。若熱重寒輕者。可用荊芥、豆豉、薄荷、桑葉、菊花、葛根、黃芩、山梔、連翹之屬。不惡寒。壯熱便秘者。可用川軍、芒硝、甘草、黃芩等品。使陽明之熱從大便而解。陽明汗出。渴欲飲水。脈洪大不惡寒。反惡熱。可用石羔、知母、甘草、粳米。以清裏熱。壯熱神昏。起臥不安。舌苔焦糙無津液者。用犀角、羚羊、葛根、生地、白芍、石斛、知母、石膏、元參、花粉。神昏者。犀角羚羊用之當辨。從心胃而犯於腦者。當用犀角爲主。從背而上犯者。當用羚羊爲主。若因痰熱阻於肺胃。表寒不去。內熱已成。肺氣鬱結。喘息氣粗。可用麻黃、杏仁、石羔、甘草。或竹瀝達痰丸。此治療之大概。至於初起發汗後。可解與不可解。則當視症情以消息之。若發汗而未合法者。寒濕相得。表因汗出益虛。惡寒轉甚。脈必緊急。而痙當不解矣。當此之時。救急之方。當是人參、茯苓、附子、乾姜、甘草。若發汗以後。脈仍緊急。反加伏弦。則知痙之不解。既經發汗。寒濕已去。清燥滋陰法。當是仲景伏脈湯。去姜桂加味。若汗後緊急之脈。變爲緩曲。不惡寒。腹部脹大。痙症已解。而善後之方。當是厚朴生姜甘草人參半夏湯。總觀治療之法。有偏於熱者。有偏於寒者。有偏於燥者。偏於熱者。可用龍胆瀉肝湯。犀角地黃湯。竹葉石羔湯。羚羊角散。牛黃丸。神犀丹之類。若由傳染而來者。輕症可用桑菊飲加減。重者可用清瘟敗毒散。因於熱痰者。黃連滌痰湯。萬氏牛黃丸。或牛黃清心丸。皆可援用之。偏於寒者。逐寒蕩驚湯。或回陽救急湯。若脾家虛寒者。可用吉州醒脾散。或錢氏益黃散。因於寒痰者。青州白丸子可用之。偏於燥者。陽明血燥也。吳氏清燥養營湯。炙甘草湯。或徐氏酸棗仁湯之類。可援用之。

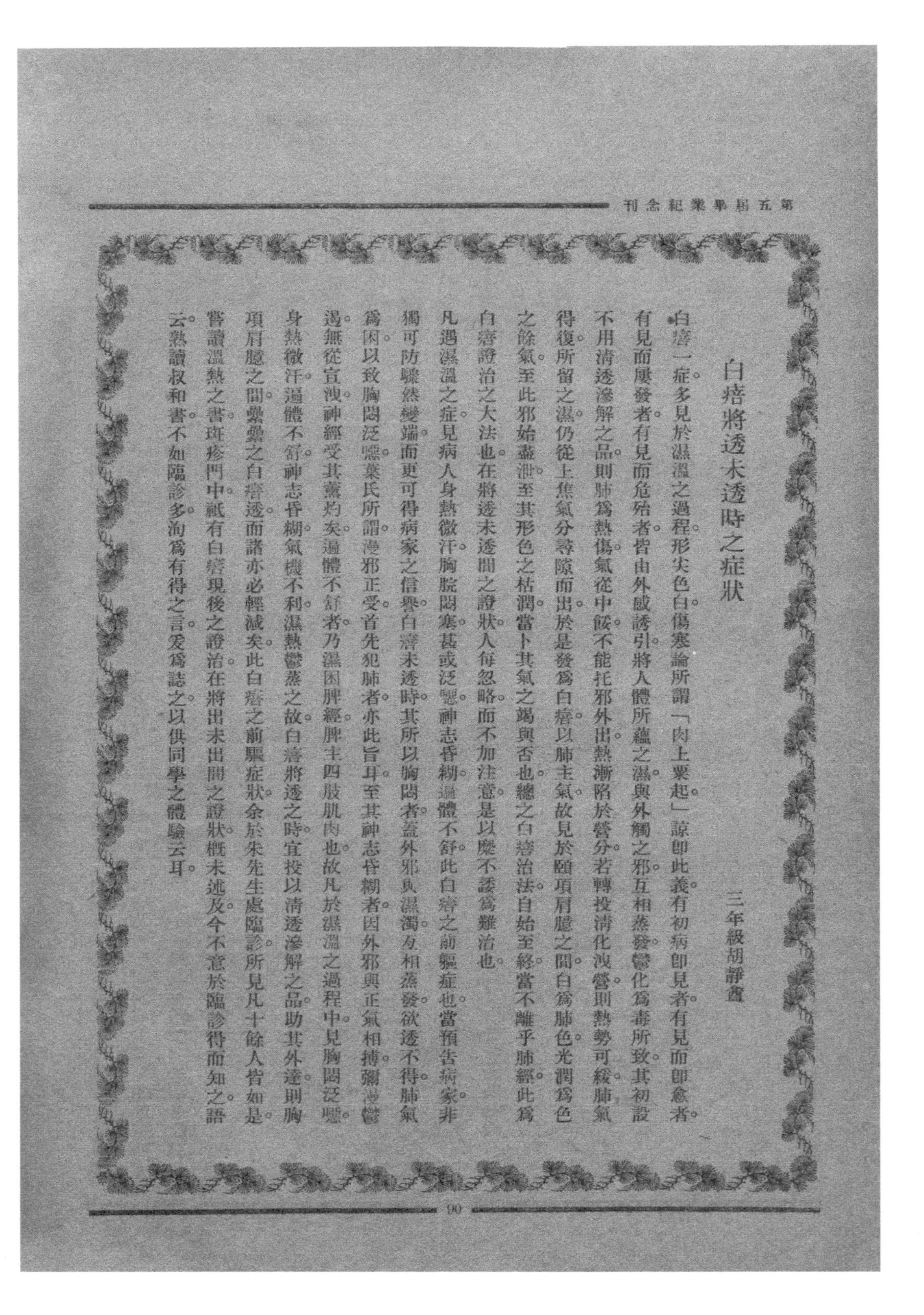

白痦將透未透時之症狀

三年級胡靜齋

白痦一症。多見於濕溫之過程。形尖色白。傷寒論所謂「肉上粟起」。諒即此義。有初病即見者。有見而即愈者。有見而屢發者。有見而危殆者。皆由外感誘引。將人體所蘊之濕。與外觸之邪。互相蒸發。鬱化爲毒所致。其初設不用清透滲解之品。則肺爲熱傷。氣從中餒。不能托邪外出。熱漸陷於營分。若轉投清化洩營。則熱勢可緩。肺氣得復。所留之濕。仍從上焦氣分尋隙而出。於是發爲白痦。以肺主氣。故見於頸項肩臆之間。白爲肺色。光潤爲色之餘氣。至此邪始盡泄。至其形色之枯潤。當卜其氣之竭與否也。總之白痦治法。自始至終。當不離乎肺經。此爲白痦證治之大法也。在將透未透間之證狀。人每忽略。而不加注意。是以靡不諉爲難治也。

凡遇濕溫之症。見病人身熱微汗。胸脘悶塞。甚或泛噁。神志昏糊。遍體不舒。此白痦之前驅症也。當預告病家。非獨可防驟然變端。而更可得病家之信譽。白痦未透時。其所以胸悶者。蓋外邪與濕濁。互相蒸發。欲透不得。肺氣爲困。以致胸悶泛噁。葉氏所謂。漫邪正受。首先犯肺者。亦此旨耳。至其神志昏糊者。因外邪與正氣相搏。彌漫鬱遏。無從宣洩。神經受其薰灼。奚遍體不舒者。乃濕困脾經。脾主四肢肌肉也。故凡於濕溫之過程中。見胸悶泛噁。身熱微汗。遍體不舒。神志昏糊。氣機不利。濕熱鬱蒸之故。白痦將透之時。宜投以清透滲解之品。助其外達。則胸項肩臆之間。纍纍之白痦透。而諸亦必輕減矣。此白痦之前驅症狀。余於朱先生處臨診。所見凡十餘人。皆如是。嘗讀溫熱之書。斑疹門中。祇有白痦現後之證治。在將出未出間之證狀。概未述及。今不意於臨診得而知之。語云。熟讀叔和書。不如臨診多。洵爲有得之言。爰爲誌之。以供同學之體驗云耳。

女科經帶胎產病及其治療之通論

金樹樂

女科。最爲近世所注重。故歐化之西醫。莫不炫立專科。以應潮流之需要。惟我中醫。每混而一之。統名內科。鮮于分類。乃以女科與別科之病因。雖有不同之點。然大半相似。明一知三。本可統治。殊無另立專科之必要也。今既爲社會之所重。故將不同之各點。參以治療之方法。并論于左。以候先覺之指疵。

女科病。經云。「衝脉任脉。皆起于胞中。」胞中者。血之海也。女子以血爲主。職是故耳。又云。「心主血。肝藏血。脾統血。」如是女科之病因。不外乎心肝脾也。至于與男子各病不同之各點。無非經帶胎產而已。他若病之由來。亦不出仲景之內、外、不內外、三因之旨。玆分述之。以供斤斧。所謂經者。經云。「女子二七而天癸至。任脉通。太衝脉盛。月事以時下。」故名月經。又曰月信。信者。如潮之有朝汐。有信而不誤。苟或遲早多少。卽爲失信。而一切疾病之原由。莫不包括乎此信字之中矣。經之先期者。氣血之實熱也。脾胃爲經血之統主。經云。「土太過。則敦阜。」敦者厚也。阜者高也。厚而且高。當平而去之。宜平胃散。加大黃、芍藥、桃仁、枳實之類。此破氣血之實熱。而平脾胃之敦阜也。後期者。氣血之虛寒也。經又云。「土不及。則卑監。」卑者。下也。監者。陷也。坑也。既下而陷坑。當以培補。宜六君子加芎、歸、柴芍。或歸脾之類。以溫補氣血之虛寒。而塡培既下之陷坑也。經來乍少乍多。或前或後。時發疼痛。當辨其陰勝陽。陽勝陰。如陰勝陽。則結於氣而胞冷。胞冷則血滯。此經所謂「天寒地凍。水凝成冰」者也。故令乍少而在月後。甚至斷絕不行。若陽乘于陰。則熱犯于血而泛濫盈溢。此經所謂「天暑地熱。經水沸騰」者也。故令乍多。而在月前。或一月數下。甚至崩漏不止。此乍多乍少。皆能致危。所謂涓涓之水。可以成渠。星星之火。可以燎原。亟宜別其陰陽。調其氣血。寒者溫之。熱者清之。使毋相乘。以平爲期。至于方藥應用。可遵四物湯加香附茯苓炙草等。增損出入。以爲之君。然後陰勝而乍少者。可加附、桂、乾薑、吳萸、紅花、桃仁、之屬。陽勝而乍多者。宜增知、柏、芩、連、續斷、門冬之類。雖于平平淺淺之中。亦不可廢。若欲求其運用之妙。則仲景金匱方中溫經一湯。無論陰陽虛實。閉停崩漏。善用之。亦可得心應手。奇妙異常也。經期至而血不下。而現吐血衄血。或從眼耳而出者。是謂倒經。三月一行者。是爲居經。一年一行而仍能孕者。是謂避年。一生不行。是爲暗經。月月行經。而依然產子者。是爲胎垢。有受孕數月。

血忽大下而胎不墜者。是爲漏胎。此雖異常。然每不害事。此必性情乖僻。卽經所云。「以罔爲常」者也。亦中士失信使然耳。他若經來作痛。或發潮熱。尤爲經病所常見。推其原因。無非寒凝與熱結。凝結則血瘀。及期經至。新瘀相搏。遂作隱痛。而發潮熱也。長此任疚。必成血枯。血枯則不能榮養百骸。故有易入損途之危。亟宜注意。誠非忽視之症。愼哉愼哉。總上所述。經事不調之簡易既明。治療普通之方法亦及。今再不嫌重複。更選變化之方。而爲先則。如交感丸。無非四物湯加入香附、茯神而已。再加炙草。又若復脉湯矣。此千變萬化。固在用之者之靈機與聰慧耳。猶有加減套法。可使吾後學。易于着手處方。雖先賢早經明及。不妨重再摘簡擢靡。而爲贅附。如經血先期。可以知、柏、芩、連。後期而至。用薑、桂、膠、艾。實者。陳皮、枳實。虛者。人參、白朮。大實而閉者。以大黃、枳實、桃仁、牛膝之類。甚則亦可予抵當及桃核承氣之法。大虛而枯者。以參、朮、鹿角膠、牛膝之外。亦可投人參養榮之法。出入而進。（按此數行用藥之理。與前陰陽勝乘。略有大同小異之點。卽遙應前述異同之處。）經行腹痛拒按者。宜延胡索、木香。經已行而腹痛者。宜乾姜、參、朮。經水不通。逆行而吐血作衄者。以牛膝、澤蘭、韭汁、童便爲宜。若腹素有痞。飲食滿悶者。以枳實、半夏、增損而入。色紫者。風也。荊芥、防、白芷。色黑者。熱也。投芩、連、丹皮、地骨皮。如屋漏水者。加黃連、黃芩。或帶黃色而混濁者。濕不化也。或成塊色不變者。氣滯也。以元胡、枳實、陳皮。色變紫黑者。屬熱爲多。寒間有之。須辨證察脉。庶免千里之謬。此外若惡寒發熱頭痛。有汗。加姜、桂。無汗。加麻、細等等。他若歸脾逍遙諸方。均可見症論治。如是雖不窮盡一切。亦可以普及于經病之大概矣。至帶之爲病。一言蔽之。乃濕熱與虛弱耳。蓋濁不化。則下注于帶脉。帶脉起于胞中。束于腰而統于脾。直下子宮。故其病也。形質若涕。連綿而下。雖色有不同。乃寒熱各異。總其大者。不過四點而已。由于脾濕下陷子宮而成者。一也。由任脉下注子宮而成者。二也。由腎臟失職而乏分泌之力者。三也。更由于子宮局部受病者。四也。猶有白淫白濁。則又不同矣。蓋白淫之症狀。爲溺後流出似精。質薄不多。此婦人不節房勞。精室不守也。或氣虛神弱。男精不攝也。至于白濁。卽濕熱偏勝之白帶耳。此膀胱失其淸化使然也。帶下病因之大概如是。然療治之方法未及。所謂療治之法。卽應辨其虛實表裏。以定其症。察其寒熱陰陽。而投其藥。隨機應變。則藥症相符。何患無效。是固大綱之一則。但帶之初起。宜乎分淸。日久則元虛。宜乎固濇。如雖日久。仍須應利。可濇利並用。無非分其屬寒屬熱耳。投藥可宗五子延宗法。視症加減。若帶白而偏于寒者。加茅朮、煨姜。帶赤而偏于熱者。加淡芩、生地。色黃而連綿者。濕濁也。去五味。加陳皮、半夏、茯苓、苡仁、草薢、茵蔯、椿根皮之屬。色青而淋瀝者。風熱也。加連翹•山梔、橘葉•赭石、淡芩、知母之類。下焦虛熱者。元參、生地。在所必須。虛寒者。附子、肉桂。亦宜增入。若因毒者。加柴胡、龍膽、及鮮土茯苓等品。至如五色帶下。又宜先用淸理。待帶色轉白。再予收濇。幸毋急急。反致成拙耳。有以中氣下陷而成。則非參、耆、升麻、不可。更有腥穢淋漓。形如敗膿。此係子宮內部生有特殊瘡毒所致。應以排膿之法。及燥濕治之矣。總之帶之一症。其治法大多如是。祇須心小膽大。按症議治。何患無效者哉。至女子娠孕成胎。固屬自然。而男女居室。人生之大慾存焉。生生不息。天道所常。此婦人之娠也。乃不易之理。既無神秘之可言。何有疾病之所始。今婦人之恆多不育。或育而不長。人謂疾病使然。不然也。此由于潮流使然者。有之。生理畸形者。亦有之。按此二者。除生理畸形外。所謂由于潮流者。卽以近世以還。風化日蕩。男女婚嫁。每未成年。此其一也。甚者發育初成。志弱識薄。致多因耳目之誘。聲色之惑。慾火暴動。竟如泛濫狂波。陷頭桑下。遂憾蕊嫩摧折。精血遭傷。孕由何成。此其二也。更舍此之外。而不育者。亦頗屢見。此偶配編過。強弱懸殊所致。蓋受孕之由。不過卵珠與精虫之結合。如夫婦強弱不勻。則精虫不育。卵珠不生。故孕難成也。如土之過腴。則草木不長。過瘠則不生也。以此譬之。曉然易解。此外更有由七情六慾者。亦不易娠。此臟腑不靖。氣血失和。如是。婦人不孕之原理。已屬慨乎其中。祇須調理氣血。節制性慾。是何有不娠者也。他若胎前產後。世人每視同可畏。但順時應天。調攝得宜。則瓜熟蒂落。何畏之有哉。至于胎成之後。調攝之方。首推節制慾念。次須愼乎飲食。更宜操作有規。復當睡眠安適。反此四者。變化叢生。苟不節慾。則內犯胎元。易致傷殞。或僥幸一時。則兒產之後。每多瘡毒連綿。此應忌者。一也。倘如不愼飲食。多服炙搏辛辣烟酒等等。則刺激之品。非獨耗血傷神。亦能亂行氣血。氣血不甯。則胎兒不穩。重則下墜。輕則漏紅。此應忌者。二也。如操作過勞。亦易致漏。因胎兒居腹。以母之呼吸爲呼吸。以母之津液爲榮養。過于操勞持重。則津液衰薄。呼吸促逆。故胎兒榮養呼吸。失其充舒。而成漏下。此應忌者。三也。如睡眠不適。若偏側左右。則氣血遲滯。胎兒內居。突受偏道之壓迫。不舒而亂動。亂動則成腹痛。此應忌者。四也。總之胎兒居腹。宜恬淡安靜。倦則仰臥。無多思慮。無多煩躁。爲最妥也。能如是。胎兒安居腹中。得其自然。及至臨盆。油然易產。胎前保養。盡此而已。至于產前產後。原理治療。嘗攷胎前方書。皆謂姙娠一月始胚。二月始膏。三月始胞。四月形體成。五月能動。六月筋骨立。七月毛髮生。八月臟腑具。九月穀氣入。十月諸神備。卽產矣。此乃以逐月形狀而言。歷歷如繪。苟非剖解。絕不能如此確切。又有逐月給養胎元之說。由一月足厥陰肝經。以至十月足太陽膀胱經。各經次第輪值養胎。脉經論之最詳。設或當養不養。或偏寒偏熱。則胞元失蔭。必生變態。此胎動不安。胎漏下血。無故墮胎之所由來者也。是當調產母而保胎元。切不可惑于丹溪清熱養血之說。拘泥不化。苟姙婦起居不愼。寒暖不時。或病傷寒。或病雜症。或外受六淫之氣。或內受七情之戕。應就病婦之體質病狀。分別治療。切勿以懷姙之故。因循顧忌。遺患養癰。汗吐下奪。隨宜而施。此應遵婦人身重有故無殞之經訓。自可病去胞安。又有惡阻症。往往飲食不思。或擇食。得食亦不甘。或嘔吐。或嗜酸。或嗜睡。或精神疲倦。或四肢痠軟。大都懷姙兩月時期。恆有以上現狀。苟施以相當治療。而猶不稍減。或且加甚者。應當暫絕藥餌。久必自安。此卽金匱所謂「設有醫治逆者。卻一月加吐下者。則絕之」之旨。又有胎氣攻衝。觸動不安。以致母病。是當側重安胎。胎安母自健。又有胞阻症。時時腹痛。其原因非一。大概不外食滯「胎氣」「胞血變寒」「停水尿難」四種。又轉胞症。乃小便欲解不得。胎壓胞系。乖戾使然。至若產後病。金匱論之最爲詳盡。新產婦人有三病。一病痙。(肝經血虛。周身筋脉。失血榮養。故筋病爲痙。)二鬱冒。(虛陽上升。入巔清空不能自主。頭眩目昏。遠不識人。故鬱冒。)三大便難。(下焦臟腑津液受損。濁陰滯結而燥。故大便艱難。)按重根源。皆產婦血液無多。周身百脉空虛。腸胃陰液偏固。孤陽因而獨發。應從丹溪論產後大法。當以大補氣血爲先。雖有雜症。以末治之。的是要語。極合經旨。又惡露不絕。或由衝脉任脉變損。或係內灼。或因氣虛不攝。皆能致之。又有蓐勞。因坐蓐受傷。或寒暖不調。或起居不慎。或飲食不節。或勞作太過。種種受戕。釀成勞損。適當產後。故名蓐勞。其與普通五勞七傷同。其餘產後一切病症。均可從雜症例論治。兼顧到產後之虛。亦爲合拍。胎產大概。不過如是。卽女科病之經帶胎產。亦不過如是也。至於窮源究本之研討。固非一時楮筆所能盡。區區數千字。亦祇能約要言之。不過採先賢之已得。發鄙意之新萌。合而議論。不識當否。倘希愛我師友。有以教之耳。(完)

冬傷於寒春必病溫冬不藏精春必病溫辨

韋冠

導言

溯夫吾國醫學具攸久之歷史與經驗。自有其正確之效能。與夫非常之價值。在安可因時代之推移。而即將吾國固有之醫學文化。目為不合乎近代科學之原理。遂認為一無是取而棄置之哉。要之無真確之學理。固不能存在於二十世紀之今日。又豈能垂四千年之久而不替者哉。

蓋國醫之長處。在於積古相傳之驗方。而國醫之短處。乃循循相因之謬論。雖然。其間亦或有至理存焉。惟不易多見耳。考之內經。其合於今日科學之原理。證之生理解剖。信而有徵者。誠寥若晨星。又何得不貽排擠者之口實耶。

循是言之。國醫立足社會。即不遭任何一方之摧殘。亦決難逃天演淘汰之公例。而欲綿延其壽命。不亦難乎。

是又不然。蓋國醫之學說與治療。時相背左。諺曰。讀書十年。天下無可治之病。治病十年。天下無可讀之書。可以見也。故學說雖玄之又玄。而藥效恆能愈病。故今日之國醫。雖被社會所公認為不科學。而科學之真理。已在其中。蓋科學首重實驗。未有不經實驗而成其科學者。未有已經實驗而強名為不合理者。國醫藥劑愈病實驗之成績。彰彰不可泯滅。是豈偶然者哉。是以雖經歷史之演遞。降至風雨飄搖之今日。而國醫尚具偉大之潛勢力者此也。則所謂不科學云者。指國醫治療之學說。猶可。指國藥劑之治病則不可。蓋國醫之愈病事實也。雖極科學能事之西醫。亦不能加以否認。豈盡欲捨中取西而始得稱謂科學耶。

國醫之敗。敗在後人不加研究。蓋內經為四千年前之舊籍。國醫學最古之著作。當其時。文化尚未昌明。更何云乎科學。人體內景之圖解。肌肉之組織。全憑意測。以別病情。後世註家。又復墨守成法。雖心知其不可通。而又復曲解附會。以避割裂聖經之嫌。卒至歲月愈遠。學說愈益玄渺而不可究詰。遂形成今日目為神秘之學術。此皆不加研究有以致之也。倘長此以往。國醫學將堙沒而不彰。亦固其所。

今將經文之便於研究而易致豪惑者。摘出一二。根據生理病況。或直闢其非。或加以辯正。其有雖不能證之今日之學說而事實可證者。仍存其舊。學力苦淺。所得於師友者。未能聞一知二。觸類旁通。正待賢者有以助其成也。

正文

經曰。『冬傷於寒。春必病温。冬不藏精。春必病温。』是訓人有伏氣之爲病也。

夫温者熱之漸。熱者寒之極。是以温病者熱病也。熱病者傷寒也。故經曰『今夫熱病者。皆傷寒之類也。』但內經所謂之傷寒。乃廣義之傷寒。蓋包括一切急性熱病而言。非時下所謂傷寒也。是以難經五十八難有云『傷寒有五。有中風。有傷寒。有濕温。有熱病。有温病』卽此義也。乃者後人拘泥於內經冬傷於寒。春必温病。冬不藏精。春必温病之說。而執定春日之病温。均由於冬傷於寒。或冬不藏精。致寒毒伏於肌腠。或藏於少陰。至春天令温暖。陽氣弛張之候。乃乘機竊發而使然者。此乃過信陰陽六氣。與夫六經病名之玄說。致有此不合生理病理之謬論。以貽無窮之笑柄。時至今日。尚有挾此等謬說以教學。牢不可，破者。國醫學安得不受排擠。不遭破滅者哉。

要知人體肌肉腠理之組織。無往不密。五臟六腑之部位。各有專司。决不容所謂寒毒者。或藏伏於其間。况所謂寒毒云者。究屬何物。頑固如余。縱令百思而不得其解。

卽退一步言。而信如所說。時當冬令而傷於寒。既感而不卽病。其氣伏於肌腠。或藏於少陰。必待來春加感外寒。或不因外寒。伏毒自內而發。則於既傷寒邪之後。未發温病之前。而血液之循環。淋巴之流行。以及消化吸收。臟腑所營之種種生理作用。未嘗因之而稍易其常度。皮毛汗腺之分泌。初不因之而失職。况肌膚皮毛。肺之合也。以殺厲之氣。（據外台引病源經言其傷於四時之氣皆能爲病以傷寒爲毒者以其最爲殺厲之氣……云）一旦侵襲於皮毛。奈何不因殺厲之氣。而呈頭疼。身病。咳嗽。氣逆。以及發生呼吸障礙等種種肺部與肌表受邪極普通之見證耶。我意其必不然也。

且氣爲血之帥。週身經絡。暨微絲血管。無不秉氣於肺。經曰。『寒氣積於胸中而不瀉。不瀉則温氣去。寒獨留。則血凝泣。凝則脈不通。』誠如所言。則寒毒伏於肌腠。勢不至血凝泣。脈不通不止。但徵之實驗。豈其然耶。如曰鬱久化熱。則肺熱葉焦矣。

卽如古人所謂最虛之處。便是容邪之處。說者雖娓娓動聽。但究失之穿鑿。蓋肺虛則肌腠疏。肌腠疏則衛不固。衛不固則寒始得而侵襲。今寒邪既容於人體。是肺氣已虛。而藩籬已撤也。何不卽因虛而發。而必欲待諸來春始發。爲所謂伏氣之温病耶。抑豈肌膚之間。皮毛之內。眞有餘隙以容邪乎。此固無待乎生理解剖之證實而可信者。奈何人多憒憒也。

卽如其言之不謬。則冬傷於寒。爲四時最毒厲之氣。尚可積留於人身體。蘊伏於皮毛。待機而蠢動。乃春令温暖。和風四播。卽或偶感時邪。亦決無冬日厲氣之甚。何反不能藏之於膜原。伏之於腠理耶。豈人體之組織。祇能容毒厲之寒邪。不能藏緩和之外感乎。不然。則毒厲之寒邪。既能伏之於前。而緩和之外感。何反不能容之於後也。執此說。眞如衣敗絮行荆棘中。無一步不掛礙。而欲融匯聖經。其可得乎。多見其不知量耳。

準是以觀。則春日之病温。是否由於冬令之伏邪。抑或當時之新感。已瞭如指掌。不俟辯而明。則伏氣之說。亦不攻而自破矣。倘有以冬主收藏。故邪可伏而不發。春主舒散。故易邪感而易發。沉迷不悟。日惟孳孳於陰陽六氣之說。則尚何言哉。

抑有進者。苟人體之細胞生活力。未至極度衰弱。則自然療能。決不容所謂戾氣者。潛於其間。蓋自然療能者。卽人體生理上固有反抗病毒之本能的反應也。吾人因具有反抗病毒之本能。是以一遇外感。自然療能卽羣起反射作用。遂呈頭項強痛之太陽病。非至病毒排除淨盡。則自然療能驅病之反應。終不止也。至反應之方式。需視病型進行之程度而定。固無不易之準則。夫太陽病。爲外感之至輕者。尚見正氣與病毒反抗之反應。而況冬日毒厲之氣乎。雖曰。微者始伏。至來春而成諸温病。然微至若何程度。不可知也。但雖微至毫末。終不失爲毒厲之氣耳。

今毒厲之氣。舍於肌腠。而正氣不與之爭。則生理上反抗病毒之本能。豈已消失淨盡乎。不然。何無纖毫驅除病毒之反應也。然徵之日常之生活。與夫生理之機轉。與平人無異。則人體固不病也。正氣孰與爭哉。既無病毒。自無驅除病毒之反應。有何疑也。是足爲無伏氣之鐵證。而與伏氣家以重大之打擊。

且五十八難温病下註云。『年分寒温失時。人感不正之氣。病則無分長少。一概相如。是謂温病。』難經係僞書。其學說之是否。姑置不論。但絕未提及伏氣隻字。是不可謂非獨到之處。蓋伏氣之不足見信於人。非是今日始矣。如劉松峯、陳平伯諸公。皆謂並無伏氣。其識見實高人一等。乃雷少逸指其悖逆經旨。斥爲罪無可逭。振振有詞。目無全牛。著書立說。貽誤後學。良非淺鮮。

伏氣之說。惟吳有可駁之最烈。其說亦較有精義。大足爲吾人取法。是故溫病之病理。至今未全泯滅者。吳氏之力也。玆節其說如下。（以下引溫病疫論傷寒例正誤）

『按十二經絡與夫奇經八脈。無非榮衞氣血。週佈一身而榮養百骸。是以天眞元氣。無往不在。不在則麻木不仁。造化之機。無刻不運。不運則顚倒仆絕。然風寒暑邪之濕。與吾身之營衞勢不兩立。一有所中。疾苦遂作。苟或不除。不斃卽危。……風寒所傷。輕者感冒。重者傷寒。卽感冒一症。風寒所傷之最輕者。尙爾頭疼、身痛、四肢拘急、鼻塞、聲重、痰嗽、喘急。當卽爲病。不能容隱。今冬時嚴寒所傷。非細事也。反能藏伏過時而發者耶。』此乃吳氏駁陰陽大論不卽病者。寒毒藏於肌膚。至春變爲溫病。至夏變爲暑病之言。亦卽駁冬傷於寒。春必病溫之言。直向千古所奉爲醫學之聖經。據理駁斥。偉哉吳氏。非識見卓絕者。誰能若此。

吳氏又曰。『更問何等中而卽病。何等中而不卽病。何等中而卽病者。頭痛如破。身痛如杖。惡寒項強。或喘或嘔。甚者發痙。六脈疾數。煩躁不寧。至後傳變。不可勝言。倉卒失治。乃致傷生。何等中而不卽病者。感者一毫不覺。旣而延至春夏。當其已中之後。未發之前。飲食起居如常。神色聲氣。纖毫不異。其已發之證。勢不減於傷寒。況風寒所中。未有不由肌表而入。所傷皆同營衞。所感均係風寒。一者何其懞懵。中而不覺。藏而不知。一者何其靈異。感而卽發。發而狠厲。同源而異流。天壤之隔。豈無說耶。旣無其說。則知溫熱之原。非風寒所中矣。』（按此句未能愜意有語病當曰則知溫熱之原非伏氣也明矣）

吳氏以爲中而卽病與中而不卽病之言。古人無明確解說其理者。後之人竟讀書無目。徒作無條件之盲從。而不思追求其說之是否。以爲言論著述。出自大醫。決不有誤。應當服從。況經訓耶。降及後世。更不能非議古人。縱有知謬。亦惟曲解附會。不敢直截指斥。其最大之原因。厥爲學識之不及。但指摘經文。非具大智慧者。不敢嘗試。以致積非成是。習僞爲眞。故吳氏逐層駁之也。嘻、吳氏誠千古一人哉。使吳氏生於二十世紀科學世界之今日。其不爲醫學革命之急先鋒。而爲醫界放一異彩者。吾不信也。今日之國醫。奉無說之說。而強作解人者。皆吳氏之罪人也。

吳氏又曰。『且言寒毒藏於肌膚之間。肌爲肌表、膚爲皮之淺者。其間一毫一竅。無非營衞經行所攝之地。卽感些小風寒。尙不能稽留。當卽爲病。何况受嚴寒殺厲之氣。且感於皮毛最淺之處。反能容隱者耶。以此推之。必無此事矣。』此吳氏就其寒毒藏於肌膚之言。而攻之也。

乃所可笑者。近有自負爲復興國醫學之×氏。於其所著××書中。暢言氣有未至而至。至而不至之玄說。嗚呼、此經文之舊註。殆卽×氏之學說乎。今高足×氏。於其所著××書中。復從而申引之。認爲至高無上之經旨。×氏非常偉大之貢獻。自欺欺人。大言不慚。要知此等玄渺之學說。用於十六世紀之前則可。用於二十世紀之今日則不可。嗚呼×氏可以休矣。愚昧如余。誠屬莫測高深。嘆觀止矣。

夫春溫夏熱。秋涼冬寒。乃四時之常。卽因風雨陰晴而稍爲損益。則人體自有調節體溫之機能。所謂體工者是也。言伏氣溫病者。又烏得據此以立說哉。誠如松峯所言『人傷於寒。豈可稽留在身。俟踰年而後發耶。』

至冬不藏精。春必病溫云者。則又不可與前混論。蓋少陰者腎也。經所謂『腎者作強之官。伎巧出焉。』又曰。『腎合膀胱。膀胱者。津液之府也。少陰屬腎。腎上連肺。』由是觀之。腎陰之關係於一身也。至巨且大。且依照生理之學說。解剖之徵驗。腎臟實佔人體上極重要之一頁。又烏能容邪至半年之久耶。又有以冬不藏精。專指房勞而說者。則又拘泥之論矣。吾意經旨不如是之狹窄也。考經脈別論曰。『食氣入胃。散精於肝。淫氣於筋。食氣入胃。濁氣歸心。淫精於脈。……食入於胃。遊溢精氣。上輸於脾。脾氣散精。上歸於肺。』註曰。『精者。食之輕清者也。濁者。食之厚濁者也。』由此觀之。經文所引之精字不一。而其含義亦各異。故冬不藏精云者。豈得專指房勞而說耶。蓋亦有廣義狹義之別焉。但房勞傷精。當亦爲原因之一。未可偏廢。蓋冬不藏精云者。廣義而兼狹義者也。但決非既傷於寒。又不藏精。至春同時幷發。如喻嘉言所說者。但喻氏所論。仍以伏氣爲本。則前提既錯。結論安得不誤。靈樞五色篇曰。『大氣入於臟腑者。不病而卒死。』註曰。『大氣者。大邪之氣也。』今冬日嚴寒殺厲之氣。容於腎陰。當亦在大氣入臟之例。奈何潛伏期內。非惟不若靈樞經文所說之甚。而反與平人無異者何也。其間殆有說乎。願伏氣家有以語吾。

雖曰潛伏期內。本無疾病之現象。但溫熱病潛伏期。未聞有超過一候以上者。（痳痘瘄疹及梅毒等當然例外）而况數月之久乎。

夫精既不得專指房勞而說。則飲食精微所化之營衛氣血。舉凡足以遍佈一身而榮養百骸者。均得而稱之。雖然。吾人日常之生活。七情六慾。在所難免。則惱怒傷肝。喜樂傷心。思慮傷脾。愁憂傷肺。恐懼傷腎。一切足以動搖人身之精神者。皆不在藏精之例。經曰。『邪氣盛則實。精氣奪則虛。』可以見也。準是則冬不藏精。春必病溫云云。可得而說矣。

當夫嚴寒凛冽。萬類深藏。毛竅閉塞。腠理緻密。人苟善怒失節。悲哀無度。以及飲食勞倦等。則津液內虧。臟腑因虛。當斯時也。細胞因體溫與氣溫之比例。相去過巨。遂羣集於肌表。一以抵禦外寒之侵入。一以節省體溫之放散。故尚不足爲患。迨夫來春。天令溫暖。氣候體溫。漸趨平衡。細胞乃恢復其常態。而腠理開泄。假令臟腑復虛。則邪勝正怯。何得不橫行無忌。而成溫病也。初非有邪容少陰。伏而不發之謂也。質之方家。然乎否乎。

送五屆畢業同學序

春壹級程明儒

業精於勤荒於嬉。行成於思毀於隨。是昌黎之言。而學者所宜識也。公等日處於聖賢之門。精究於岐黃之術。孜孜兀兀。於茲四載矣。竟委窮源。足繼前賢之學。登峯造極。不愧後起之英。尋墜緒於茫茫。復旁搜而遠紹。上規經典。下逮近作。既博且碩。亦精亦宏。作爲刊物。膾炙同道。病人觀之。可以自療。學者據之。可爲鏡鑑。此公等數年之結晶。亦母校無上之光榮也。方今世道衰微。醫戰正酣。舶來之藥品。充於市。強鄰之醫士。載於道。乃慕新好異之士。不此爲慮。而反競競於西醫西藥。以炫耀國人。排擠國醫。致天然國產。淘汰無存。固有國粹。湮沒不顯。加以溝瞀之徒。或甫得皮毛。竟懸壺重開。或私祕其學。作傳家之寶。殺人債事。在在有是。乃使聖賢索恥。偉術玷羞。幾岌岌焉不可終日。奚勝言哉。當斯危急之際。適公等畢業之時。是公等之使命。誠重大矣。行見春回黍谷。譽滿杏林。利澤施於人羣。聲名垂諸後世。張皇幽眇。揚我固有之光。罅漏補苴。免我缺如之憾。涉其淺而領其略。或持其技而驕於儕。欲進而趦趄。欲言而囁嚅。要知肔必當權擯。非可養。排此異端。攘彼非類。亦豈公等所宜袖手。必也膽欲大而心。欲細。智欲圓。而行欲方。如臨深淵。如履薄冰。不爲利圖。不爲義疚。庶循軌漸進。十駕可幾。爲國醫生色。爲我道揚眉。抱完璧無疆。杜漏卮於萬一。臨別贈言。幸勿擯於行次。自強不息。是所望於羣公。敢竭鄙誠。恭疏短引。唯諸公勉之。

帶下論治

姜冠南

史記扁鵲列傳曰。扁鵲名聞天下。過邯鄲。聞貴婦人。即為帶下醫。蓋古無婦科之名。而以帶下二字為婦女病之代表名詞。然婦女之病。本與男子同。其不同者。經帶胎產四大症。可見帶下為女子獨有之病。且極普遍。十女九帶。詢不虛也。扁鵲以之為婦科中之代名詞。殊為合宜。

素問謂帶下為任脈之病。巢氏病源則謂衝任二脈為病。而傅青主則解為帶脈之病。而帶脈之病。是由於任督二脈先病。而後及於帶病。景岳謂帶下為亦因而成。學者宗之。余因彙集各家之說。而聞下管見。并選列諸方。俾免蹈空虛之弊。故作帶下論治之文以明之。冀大雅有所指正焉。

內經素問云。任脈為病。男子內結七疝。女子帶下瘕聚。又云脾傳之腎。名曰疝瘕。小腸冤結而痛。出白物。小腹冤熱。溲出白液。又曰思想無窮。所願不得。意淫於外。入房太甚。發為白淫。

仲景曰婦人之病。因虛積冷結氣。

巢氏病源云。帶下者。勞傷過度。損動經血。致令體虛。風冷乘虛入於胞絡。搏其血脈。任衝為血脈之海。故病帶下。

景岳曰婦人淋帶。雖分甚微。而實為同類。蓋帶微而淋甚。總由命門不固。不固之病。其因有六。即心旌之搖。多慾之滑。房室之逆。濕熱下流。虛寒不固。脾腎虧陷等六因。

故傅青主曰。夫帶下俱是濕證。而名帶者。因帶脈不能約束而有此病。故以名之。蓋帶通於任督。任督病而帶脈始病。帶脈者。所以約束胞胎之系也。帶脈無力。則難提繫。必然胞胎不固。故曰帶脈弱者。則胎易墜。帶脈傷者。則胎不牢。然帶之傷。非獨跌閃挫氣已也。或行房而放縱。飲酒而顛狂。雖無疼痛之苦。而有暗耗之害。則氣不能化經水。而反變帶病矣。故帶病惟尼僧寡婦出嫁之女多有之。而在室女則少也。況加以脾氣之虛。肝氣之鬱。溼氣之浸。熱氣之逼。安得不成帶下之病哉。

觀上諸論。俱屬帶下之原因。內經之論。為發病之源。仲景之說。為致病之因。巢氏所云。與仲景同。惟景岳與青主合內經同調而論但景岳分爲六因。可詳盡帶下之因。今分而言之。

「一」心旌之搖。心旌搖。命門應。命門應。則失其所守。內經所謂思想無窮所願不遂者此也。

(二)多慾之滑。情慾無度。縱肆不節。則精道滑而命門不禁。此卽所謂入房太甚。前由所願不遂。此由所願太縱。蓋過與不及。皆是爲害。不獨帶下一病所然。惟帶病爲甚耳。

(三」房室之逆。凡男女相臨。遲速有異。此際權操男子。而婦人情興多致中道而止。止而逆。逆則爲濁爲淋。此由遂而不遂。以上三因。乃女子之最多。而又最不肯言者。凡帶下之由乎此者。十居八九。醫者每見其言語吞吐。而又不肯細問。草草處方。焉能獲效。以致日積月累。病根日深。既失孕育之職。又反健康之常。加以病源未清。而又旋觸旋發。故藥餌之功。必不能與情慾爭勝。此帶濁之所以不易治也。諺云「甯治十男子。不治一婦人。」意在斯乎。意在斯乎。

「四」溼熱下流。大腸主津。小腸主液。清氣上升。濁氣下降。則津液化而爲氣血。塡骨髓。養五藏。充肌膚。苟能如此。何疾之有。一旦溼熱內戀。情濁升降失司。不能分泌津液。乃下注於帶脈。卽成帶下矣。

「五」虛寒不固。卽仲景所謂因虛積冷結氣。經水斷絕。血寒積結胞門。寒傷經絡。在下則腎藏受之。寒氣凝結。或產後風邪乘虛而入。均成帶之因。

「六」脾腎虧陷而不能收攝者。脾乃先天之本。脾爲後天之基。脾腎俱虛。基本不固。帶脈起於季脇章門。似束帶狀。今氣血雙虧。帶脈不固。遂致帶下。以上均爲帶下之因。而無帶病之療法。今將帶下之症治。分述於后。

傅青主謂帶下有五色之分。卽白帶青帶黃帶黑帶赤帶是也。

白帶者。婦人終年累月。下流白物。如涕如唾。不能禁止。甚則臭穢者是也。乃溼盛而火衰。肝鬱而氣弱。則脾土受傷。溼土之氣下陷。是以脾精不守。不能化榮血而爲濕水。反變成白滑之物。由陰道直下。欲自禁而又不可得也。治宜大補脾胃之氣。佐以舒肝。使風木不閉塞於地中。則地氣自升騰於天上。脾氣健而溼氣消。湯用完帶治之。乃若庖丁之解牛。節節中肯矣。

青帶者。帶下青色。甚則綠如菉豆汁。稠粘不斷。其氣腥臭者是也。夫青帶乃肝經溼熱。肝屬木而色青。故有青帶下流。如菉豆汁。但胆最喜水潤而惡溼熱。以溼爲土之氣。以所惡者合之所喜必有所逵。然肝之性既逵。肝之氣必逆。氣欲上升。而溼欲下降。兩相牽掣。以停住於中間。而走於帶脉。遂有青綠之帶下。以其乘肝木之氣化也。进輕者熱必輕。而色靑。逆重者熱必重。而色綠。似乎治青易而治綠難。然治之得法。均無所難。解肝木之火。利膀胱之水。用加減逍遙散。則必覆杯而愈。

黃帶者。宛如黃茶之汁。其氣也腥臭。乃任脉之溼熱也。任脉本不能容水。溼氣安得而入化爲黃帶乎。然帶脉橫生。通於任脉。任脉直上。走於唇齒。唇齒之間。原有不斷之泉。下貫於任脉。以化精。使任脉無熱氣之繞。則口中之津液盡化爲精以入腎。惟有熱邪存於下焦。則津液不能化精而反化溼。溼邪繞於任脉胞絡之間。而化爲黃色之帶下矣。每多以黃帶爲脾之溼熱。單去治脾而不得痊。不知由任脉之濕熱而成。何能得效。治法宜補任脉之虛。清腎火之炎。方用易黃湯。使水火既濟。寒熱平調。任脉不虧。血海無論何黃帶之有。

黑帶者。帶下色如黑其汁。其味亦臭。乃火熱之極也。證必腹中疼痛。小便時如刀刺。陰門必發腫。而色必發紅。日久必黃瘦。飲食必兼人。口中必熱渴。飲以涼水。稍覺暢快。此胃火太旺。與命門三焦之火合而熬煎。所以熬乾而變成黑色之帶下。故曰火熱之極也。然不至發狂者。全賴腎水與肺全無病。其生生不息之氣。潤心濟胃以救之耳。所以黑帶之症。是火結於下而不炎於上也。治法惟以深火爲主。熱退而溼自除矣。湯用利火瀉三焦之火邪。下肝經之溼熱。瘀消火退。其病自愈。

赤帶者。帶下色赤。似血非血。淋漓不斷者是也。蓋帶脉繫於腰臍之間。近乎至陰之地。不宜有火。脉帶通於腎。而腎氣通於肝。婦人憂思傷脾。鬱怒傷肝。於是肝經之鬱火內熾。下尅脾土。脾土不能運化。以致溼熱之氣蘊於帶脉之間。肝不藏血。亦滲入帶脉之內。皆脾氣受傷。運化無力。溼熱之氣。同血俱下。所以有似血非血之形象。現於其色矣。治法須清肝火而扶脾氣。以清肝止淋湯治之。庶幾護效良多。

濕熱帶下諸方

「完帶湯」　主治白帶。此方係脾胃肝三經同治之法。寓補於散之中。寄消於升之內。開提肝木之氣。則肝血不燥。不尅脾土。補益脾土之元。脾氣不溼。何難分消水氣。如對症下藥。帶下能不迎刃而解乎。　白朮　人參　甘草　山藥　陳皮　白芍

車前子　蒼朮　荊芥　柴胡

「易黃湯」　主治帶下黃色而任脈濕熱所成者宜之。

山藥　芡實　車前子　黃柏　白菓

「利火湯」　主治火熱之極而帶下黑色者。此方過於迅利。非實火之症。不宜輕嘗。但服此病愈後。當節飲食戒辛熱之物。調養脾土。若發病即服。必傷元氣。愼之。

白朮　茯苓　車前子　黃連　知母　梔子　大黃　劉寄奴　王不留行　石羔

「加減逍遙散」　主治肝鬱帶下青色。此方解肝之鬱。鬱解而溼熱難留。又加清熱之品更妙。

茯苓　陳皮　甘草　柴胡　白芍　梔子　茵陳

「清肝止淋湯」　主治火旺血衰。帶下赤者。此火重而溼輕。肝鬱而血弱。此方之妙。在純於治血。而少加清火之品。使肝舒血充。而溼自除。方用

當歸　白芍　生地　丹皮　黃柏　牛膝　阿膠　香附　紅棗　小黑豆

「清白散」　主治白帶溼熱所成。此方調經。兼清濕熱。

當歸　白芍　川芎　生地　黃柏　椿根皮　貝母　干姜　甘草

「解帶湯」　主治氣血不調。濕熱帶下。四肢倦怠。五心煩熱。熱痰鬱嘈雜。方即

當歸　白芍　香附　蒼朮　白朮　白茯苓　陳皮　丹皮　川芎　玄胡索　甘草

「樗根丸」　主治赤帶濕熱重者。

芍藥　良姜　黃柏　椿根皮

「勝濕丸」　主治赤白帶間下。因濕熱蘊故也。

蒼朮　白芍　滑石　椿根皮　干姜　地榆　只壳　甘草

「側柏樗皮丸」　主治白帶由七情所傷而脉數者。

椿根皮　香附　白芍　白朮　側柏叶　黃連　黃柏　白芷

「萬安散」　主治赤白帶下或出白如脂而寒重者。

小茴香　木香　黑牽牛

「導水丸」　主治濕熱鬱於下焦赤白帶下不止燥熱煩渴者。

黑牽牛　飛滑石　黃芩　大黃

濕痰帶下方

「滲濕消痰飲」　主治濕熱痰積滲入膀胱帶下不止者。

蒼朮　白朮　半夏　橘紅　茯苓　白芷　香附　甘草

「蒼柏樗皮丸」　主治肥人白帶下乃濕痰所成。

蒼朮　黃柏　椿根皮　南星　半夏　川芎　香附　干姜

「小胃丹」　主治上可取胸膈之痰下可利腸胃之痰及濕痰熱痰。成爲帶下者胃虛少食者忌用。

甘遂　芫花　大戟　黃柏　大黃

「補藥方」　主治痰積白帶先以小胃丹半飢半飽嚥下數丸。導鬱開塞却服此方調理之。

白朮　黃芩　紅白葵花　白芍

治風邪帶下諸方

「胃風湯」　治風邪入於胞門或中經脉流傳藏府帶下五色。

人參　白朮　茯苓　當歸　白芍　川芎　肉桂

「小柴胡湯」　主治風邪帶下五色。以此方加減。

柴胡　黃芩　半夏　人參　甘草　加姜棗　如色青者加山梔防風　色赤者加黃連山梔當歸　色白者用補中益氣湯加山梔　色黃者用六君子湯加山梔柴胡。不應用歸脾湯。　色黑用六味地黃丸

「蒼柏參芎陽」　主治婦人上有頭風鼻涕下有白帶淋漓。

辛夷　蒼朮　川芎　黃柏　南星　半夏　滑石　牡蠣　黃芩

治虛損帶諸方

「衞生湯」　主治帶下不止。脉微弱腹痛者

黃芪　當歸　白芍　甘草　又方人參

「補中益氣湯」　主治勞役過度。飲食不節損傷脾胃。以致陽氣下陷。白帶下久不止。

黃芪　白朮　人參　甘草　當歸　陳皮　升麻　柴胡

「六君子湯」　主治胃虛有痰。飲食減少。中氣不和。時時帶下。

人參　白朮　茯苓　甘草　陳皮　半夏

「歸脾湯」　主治思慮過傷心脾。以致健忘怔忡。驚悸不寐。怠惰思臥。不思飲食時常白帶不止。

白朮　人參　黃芪　當歸　甘草　茯神　遠志　龍眼肉　酸棗仁

虛寒帶下方

「元戎四物湯」　主治赤白帶下。脉沉微。腹痛或陰中痛。

當歸　白芍　川芎　地黃　附子　肉桂　又方加茴香

「桂附湯」　主治白帶下腥臭多悲不樂乃大寒也故宜此

附子　肉桂　黃柏　知母

「當歸附子湯」　主治少腹冷痛。赤白帶下。

當歸　良姜　附子　柴胡　升麻　蝎稍　炒黃鹽　黃柏

帶下滑脫諸方

「側柏地榆湯」　主治赤白帶下。以致不能成孕。

黃芪　側柏葉　地榆　烏賊骨　白殭蠶　牡蠣　肉蓯蓉　白芷　蛇床子

「白馬蹄丸」　主治白帶不絕

白馬蹄　禹餘粮　龍骨　烏賊骨　白殭蠶　赤石脂

「固眞丸」　主治白帶大下不止。臍腹疼痛。其寒捫之如冰。陰中亦然。目中溜火上壅。視物䀮䀮無所見。齒皆惡熱飲痛。須得黃連末擦之。其痛乃止。惟喜乾食惡湯飲方卽

白石脂　柴胡　白龍骨　當歸　干姜　黃柏　白芍

「地榆膏」　主治赤白帶下。此澁血涼劑。

地榆一味煎膏空心服。於帶滑不止而溫熱重者宜之。

總觀上文所述帶下之病態各別。而其成爲帶下之原因者。總不外乎氣血兩端失調。而氣血失調之原因。又因七情六慾以造成之。故欲治帶先須調其氣血。欲調其氣血。必先使七情不致失調。六慾毋令太過。篇中所選方劑。對症而設。故有補有攻有升有降。使不平者得平。然後帶下之病自去。而身體之健自復矣。

嘗思今世號稱婦科。對於帶下一病。迷惘不知所措。是婦科之意失矣。甯非今世國醫界之羞。而尤爲婦科醫之恥耶。

痲疹

袁鵬汀

緒言

痲疹者。傷寒金匱則異其名。湖廣江浙河南河北江西山陝四川福建等處。則異其稱。朱純嘏曰。「疹雖有異。其形則同。似痲。」又曰。「諸疹皆非正疹。惟痲疹乃爲正疹。」證以古說。求其名稱統一。不得不以痲疹爲定名耳。蓋痲疹於我國醫學己有悠久之歷史。故雖鄉村婦女。亦皆得而知之。是其爲症。尤喜侵襲小兒。（痲疹一症。西書乃歸納於小兒急性傳染病科）大人間或感染。寥寥不多覯也。今夫痲疹既爲傳染病之一種。而攷我國古代。對於傳染病學。素乏系統專書。其如吳又可之温疫論。余師愚之疫病條辨。王孟英之温熱經緯。吳鞠通之温病條辨。劉松峯之說疫全書。呂心齋之温疫條辨。雖有詳細之敍述。則於痲疹一症。闕而不言。有或言之。則學說紛紜。莫衷一是。不足取也。退觀周冠之痘疹精詳。程璋之痲瘄必讀。王養吾之痧症全書。謝靡平之痘疹要眞。以及各家痲疹專書。善者可採。在所不乏。而言論玄奧。類涉影響之談。科學之物質。爲之證明者。朋未之見也。朋不敏。學究醫術。巳歷數載。深覺痲疹一症。大有關於兒童壽康。與知天國家民族強盛與衰弱。故不揣譾陋。摒棄門戸之偏見。旁搜諸家之學說。參以臨床實習之一得。用作是篇。以待質後賢。竊願有匡其不逮。是所望於來者。

痲症之原因

痲疹一症。據歷來我國古書所載。殆謂發於胎毒。——胎毒者。痲疹之原因。其理則曰。兒居母腹。以母之氣血爲氣血。飲食之所傷。六淫之所侵。毒之潛伏於母體。累染於胎兒各組織中。欲其推陳致謝。不得不宣洩於外。而痲疹生矣。觀其所言。未始無理。就諸實際。則有未必盡然者。蓋痲疹者。乃係急性傳染病患。至其傳染病原。迄今雖屬不明。而較可憑信者。則爲傳染性之病原體。存於患者之血液淚液。以及口鼻咽腔分泌物中耳。今乃以痲疹病者之皮膚。略加損傷。務使所流出血液。液滲於布片。緊貼健康人體皮膚之表層。或取痲疹之內容物。如鼻液唾液等。注射於猿之皮下。則亦能得患同樣之症狀。是知痲疹之病原。决非發於胎毒。由於各種分泌物之感染者明矣。或曰痲疹傳染後。可得永遠免疫者。豈非胎兒受毒於父母組織游離之毒素。宣發殆盡乎。孰知本病爲免疫性耶蓋病毒潛入體中。體中細胞煉製抗素。以應付之。能將侵犯之毒消滅分解。化爲無害。且如人臥病之際。正傳染與抗素激鬥之時。傳染病至於死者。抗素不足而病毒勝也。其能漸向治愈者。抗素旺盛。足以敉平勁敵。病毒爲其所敗故也。病毒敗而身內授素依然存在。雖有此種病毒入犯。亦不難摧滅之。故其能不再爲人害而得終身免疫者是也。

痲疹之傳染

痲疹傳染。因年齡之不同而有所差異。但於生後未滿六月之哺乳小兒。則不易罹犯。其所以不易罹犯之機會者。乃因胎生期內。母體血液所享有之受動性免疫力尚在故耳。茲以巴耳退耳斯氏五百七十三痲疹病者。依其年齡之大小作爲統計。

年齡	總數	傳染率
三十歲以上者	三	○，七%
二十歲至三十歲	三	○，七%
十五至二十歲	四	○，八%
十歲至十五歲	三二	五，六%
五歲至十歲	二二六	三九，四%
一歲至五歲	二七一	四七，八%
一歲以下者	三一	五，四%

由此以觀。痲疹傳染之最強時期。則爲一歲至十歲十五以下。而其數頓減。至其傳染之路徑。概分二部。直接與間接是也。其如在學齡期以下之小兒。常因匍匐地上。或將汚穢手指及物體送入口內。因而惹起咽腔炎。氣道黏膜炎等症。或如小兒未曾感染痲疹。而與痲疹病者同居。相親相近。受其欬嗽噴嚏唾涕泡沫之分泌物所侵而遽遭發生傳染能力者。殆所謂直接傳染也。若因病者發黏膜炎之際。以其所唾之痰沫涕液。以及排洩物件。散佈于空氣。而與空氣中野馬塵埃。人所目不能辨識之水氣。隨而鼓盪。風流靡定。特其傳播之偉力。吸入人體。肆而爲患者。間接傳染者是也。

痲疹傳染路徑

1. 血液……以病者血液注射或接觸於健者之體
2. 唾液
3. 涕液
4. 淚液 } 病者分泌液散播而傳染
5. 食物
6. 器物
7. 水及土地 } 被病者排洩所污傳染
8. 空氣塵埃……痰唾涕等排洩物混合於空氣而傳染
9. 昆蟲……如蠅蚊蚤等爲媒介

痲疹侵入門戶

1. 皮膚……爲人體最外膜層或受化學物理之擦傷即易侵入
2. 口腔胃腸肛門……消化器爲召禍門戶
3. 眼鼻咽喉……與外界交通
4. 氣管……爲黴生物匿空氣吸入達於肺之徑

痲疹之症狀

痲疹症狀。經過本有一定但因每次流行時期。傳染力之強弱。入體體質之不同。以及各種關係。而稍有所區別其間。然其感染病毒。以迄發病之時。則概稱爲潛伏期也。結膜疹點發現三日以至四日時期者。前驅期也。隱隱皮膚之下。磊磊肌肉之間發疹期也。發疹之皮膚。與出現時。取同一之順序而褪色至於全愈者。恢復期也。

夫潛伏期者。則不見顯著症狀。惟覺氣機不舒。胃氣不振。身體倦怠。精神委靡。有輕度之發熱。而無一定之型也。

至若前驅期者。則體溫昇騰。頭痛目眩。食慾缺損。困憊愈為增加。精神益感不振。而各種之症狀。遂亦為之陸續發生矣。

鼻——痲疹初發有鼻感冒——鼻感冒者。即鼻腔壅塞。時流黏性稀薄液體。漸變為濃稠液。兼多噴嚏。黏膜出血。是為風寒外束。鼻乃流涕。體溫亢進。血乃妄行。此係痲疹初起慣見之現象。而為病者身心最不適快之時期也。

目——痲疹發熱之際。眼光如水。而多眵淚。且因其分泌液之增加。眼球周圍呈現紅腫。強烈光線甚為羞畏。雖在白晝。常須閉其眼而不欲視物也。故為痲疹之小兒。設大人不加注意。輕者因黏液分泌。眼瞼不得瞪視。結成痂皮。以致視力為之減遜。其重者則因毒素之刺戟。眼眶赤爛。讓成終身痼疾。可不懼哉。

欬嗽——痲疹欬嗽。乃是肺臟自然作用。殆因風寒襲肺。氣管發癢。欲使驅逐出外。苦病入已深。無力為之驅逐。則愈咳愈甚。至於喉頭黏膜與及各種機體受強烈侵犯之時。則氣道呼吸。為之不利。氣道呼吸不利。則欬嗽更甚。迭為因果。增進不已。保護肺臟自然作用。而反為肺臟之害。則為病矣。或謂痲疹之發。為人體宣洩邪毒之氣路。故其發也。由內達外。由血分而達於氣分。始於脾。終於肺。以為脾主一身之肌肉。肺主一身之皮毛。脾為藏血之臟。肺為主氣之臟。故發於血。達於氣。始於脾。終於肺。是知痲疹隱現於皮膚之間。而為邪毒已得外達於肺之證。其有發而不易透達者。肺氣之不宣有以致之。旋出而旋沒者。肺不任邪。肺氣閉塞之象。攷諸生理。人體吸收與排洩機能。固以肺臟為最著。而肺又與咽喉氣管比隣。微生物尤易侵入。故患痲疹之病者。于肺臟機能變化特多也。

發熱——天花之初起。必由發熱。但其熱持續不久。痲疹之熱。則有延至六七日以及十餘日者。且乍寒乍熱。或壯熱不退。或疹已出而稽熱不稍衰減。然原發熱之理。或謂乃由病原體與投體互相作用。遂生一種毒性物質。即 Apotoxine 此種 Apotoxine 作用于神經中樞。則為發熱。朋未盡以為然也。蓋此種毒性物質 Apotoxine 雖能作用於神經中樞。但恐無發熱之理。發熱者由于末梢神經受刺戟。反射于司溫中樞。致放溫機能亢進。表層體溫昇騰而使之然也。

胃腸病——嘔吐者胃病也。泄瀉者腸病也。痲疹之有嘔吐。因胃中熱邪不得發洩。而起反射作用。吐瀉交作者為順。乾霍亂者為逆。欲吐不吐者為危。其有吐虫者。胃有痰熱黏膠。虫無所養而上竄也。其下虫者。證多見于痲後。胃留餘熱。虫不能安而下也。泄瀉者。乃痲疹之常候。邪毒得有開泄之路。發熱時瀉而黃赤稠黏者。熱候也。瀉下清稀白沫。腹痛喜得溫按者。寒候也。瀉利窘迫而腹脹不舒。或噯氣如敗卵者。爲食滯其內也。

發疹期——痲疹乃屬府候。發則先動陽分。而後歸陰經。一身之中。陽部宜多。陰部宜少。陽部易透。陰卽不透。亦無足慮。陰部多而陽部反少。且不能透達者。其必有他變也。其理與西醫所謂痲疹之發。近于心臟及大血管。血液循環旺盛之部份。發疹爲愈甚。以及充血之部位多。而貧血之部位少。鬱血能使發疹之出現遲延。實相吻合也。是於常見痲疹之發。始于顏面口眼周圍。次及于頭項胸背。漸進四肢。乃順序發生。間有由于背部發起。蔓延以及頸面各部。此雖例外之變局。亦不得一律視爲逆候。愼審詳辨可也。夫前者所述。乃係部位而已。而于痲疹形色。未嘗涉及。據朋所得經驗。則知痲疹初現。類多紅色。進行發育。色漸加濃。變而爲暗赤。故現形之際。不畏疹之稠密。惟喜色之紅活。紅色者輕。紫色者險。青黑色者。則爲不治之症。蓋血以載毒。血活則毒必輕。毒壅則血必熱。紫而轉黑。則毒凝而血已死矣。至若痲疹之形狀。在初發時爲圓形。大如粟粒。漸變爲橢圓形。而于各疹子之周圍。有屈曲如鋸呈不規則之邊緣。是爲痲疹之特症也。其如痲疹進行。忽然停止。且已發現之疹。亦遽褪色。呼吸促迫。鼻穴煽動。手足清涼。顏面青白。心音微弱。眼窩凹陷者。是爲痲疹內攻之徵也。全身痲疹發現。而皮膚淺層之毛細血管壁。非常弛緩。輕度壓迫皮膚。則少量之血色素。常游離于疹中。或因體溫昇騰。發生鼻衄者。是爲出血性痲疹也。中央部份。形成小結節者。是爲丘疹性痲疹也。發疹彼此密生。互相結合。而不留健全皮膚者。是爲湊合性痲疹也。是皆以痲疹所呈現狀而區別之。則于治療亦當爲之不同也。

恢復期——在發疹期之終。病者體溫達于極點。不及一二日而渙散下降。歸復常溫者。恢復之象也。乃于此時。病者胃機亢進。熱退而意識清明。夜寐亦安。小兒之遊戲興趣。亦從此發生矣。或謂痲疹之發。始于顏面各部。而後及于肢體。疹點消褪。亦宜有一定之順序。但以朋臨床觀察。則知疹色之褪。未必依次。絕無絲毫參差也。惟是痲疹進行消褪之際。則于各種症狀。顯覺輕快。眼鼻口腔之炎症。消退甚速。嘶嗄之聲音。嗆欬之胸痛。亦爲之消失矣。

痲疹之診斷

痲疹不易診斷者。以其尚有紅痧風疹天痘痧仁癧諸症。相似而易于混淆也。黑希氏曰。痲疹之流行。寒冷之季。不如暑溫之季爲盛。初發之時不如盛行之候而易爲診斷。洵是言也。然欲求得知痲疹者。診非下確實之診斷。加以詳細之鑑別。恐不爲功矣。今夫所謂紅痧者。即西醫猩紅熱。亦爲急性傳染病之一種。而其症狀甚似痲疹。所異者。猩紅熱以喉爛爲本痧點爲標。痲疹以痧點爲本。頭昏欬嗽發熱爲標。且痲疹疹粒分離有鋸齒之邊緣。始于面部。後及於肢體。而紅痧則鮮紅色斑圍繞紅囊發育甚速殆相融合。其起始于鎖骨下部及頭部而後蔓延顏面各部。有足異者。紅痧頰部常爲潮紅。而口圍蒼白。關節部之伸縮則疹甚爲顯明。而關節之屈側呈小點出血。殆因皮膚毛細血管毀傷而生。亦有于毛囊之尖端因高度滲出水泡。此三者。爲本症常見而爲痲疹所不見也。且痲疹在前驅期內獨現考拍立克氏斑。尤爲痲疹診斷之鐵證。此外如小便化學之反應以及血液之不同。亦可作爲診斷之資鑑別之基也。

風疹者。其色淡紅。其疹散漫周圍有貧血之暈輪。見之甚爲奇異。且其疹甚小。無集合之傾向。而患者之淋巴腺腫大。尤爲本症之特徵。體溫亢進乃較痲疹爲短。發疹四日。多半消失矣。

天花發疹者。相類水泡性痲疹及丘疹性痲疹。惟其發病經過。則無考拍立克氏斑呈現。且痲疹初起。發生高熱。不久自行消退。而天痘初起。則惡寒漸進。體溫高昇。是其熱型。而與痲疹完全不同。當夫天花發疹時期。與痲甚爲相類。然就其發生之部位。則在于大腿之內側。是爲痲疹所罕見。天花前驅時有症狀。尤爲二者區別診斷之焦點也。

痧仁痲者。介乎天花痲疹二者之間。其紅點視痲疹爲大。其異于天花之處。則在點疎而不灌泡漿。至其性質。則與痲疹天花迥異。蓋痲疹與天花乃爲急性。而此則爲慢性也。概夫痲疹風疹天花。雖同爲急性傳染病。顧其症狀輕重遠不相侔。如紅痧天花恆重于痲疹。而風疹者。則不及痲疹之甚。若以尖銳之眼光。本平日之經驗。從種種症狀先後緩急輕重以鑑別之。則不難診斷者矣。

痲疹之治療

醫學之目的。在乎決定預後及治療疾病。並健康之生體。營養種種物理與化學之變化。但此種變化。則不能超過一定之範圍。若生體一朝被疾病侵犯體內之操作則起變調。是其變調乃爲一種物理化學之反應。然欲使反應變化。對於疾病之經過發生影響。同時令反應速度遲緩停止。或促進逆反應之時候。抵抗疾病。謂之治療法也。然使反應速度遲緩或停止或促進逆反應速度起見。而用多數之物質者。謂藥物療法也。今夫不知藥物之性質。固不足能用於疾病。能知藥物之性質。而不知疾病之變化。亦不能言愈病于反掌。且藥物者。原爲補偏救弊。其在生體內所起之組織變化。可直接作用于生體之細胞及化合破壞組織。漸進而恢復正常機能。故用之得當。可以弭患無形。用之不當。堪有生命之虞。是知治病猶治水也。不察地勢。不審源流。未有不妄施堙障。魚吾民而溺天下者也。用藥猶用兵也。不知山川險阻。不諳敵情。其不自陷絕地也幾希。故孫子曰。知彼知已。百戰不殆。不知彼而知已。一勝一敗。不知彼而不知已。每戰必敗。是之謂歟。獨怪今之一般庸醫。欲求迎合社會人民之心理。輒用輕淡之品而救深入之疾。以爲雖不能愈病于反掌。可無意外過失。與其孟浪圖功。毋寗小心寡過。然知鹵莽滅裂。有臍臆痛悔之時。首鼠猶豫。有稍縱卽逝之憾。功固難圖。過實不淺矣。朋學識鄙陋。治療痲疹。殆無豐富之經驗。然就其症狀之經過。乃可概分三部。發表、清宣肺氣、解熱是也。夫發表者。卽發汗藥也。功能感動皮膚。減退身內之熱度。並放出血內之炭氫氧氣。且能令汗管發力。血行加速。故痲疹初起之鼻感冒與夫風寒外襲。疹疹點不能透達于皮層及出而復陷等症。殆非特發表升發之力不爲功也。故準繩升痲湯。乃治痲疹初起疑似之方也。越婢湯葛根解肌湯。爲皮膚乾燥。毛孔收縮。風寒鬱遏之方也。其有表虛不勝疎透者。一味葱白濃煎。亦足使得微汗而解。有因痲疹倒靨。出不快者。用胡荽酒煎。噴而復發者。是皆因宣發之功也。至發表藥不外麻黃豆豉荊芥防風蘇葉葛根柴胡升麻蟬退之屬是也。

清宣肺氣之品。能稀簿氣道之分泌物。爽快欬嗽。或增加氣道之分泌物。而得奏袪痰之效。蓋痰爲肺藏所生。肺有疾患。則爲痰多。或爲喘急。或作欬嗆。投以袪宣肺痰之品。肺內分泌之物。可得而逐出於外。於是呼吸之數。爲之深長矣。清宣肺氣袪痰藥物。如杏仁川貝象貝半夏橘紅橘絡款冬葶藶子牛蒡前胡桔梗冬瓜子簿荷之輩是也。

解熱者。調節體溫之神經中樞。官能減退組織細胞之酸化。有撲滅發熱原因之有機發酵素也。然其作用於身體。而規整體溫之神經中樞。增加體溫之放散。故適應於發熱持久不退。咽脣乾燥。鼻衂口瘡。痙攣譫語。痙攣譫語者。神經受熱之影響所致。解熱之品爲黃連黃芩石羔生地知母天花粉車前木通茯苓滑石猪苓澤瀉丹皮赤芍連翹竹茹紫草銀花茅根之類是也。

關於發表劑者

- 越婢湯——麻黃石羔生姜甘草大棗｛主治 身腫惡風脈浮而渴
- 葛根解肌湯——葛根前胡荊芥牛蒡蟬衣木通連翹赤芍甘草｛主治 風寒鬱遏皮膚乾燥
- 宣毒發表湯——防風荊芥升麻薄荷竹葉乾葛桔梗連召牛蒡枳殼木通甘草｛主治 毒盛喘悶痲初發熱
- 荊芥發表湯——荊芥防風乾葛紅花桔梗枳殼蘇葉川芎當歸陳皮山查生甘草｛主治 痲疹初發，用以疎風熱除痰活血
- 升麻葛根湯——升麻葛根赤芍甘草蘇葉川芎牛蒡｛主治 風寒所傷，身熱無汗頭痛惡寒疹出不快
- 一味葱白湯——葱白｛主治 表虛而疹透不快
- 胡荽酒——胡荽｛主治 疹出不快或疹倒靨

關於清宣肺氣劑者

- 清金甯嗽湯——橘紅前胡杏仁貝母桔梗黃連栝蔞仁桑白皮｛主治 痲出欬嗽內熱灼肺
- 加味升麻葛根湯——升麻葛根芎赤前胡桔梗蘇葉杏仁甘草｛主治 鼻塞聲重噴嚏惡寒
- 清咽滋肺湯——玄參麥冬玉竹牛蒡貝母荊芥桔梗甘草｛主治 痲疹出透回後餘熱戀肺欬嗽
- 黃連杏仁湯——黃連杏仁陳皮麻黃枳殼乾葛｛主治 無汗氣喘表實毒不得出
- 清肺飲——地骨皮麥冬柴胡黑參桔梗陳皮黃芩石羔花粉生地木通生甘草｛主治 疹後肺熱欬嗽氣粗

關於鮮熱劑者

- 三黃石羔湯——麻黃豆豉石羔梔仁黃芩黃連黃柏——主治 狂言譫語不省人事
- 清熱透肌湯——黑參石羔牛蒡荊芥防風葥胡葛根杏仁甘草——主治 痲疹未透熱甚而欬
- 白虎湯——石羔知母粳米甘草——主治 壯熱口渴
- 黃連解毒湯——黃連黃芩黃柏——主治 痲初煩悶肺焦胃乾
- 竹葉石羔湯——茯苓竹葉石羔半夏陳皮甘草——主治 毒壅於胃而作乾嘔
- 紫草木通湯——紫草木通人參茯苓糯米甘草——主治 氣虛血熱小便不利
- 大青湯——大青木通玄參生石羔知母地骨皮荊芥甘草——主治 毒盛熱熾遍體紅腫
- 黃芩湯——黃芩赤芍大棗甘草——主治 熱邪下行腸而自利
- 犀角解毒湯——犀角連召桔梗生地黃芩赤芍當歸簿荷牛蒡荊芥防風甘草——主治 痲毒內陷胃爛
- 羚羊散——羚羊角麥冬元參知母黃芩牛蒡防風甘草——主治 邪毒內陷
- 消毒飲——荊芥牛蒡連召石羔元參桔梗葥胡黃芩花粉木通甘草——主治 痲疹出後內蘊餘毒臟腑薰蒸疹點難收
- 導赤散——生地木通竹葉草梢——主治 清心氣涼心血瀉心火
- 涼膈散——大黃連翹芒硝梔子黃芩簿荷竹葉甘草——主治 膈上實熱

右選良方。乃出於古人經驗。適合於痲疹治療。亦不過一部份耳。而所作之表示。人善以選用。亦未可概治一切。至藥物之峻烈。用藥之輕重。是在醫者之權衡臨機變化。而非作者所有之責任也。要之治療痲疹須明察其症之由來。及其進行輕重與順逆之分。疹未見標。而發熱者。則非發表不可。見標之後。身熱者。則宜發表與清涼並投。遍身紅赤。合成一片。手足之末。而無空隙者。此爲疹已出透。清涼解毒之劑所尙。非發表之品所宜矣。痲疹隱隱於皮膚。不易脫色者。此爲餘毒未盡。法當從事清裏解毒。以肅餘熾。至若痲疹兼有食積。則宜用消導之品。枳實枳殼檳榔山查神麯麥芽谷芽之類。久痢不亡。身體尩羸。則非止其瀉不可。炮姜芡實白芍白朮扁豆升痲。在所必用。其或痲後欬嗽氣喘者。毒火未除。肺臟受其侵害。最爲惡症。延遲失治。多致不救。宜以清肺降火之劑。牙疳者。毒流于胃。以致牙齦腐爛。穿頰破腮。唇缺齒落。宜予清胃化毒劑之。痲後發搐昏亂者。乃因壯熱。餘毒侵襲中樞神經。延及腦神經所致。是則不可認爲驚風。妄用風藥。宜以安神定志。清肅殘邪。腹痛痢下。概因痲出之際。泄瀉未經清解。以致毒素滯留於腸。刺戟腸壁黏膜。而變爲休息痢。則須辨其虛實。審其寒熱。導滯行氣。清熱解毒。爲治痢之不二法門也。

且夫治療痲疹有三禁忌。誤用辛熱。驟予寒涼。妄投補澀是也。蓋痲疹初透。或見嘔吐之症。或呈手足冰冷。盲者不察。輒投辛燥芳香之蒼朮平胃砂仁木香之燥胃。甚至妄用桂枝肉桂。以溫其手足。而驅寒邪。孰知其人作嘔吐者。胃火蒸熱。胃神經反射作用。手足作冷者。熱極似寒。而醫者不明。反以辛溫之味。以爲可鎮靜胃機。桂枝可達四肢之末。肉桂可以溫經回陽。是猶抱薪救火。操刀殺人之術也。

驟用寒涼者——當痲疹出透之際。體溫亢進。煩燥口渴。宜卽以宣毒發表。不可遽用苦寒大劑。遏抑體溫。發熱原爲排洩毒素之傾向。血球與毒質之爭抗。不明病理。藥物妄投。未有不冰其毒而內伏。後雖設法宣洩。終不復出透於外。於此陷人性命者。是誰之咎歟。

妄用補澀者——痲初泄瀉。原爲毒質發洩之象。故不當補澀。以使內蘊之毒質。不得出洩爲患也。然痲疹方出未出之際。腸道固欲其通利。冀血液之清純。托載容易。而在已出未回之時。腸道欲其鞏固。務使血液完充。防其內陷矣。總之梟毒深藏者。非得澄清其血液則不可。運量欠動者。非得鞏固其腸胃不爲功。補澀固屬非宜。而清涼亦非專長。視其症候之趨勢。爲用藥之標準。未有不效如桴鼓。病除霍然也。

附錄芫荽酒治驗痲疹倒靨一則

朋于去年春。承友人紹介得治海上鄭君介民之長子。年方四歲。患痲疹倒靨。深入險途。古今施治。莫不以升提之品。冀其復出。而竟不得應效。其家人惶急。朋感棘手。於是改用民間療法。所謂芫荽酒者。令溫而服。且噴其身。更深而行。平旦窺之。已得遍透。如此之速奏奇效。實非朋所得預料也。芫荽者。又名香菜。生取其根葉。搗爛。約四五錢。磁入碗與酒相滾溫。少頃。其味自出。故名為芫荽酒。設若因時候之關係。根葉無從採取者。可取其子。加入芝蔴同研。亦能奏奇效。古人之經驗。惜朋未曾經試。附此作為介紹。窮鄉僻壤。延請名醫。固足不易。而農村破產。經濟恐慌之我國。尤為難得之良藥也。

痲疹看護法

痲疹。傳染能力強大。蔓延迅速。預防甚為不易。不幸而感染。加意看護。使其順利經過。則亦足矣。故痲疹病者之病室。務須清潔。空氣務使流通。室內溫度務使調節。則病原體不能久長生存。而傳染之能力。亦為之減弱。病者呼吸。為之舒爽。身心為之愉快矣。

室內之溫度——須視病者進退。若病者壯熱神昏。煩燥不安。則於溫度。非特不可過高。宜加減低。恐添其勢。增其焰也。——畏寒辣慄。皮膚緊縮。汗腺閉止。疹不能透達於外者。則使溫度增高。以助其宣發。至若疹初出透。口渴引飲。且喜食生冷。為看護者。不可恣然與之。——蓋因生冷則難消化。有碍腸胃機能。易使痲疹之毒質。冰伏而不得宣透於外。早食葷腥油膩。未經蕩滌之毒素。適飲食之不慎。重遭復燃為患。是皆為看護者有應具之知識。明應負之責任。而為之將護也。

煎藥與服藥——凡痲疹初起所投之藥物。類多發表之劑。而發表之品。尤多揮發之性。故對於每投發表藥物。為醫者宜當明告。煎之暫而不宜過久——煎暫者其中物質不致散逸。而宣洩之力更得偉大矣。惟是發表之藥物。又當溫服。以飲小兒。最為周折。因其啼哭無常。嬉笑無時。是非用誘惑之手腕。令其樂從而忘者所飲。則無出於其計之上者矣。

月經先期未必屬熱後期未必屬寒論

袁鎭洪

天地之生萬物也。有陰陽雌雄之分。人居萬物之首。靈超萬物之上。故有男女之異焉。人之所以分男女者。以其生理變化之各不同也。如男子經過發育健全之期。齒更髮長。筋骨充足。精氣溢泄。而能生子。是爲普通生理之變化。而爲世人所不可免者也。女子之異於男子者。亦卽生理變化之不同也。女子達一定之年齡。身體漸漸發育健全。每四週其子宮必出血一次。名之曰月經。有此月經。庶能生子。卽經所云「女子二七而天癸至。任脉通。太衝脉盛。月事以時下。故能有子」也。此種現象。苟爲人類。無論貧富貴賤。皆不可免。此自然生理之變化也。故可決定其非病理之徵。顧人生宇宙之間。六淫侵於外。七情動乎內。偶一不愼。卽發生病理之現象。在女子更屬易事。女子當月經之來也。或爲六淫所襲。或爲七情所迫。因而發生疾病。病及月經。則不能如期而至。然月經之病。又有種種不一。或超前。或落後。或多或少。以及色淡色濃種種病徵。不能盡述。今特就其先期與後期之病理而言之。竊古今方書。概以經來先期屬熱。後期屬寒之說爲標準。據以施治。而後之學者。不察其詳。皆奉之爲金科玉律。然詳究其說。雖非謬誤。亦實乃一偏之說辭也。焉能包括一切經病。先後百症耶。蓋經病先期。未必盡屬於熱。而經病後期。又未必盡屬於寒也。苟能於婦科病理詳細研究。推陳至新。則此種問題。不難迎刃而解矣。茲以先期而來先言之。先期之病理。又有多種不同。非一言可以盡之也。今述其大概如下。如血熱內爍、氣血虛弱、及鬱怒不舒、痰塞中之類。皆足使經行先期。蓋血熱內爍。乃相火不潛。內炙血海。血液沸騰。使神經與細胞均起非常之興奮。於是血液運行亦同時超過常度。遂使卵巢之卵珠。超前早熟。其腎髓質之分泌液旣太過。故其月經亦隨卵珠而外泄。於是經期超前而至矣。然其血液又何以而熱耶。西說謂副腎髓質之分泌液。分泌太過。此種分泌素。爲鹼性之液體。從命門分泌而出。有迫血上行之作用。是故內熱之症。因是而起。體中溫度旣高。傳於血分。故致血液沸騰。由此觀之。則方書所謂先期而屬熱者。固未嘗不可不信也。然而經來先期。更有屬於氣血虛弱。而不因於血熱者有之。蓋氣血虛弱之人。動脉管之注射力減少。因而血行遲緩。靜脉管之吸收力薄弱。卽國醫所謂氣虛不能行血。臟氣虛不能攝血也。因而毛細管內成鬱血。於是子宮內膜之毛細管。因鬱血而破裂。遇致血液易於滲出。而成爲經來先期病理之變化矣。更有因於鬱怒不舒。而經亦先至者。此係女子性情執拗。易於忿怒。尤易於感觸疾病。如因憂鬱或忿怒過度。因而血行遲滯或疾速。肺氣因鬱而不舒。肝氣因怒而上逆。且肝居體中。爲體中最要之器官。分泌胆汁。製造肝糖。而營養與奮神經之作用。其功作較他臟爲重要。而其所需營養成分較多。其受病亦因之而易。凡因忿怒。血液之循環必超過常度。因憂鬱血液循環必不及常度。太過與不及。皆能使血不涵木。即肝不藏血。肝氣橫逆。經脈脹馳。月經易於滲出。而成經來先期矣。又有經行先期。而因於痰濕中虛者。中虛乃胃之消化力減少。脾之運輸力薄弱也。是故飲風入胃。不能盡化爲精徵。而營養全體。其他各種分子雜質。必稽留於脾胃之中。醞釀而成痰濕。是故中愈虛。而痰濕愈甚。痰濕愈甚。而中愈虛。中虛則脾氣不能統血。胃虛則不能生血。血無所統。則子宮壁膜內之充血積聚益易。充血愈多。則滲出亦易。故月經遂超前而至矣。以上所述。可知經行先期。未必盡由於熱之明證也。經行先期既未必盡屬於熱。則亦可見經行後期。未必盡屬於寒矣。考經行後期之病理。亦頗複雜。其最普通者。如血實虛寒。及生冷凝滯。或爲痰濁阻滯。或爲血熱乾枯。其屬於血實虛寒者。其寒邪必爲血行之障礙。而誤服生冷。或冷水沐浴者。其血液易爲寒邪所凝結。于是血液之循環。濇滯。運行之力減退。卵巢中所供給之營養成分不足。故不能如期產生卵珠。以致卵巢與子宮黏膜之分泌力。亦漸衰弱。子宮之分泌液減少而不能如期滲出。故使經來爲後期矣。如上所云。可知方書言經行後期而屬於寒者。亦謂爲不可不信也。然後期亦有因於痰濕中阻者。此因貴婦富女。安閒好逸。身處廣廈。日以膏粱自奉。懶於操作家務。甚而終生不知運動。遂致體中脂肪阻滯。消化不良。飲食既不運化。全身賴養之精徵。又何從而來耶。其精徵既不能營養全身。食入反而停滯中洲。而爲痰濁。其壅於上者。則爲胸悶脘脹咳嗽氣逆等症。滯於下者。則爲白帶白淫等症。於是卵巢與子宮內黏膜發生障礙。遂不能照常分泌濁物。遂成經行後期矣。後期之又有屬於血熱乾枯者。此係血熱內熾之人。體內熱率過度。熏蒸血絡。以致血絡枯燥。子宮內膜毛細管之血液。亦同時積滯而成瘀結。雖受卵珠之衝激。暫時亦不能外泄。必待卵巢之分泌液充滿子宮時。其毛細管方能破裂滲出。故而經期不得不落後矣。以上數節所論。可知經行後期。未必盡由於寒。乃世之司人性命者。一見經期超前。便一概投以地骨皮、生地、靑蒿•丹皮•知柏芩連等藥。與夫一見經期落。亦便概投以香附、烏藥、桂姜•砂扣、仁、等品者。不知害人幾何。由此言經期之或先或後者。決不可據爲斷定或寒或熱之準標也。必賴望聞問切四診。而察經期先後之眞正病理。究屬何因。方可施以治療。不可拘執古法。或矜家祕。不審時令。不察人體強弱。病之輕重。便貿然從事者也。惟習醫而能通權達變者。方不致貽誤人命也。茲以前論欠詳。用再處方於後。以分別之。

先期屬於血熱內壅者。此係水虧火旺。血液妄行。當用補水抑火之法。

細生地五錢 京元參三錢 川黃柏二錢 生甘草一錢 大白芍三錢 當歸身四錢 白茯苓三錢 粉丹皮三錢

地骨皮三錢 建澤瀉三錢

先期之屬於氣血兩虛者。宜大補氣血。

潞黨參三錢 全當歸四錢 香附米三錢 淮山藥四錢 焦白朮五錢 杭白芍三錢 灸甘草一錢 元胡索二錢

雲茯苓三錢 粉丹皮三錢 川芎錢半 熟地四錢

先期之因肝氣之鬱結者。當用疏肝理氣之法。

軟柴胡錢半 青陳皮各二錢 廣木香八分 當歸三錢 炒子芩錢半 香附米三錢 白蒺藜三錢 炒枳殼錢半

粉丹皮二錢 廣玉金二錢 元胡索二錢

先期之由於痰濕中虛者。當補脾胃而袪痰濕。

潞黨參三錢 法半夏二錢 炒苡仁三錢 焦山查三錢 淮山藥四錢 廣陳皮二錢 元胡索二錢 當歸身三錢

蒼白朮各三錢 雲茯苓三錢 白芥子二錢

後期之由於虛寒者。當予溫經益血之法。

當歸身四錢 阿膠三錢 元胡索錢半 艾叶二錢 川芎一錢 砂仁八分 烏藥二錢 炮姜八分 焦白朮五錢

香附米三錢 官桂錢半 巴戟天二錢

後期之因於過食生冷。或冷水沐浴。而血凝滯者。治當活血去瘀。

當歸尾四錢 赤芍二錢 炒枳殼錢半 炒砂仁八分 川芎錢半 桃仁二錢 大腹皮二錢 灸草八分 紅花錢半

牛膝二錢　香附米二錢

後期之因於痰濁中阻。脾胃失調者。宜予調脾胃而袪痰濁之法。

西潞黨三錢　雲茯苓四錢　香附米三錢　生姜三片　蒼白朮二錢　淮山藥三錢　法半夏二錢　紅棗三枚

廣陳皮二錢　灸甘草一錢　炒砂仁一錢

以上諸劑。乃大概之治法。臨症者。又當參以脈舌之診。細辨其原由。方可施治。如經期先後屬寒屬熱。雖已辨之清明。而其寒熱症中。又有夾食夾氣。或夾瘀夾痰。或夾濕夾濁。或虛或實。種種症狀。不能盡同者。又當以前法對症加減之。

醫學為人類本能所發明。故古方用藥。或極簡單。或極復雜。格之後世理論。每見寒熱升降並用。表裏攻補兼施。觀夫葛洪之肘後方。孫思邈之千金方。王燾之外臺祕要等書。可見一斑。而鼎鼎大名之仲景鱉甲煎丸。亦其顯例。然大率經驗所積。以之臨病。效如桴鼓。後人加以研究。欲求其所以然之故。於是私意懸揣。嚮壁虛造。故後世醫方。驟視之。頗覺條理井然。實則若輩多有建築於不健全之理論中。看而不中用者。亦復不尠。有譏景岳著書。出之推測其實滔滔者天下皆是。非景岳一也。常見大名醫告束手之病。愈於江湖遊方之士。問其理。茫然不知所答。閱其方則雜然毫無條理。傳曰。禮失而求諸野。江湖醫所操之一二效方。抑古方之流亞歟。　（華谷）

傳曰。名不正則言不順。為醫亦然。國醫之病名殊混雜。常致一病數名。或數病一名。故治病當從證候着手。苦執病名以施治。殆矣。譬之猝然昏倒。不省人事者。名之曰中風。而仲景桂枝湯之病證。亦稱中風。古方治疔毒。多用風藥。而今人則禁用表劑。非治療之異歧。名同病不同也。　（華谷）

北熱帶溫病的研究與治療

許鏡澄

小引

余之所以喜研究溫病者。乃余生長南方。且少隨家君僑居海外之暹羅曼谷。因是目所覩。耳所聞。凡來就診於家君者。多屬溫病。民十九年冬。余曾以私人之資格調查曼谷一埠。總病溫者。約佔全數十之六。而溫病中兼濕者。又佔六之四弱。於是溫病之一問題。深印余之腦海。而竊思有以闡明之。數年來略有所得。特爲公之同道。謬誤之處。仍望賢達指正。

釋名

溫病之名。發源於內經。其所謂溫病者。即包含熱病而言。故內經云「冬傷於寒。春必溫病。」又曰「冬傷於寒。春生癉熱。」考其曰溫曰熱。乃病情上之輕重。其爲熱則一也。但病有因地勢而異。症有因氣候而別。故當春病溫曰春溫。夏病溫曰暑溫。秋病溫曰秋溫。冬病溫曰冬溫。惟此以時令得名之溫病。在溫帶中的中國中部。因是若用之於熱帶。則未免欠妥。因爲熱帶中之氣候。終歲炎炎。原無所謂春溫夏熱秋涼冬寒。雖則接近溫帶之中國南部。有四季之分配。實則夏居其半。故要定此地異候別之溫病。惟有以其固有之氣候。「熱帶」名之。今我名之曰北熱帶溫病者。乃限以地道上之氣候而言。故若就地球之表面言之。凡在赤道以北二十三度半者。是若以地勢之位置言之。則自我國南部之廣東。法領安南。以及暹羅。星洲等。凡在此等地發生溫病者。皆名之曰北熱帶溫病。

概論

溫病之發於熱帶。其原因。其症狀。一如溫帶。其不同者。以氣熱地燥。治療上稍有差異耳。夫溫帶之有新感與伏邪。熱帶亦有新感與伏邪。溫帶病溫有在氣在血。而熱帶之溫病。亦有在氣在血。惟考伏邪一症。曩昔醫籍爭論紛紜。有云外邪襲入。未有不即發而潛伏者。有云外邪感人。重者即發而爲病。輕者不即發而潛伏者。在此有無爭論之中。若以管見所知。伏邪之說。非屬無稽。其原理係當初感之時。邪毒微小。加之我人身體中自然抵抗力雄厚。此外受之邪。不得不靜伏潛藏。於是一方面生殖其侵略之細菌。以障礙血液之循環。而減少自然抵抗力量。一方面找探外發之機會。迨至循環障礙。血液鬱滯。新陳代謝之老廢成分不能盡量排泄。停積於內。人身中自然抵抗力薄弱。外復經新邪感觸誘動。此久困之伏邪。乃向外暴發。故當發動時。病情複雜。裏證立顯。然而伏邪之由於感微。潛伏固一原因。其亦有病已發。而治不得其法。以致病情隱伏者。又有曾經治療。大邪已去。而病根未盡。因是而潛伏者。後來一得機會。仍然再發。是又一大原因也。故內經云「冬傷於寒。春必病温。」或曰冬既病傷寒矣。何以至春必病温。此二語也。議者非之。我曰冬之傷於寒。至春之所以必病温者。乃冬季傷寒之後。邪氣留連。迨春發而病温耳。何以見之。曰見於內經。「是以春傷于風。邪氣留連。乃爲洞泄。夏傷于暑。秋爲痎瘧。秋傷于濕。上逆爲欬發與痿厥。冬傷于寒。春必病温。」夫夏之洞泄。秋之痎瘧。冬之欬逆痿厥。春之病温。以上不加邪氣留連者。舉一反三。簡筆耳。至於伏邪潛伏之處。王氏叔和以冬令受寒。伏於皮膚肌肉。喻氏嘉言以冬傷於寒之伏邪。伏於皮膚。多不藏經之伏邪。伏於少陰腎臟。柳寶詒則以伏邪議受。適腎氣先虛。故邪乃湊之。而指伏邪伏於少陰。盛師如心則云伏邪乃伏於募原。以上諸說。各具至理。惟可以說屬於局部。實不能代表整個之伏氣。因爲邪之傷人。正如內經所云。「邪之所湊。其氣必虛。」亦如温熱辨惑所云「先有弱點。而後疾病乘之」我以爲舉凡氣血所能達到之處。則邪亦能隨之。只須某一部分有弱點。有虛隙。則邪得以客之。得以潛伏之。實不限於腎。亦不限於募原與肌膚。不過其潛伏於募原者。較爲多數耳。

我於伏邪述完之後。再言温病之在氣在血。因爲在氣在血。乃代表病情之輕重深淺。故氣分血分。我又不得不爲之區別。在顧景文温熱論中。葉天士有云。「大凡看法。衛之後方言氣。榮之後方言血。」或云此二語實非葉氏之言。乃顧景文託葉氏之名而立論。今託言與眞語。姑置勿論。此衛氣與榮血。實足我人之研究。考衛之與氣。一也。乃指人身中之體温。體温之作用。在充膚熱肉。故內經稱衛氣爲「剽悍滑利。」榮之與血。亦一也。乃指血液之運行。惟血液與體温。有密切之關係。在內經稱爲「榮衛運行」榮衛之所以病。若以新的病理解釋之。凡衛分受邪者。乃體温調節放散之功用失職。衛之後方言氣者。即體温失職之後。汗腺停滯、影響淋巴液之運行。至邪入於榮者。乃淋巴液鬱滯也。榮之後方言血者。即淋巴液鬱滯之後。波及循環障礙。血液栓塞等象也。是故邪在氣者。病淺而輕。邪在血者。病深而重。

伏邪。新感。氣分。血分。既爲病温之必有症候。而病温兼濕。實際上又不可避免。尤其是熱帶中之温病挾濕。更爲多見。故熱帶中語云。「十病九温。十温九濕。」（濕兼濕也）考熱帶之所以多濕。原由於地燥氣炎。霉雨綿綿。卽使天晴而乍晴乍雨。空氣中水濕之氣太重。人處於中。偶感外邪。濕卽兼之。故張氏山雷有云。「濕温病理。都由大江以南。土薄水多。濕濁瀰漫。天多溽暑。地則鬱蒸。人在氣交之中。長受穢濁侵襲。脾胃清陽。過抑不得展布。是以病者無不胸脘痞塞。舌苔垢膩也。」熱帶病温兼濕。實際上亦如是。惟既不可避免。我人只有注意及之。當温病有排泄水分能力減少者。（指熱勢尚微。津液未傷而言）卽醞濕之朕兆。若加肌肉煩疼。胸脘痞塞。腹滿苦膩（濕重舌苔變垢）大便溏泄或粘滯。解而不爽者。濕病無疑矣。然而濕病其症最雜。其治法須究三焦分理。但總不外乎上宣肺氣。俾與表邪外解。中導濁氣。俾從便泄（若温病之末期熱邪已除。則宜運脾陽以與燥化）下通膀胱。使從小便而解。或曰。仲景有「濕家不可發汗。汗之則痙。」何以此用上宣肺氣而使汗解乎。曰。仲聖此語。乃指中焦內濕而言。其理由不外濕爲陰邪。其中人也。則傷陽。汗（大汗也）出則陽易泄。陽泄陰留。勢必發爲黃症。若甚者則津液枯竭。筋失所養。隨成痙病矣。若上焦之表濕。實非汗莫解。金匱云。「風濕相搏。一身盡疼。法當汗出而解。」不過濕之以汗解。其量要微。其勢要緩。故金匱又云。「若治風濕者。但微微似欲汗出者。風濕俱去也。」然而汗之解邪。不僅微緩在濕病爲然。擧凡一切表症。亦如是也。

總上以觀。熱帶温病之發。有新感。有伏邪。熱帶温病之症。有氣分。有血分。而兼附於熱帶温病者。又有濕。其病情之複雜。有如萬騎紛紜。是以治熱帶温病者。應具一種詳細精密之診斷。隨機應變之處方。始能逐病魔於炎域之外。保人羣於壽域之中。否則戾咎踵焉。至其治療之大綱。可分爲三個時期。

第一期

說明——在第一期中可分爲二。卽新感與伏邪。因爲新感與伏邪。雖則同爲初期發病。一則由外而內。一則由內而外。病理不同。治法不可不分。

（1）新感

原因——由於氣候之變遷。身體受其刺激而起。

證狀——初起頭痛身熱微惡風寒。繼則微寒灼熱。或欬嗽。或胸悶等。

病理——我人身體上之溫度。本有一定之標準。雖在飢飽動靜之時有增減之可能。但決不出一度。（平均計之合攝氏表三十七度零）是爲常人。越此則屬病徵。究此體溫之所以當感邪而增高變爲發熱病象者。乃由於外邪侵犯人身之皮毛時。內部之血液速疾流行。直趨皮膚。以之抵抗。於是微血管起充血之現象。此充血之現象。卽皮膚發熱是也。

診斷——舌苔白而燥者。邪客手太陰經也。舌白而粘膩。兩脛冷者。氣分兼濕也。白兼邊紅者。邪將傳營也。脈來沉小有力。苔白兼黃者。乃熱邪內侵之確證。

治法——頭痛身熱。微惡風寒。舌苔白燥。咳嗽胸悶。脈象浮者。可用桑葉。菊花。薄荷。牛蒡。前胡。蔞皮。杏仁。象貝。連翹。蘆根之類。以疏解之。苦桔梗亦可加入。惟不宜多用。因其具有升提之力。多用恐令人氣逆上升。痰喘氣促故也。若發熱頭重身痛。苔白膩。兩脛冷。小便不利者。宜與桑菊飲加豆豉。滑石。通草。車前之類。以滲淡祛其濕。若苔白兼邊紅者。宜銀翹散加白薇。山梔。黃芩之類。以清解之。若誤服溫燥之劑。以致心煩躁擾。舌苔由白變黃。或絳者。病情內進也。至於斑疹。雖爲邪氣外透之佳象。但其因必誤治有以致之。治法始於二期中。

（2）伏邪

原因——平素蘊熱。或因氣候之刺激。以致體溫循環發生障礙。再經新感誘動而成。

證狀——初起微惡風寒。頭身俱痛。咽喉不利。繼則微寒灼熱。舌垢口渴。或有汗後胸悶。大便不爽。甚則心煩大渴引飲。

病理——伏邪病理。我於上節概論已略爲序述。而總其綱。則由於循環障礙。血液鬱滯。新陳代謝之老廢成分。不能盡量排泄。停積於內。復經外邪誘動。故始雖頭痛身熱。繼則灼熱舌絳。苔垢口渴。惟伏邪之潛伏。深淺輕重。原無一定。輕淺者。固能一退而解。深重者。初雖治之得法。苔退舌淡之後。踰一二日舌復光絳。苔復黃垢。其舌苔之變化。正如王氏孟英所云「抽蕉剝繭。層出不窮」。此時舌苔退後。邪不淸而復發者。非變也。實邪重而深。非一次能退淸也。

診斷——舌苔初起薄白。繼則光紅。甚則深絳而赤。苔垢或焦而乾。脈象初浮數。則繼弦滑沉數。

治法——形寒頭疼身痛。咽喉不利。舌苔薄白者。可用銀翹散。加射干。前胡。兼欬者。加象貝。杏仁。胸悶者。加蔞皮。鬱金。若舌色光紅。形寒未解。在銀翹散中。可加進山梔。白薇。黄芩之類。若服疎解之後。汗已出。表未解。而胸悶依然。舌苔穢垢。此伏氣挾濕也。此時爽者大便非溏薄。卽粘膩而滯。解而不爽。治宜仿涼隔散法。用黄芩。梔子。連翹。竹葉。瓜蔞。瀉葉。蔴仁之類。俾邪從下解。若表未解者。薄荷。牛蒡。亦可加進。若腰部及手足痠疼。尺脉弱。舌紅無胎者。此腎臟素虛也。宜加生地。知母。元參之類。所謂壯水之主。以制陽光是也。

第二期

原因——由於病在初期。當汗不汗。或因誤服溫燥之品。邪勝正負。病勢內侵。

證狀——身熱不寒。自汗。心煩惡熱。口渴引飲。齒燥脣焦。若曾經誤治。或服溫燥之品。則發斑疹。或發白㾦。甚則神煩燥擾。夜間譫語。溺短赤澀。大便或燥結不通。或滯瀉不爽。煩則喘渴。靜則多言。舌苔乾或黄。起刺。或絳赤無津。

病理——在第一期中之所以發熱。乃由於體溫奔集於表。以抵抗外邪。此期之發熱則反是。乃係熱邪極重。體溫鬱結不能放散。邪盛正微。眞陰以傷。陰傷液少。勢必引水自救。口渴引飲。是其徵也。若津液傷耗。臟腑內燔。是不特無以制溫熱之火燄。抑且使溫熱之火燄愈加高張。於是齒燥脣焦。神昏譫語。溺短赤澀。大便燥結。舌苔或黄燥而起刺。或絳色而無津。若幸而正勝邪負。熱毒外透。現之皮膚。或點大分明而爲斑。或瑣碎小粒而成疹。或小粒如芝蔴。明如水晶。是爲白㾦。但斑疹之發。書中雖云斑從肌肉出。屬胃病在氣。疹從經絡出。屬榮病在血。其實無有不關血分者。因爲氣雖鬱。若血不閉。則斑疹無由成。不過㾦斑疹在溫病上俱屬壞症之一。非謂溫病必有此症候也。有單發㾦者。有單發斑或疹者。有㾦疹同見。及斑疹同見者。通常以㾦疹同見。其退較速。因氣血兩方之伏邪。俱得宣洩故也。

診斷——身熱不寒。灼熱。自汗。口渴引飲。胃經熱也。齒燥脣焦。溺短赤澀。譫語多言。津液灼傷。熱燄上犯。神經被擾。苔黄者。熱燔胃。舌絳者。病在榮。若神昏以及痙厥者。心包被爍也。其有苔黄膩。大便滯瀉不爽者。熱邪挾濕也。總之此期氣血之分。其最準者。莫如驗舌。凡舌苔黄燥者。熱在氣。舌色絳赤者。熱在血。其有帶膩而垢穢者。挾濕也。脉象則多見洪數。滑數。至於發斑發疹。乃熱毒閉於經絡外透之象。但有虛實二種。色紅而淡。四肢微冷。脈來濡弱。口不甚渴。虛症也。色紅而赤。心煩肢體俱熱。脈洪大而數。口渴者。實症也。若色紫與黑。熱毒重也。若發白瘖者。濕熱鬱於肺而閉於衞也。

治法——舌苔黃。脈洪數。身體灼熱。自汗。口渴引飲。宜以大清胃熱之白虎湯為主劑。渴甚者。花粉。洋參。蘆根。金汁。亦可加入。若苔黃而厚。燥而起刺。甚至灰黑。大便閉結。臍腹脹滿鞕痛。神煩躁擾。可視病勢之輕重。而酌承氣之緩急法以下之。若熱邪初入血分。表邪方陷者。可在黑羔湯中加進疏表之品。若舌色絳赤。心煩脈數。宜與清解營熱。如犀犀。丹皮。連翹。山梔。白薇。元參。生地之類。此時病者如有胸悶。舌絳中有粘膩。初則乾嘔呃噦。繼則嘔胃白沫者。此胃中素有痰飲之徵也。此時切不可誤認嘔噦為濕溫之常態。而以枳殼竹茹塞責。當先進生姜汁以平之。而後視其何屬。再予施治。如熱勝入營者。在涼血劑中可加菖蒲。鬱金。以開之。痰濁甚者。指迷丸。至寶丹。亦可加入。因為素有痰濁之人。熱邪一進於裏。裏絡易閉。經絡一有閉塞。神昏痙厥隨焉。然黑苔誠為熱極之徵。舌絳固屬入營之象。但亦有不盡然者。即如近世之人。每喜用外國出品之紅色藥粉擦牙。及刮去舌上苔垢。以致舌現絳色。又有素吸鴉片。或喜食橄欖與青鹽梅者。舌苔亦變為灰黑。是醫者當見黑絳舌苔之時。應問其曾否刮去。曾否吞食橄欖青梅。抑或吸食鴉片。切不可一見黑苔。妄投攻下。一視絳色。即進血藥。至於巨斑細疹。病因雖分。療法總不外視其虛實而施治。大凡實症而無胃熱者。可用銀花。連翹。蟬衣。桑葉。牛蒡。荊芥。豆豉。薄荷。桔梗。丹皮。山梔。赤芍。花粉。蘆根之類。其色紫或黑。雖屬熱勝毒盛之危象。只欲發出之斑疹光亮。以及外證無惡候者。急投大清涼血之品。如犀角地黃湯之類。間有轉紅而可救。若虛症之中。屬於肺在疏理中可加入白羔湯。或洋參。麥冬。石斛之類。若真陰虧耗。則以養陰清化為主。其有胸悶極甚。口有噫聲。濕熱鬱於肺。閉於衞。將發白瘖之兆也。初則胸部僅見數點。繼則周身滿佈。治宜辛涼兼助芳香。如桑葉。連翹。菊花。蟬衣。杏仁。牛蒡。藿香。荊芥。佩蘭。橘紅之類。若久延傷及氣液。瘖不晶瑩者。名曰枯瘖。在辛涼中加入甘濡之品。如西洋參。麥冬。沙參。花粉。玉竹。吧杏。川貝。石斛之類。俾其仍從衞氣而解。所忌者苦燥溫升。以涸其氣液耳。惟白瘖之發。其有連發多次而後痊者。以陰濁之邪。難於一透而清也。其有夾斑帶疹者。切不可單用氣分之藥。或血分之品。務須兩清氣血為要。若熱邪挾濕。大便滯瀉不爽。清熱之中助以滲泄可也。

按溫邪挾濕。目下治法。俱以清化並用爲主。當矣。但初起之時。體實邪未甚。我主張宜稍偏於燥。使濕邪先化除。可免纏綿之境。若偏涼。或覺用生津之品。非特無以化粘膩之濕邪。且使濕邪鬱伏。而變症百出。痞卽其一也。此極易忽略而受咎者也。

第三期

原因——氣血受火熱薰灼。失治或誤治。熱邪稽留。以致眞陰虧耗。或熱被濕困。因是煩熱纏綿。

症狀——身熱心煩。肌膚枯燥。唇焦舌燥。或煩躁不安。或心悸顴赤。或灑灑怯寒。或蒸蒸熱悶。肢體困倦。胸脘飽悶。發黃。大便或滯溏不爽。或燥結不行。舌苔或焦黑而燥刺。或乾澀而或紫。脈象燥細數。或沉弦而細滑。

病理——溫熱爲病。最易傷陰。陰卽津液。津液一經耗竭。勢必臟腑內燔。精氣不能流通。經脈爲之燥澀。於是上則唇焦舌燥。煩躁不安。下則大便燥結。小溲短赤。（甚則有溺血者）外則身體萎枯。毛髮焦悴。有如草木之失水分。勢將枯槁而死。惟眞竭熱留。固能致熱邪延長之一大原因。而熱中挾濕。亦能使熱勢纏綿。蓋因濕爲陰邪。一與熱遇。卽行併合。以粘膩之陰。邪熱併於中。故亦纏綿難愈。當其薰蒸於上。則神煩胸脘飽悶。阻於中。則大便爲之滯溏不爽。蘊於下。則肢體爲之困倦。或甚而發爲黃症。

診斷——舌苔紫燥。煩躁不安。口渴唇燥。肌枯身熱。此腎陰虧耗。舌形紫燥。唇焦齒黑。二便俱祕。此陰虧兼陽。舌苔粘膩而黑。胸悶便滯。脈象沉弦而滯。濕熱互滯。黑苔帶黃而兼粘膩。便溏溲濇。脈來沉細而數。濕熱內結也。舌黑苔白而膩。胸悶肢倦。濕濁盤踞也。若黑苔而有芒刺。或焦裂者。裏熱已極。若黑而堅斂。焦刺如荔枝形者。乃陽元陰竭之危象。

治法——腎陰虧耗。以致舌苔色紫。口渴唇燥。肌熱。治宜壯水生津。如生地。石斛。知母。麥冬。玉竹。白芍。花粉。地骨皮。黃芩。蘆根。金汁之類。若煩躁神昏。宜助以微清痰火。如丹參。黃連。茯神。菖蒲。鈎藤。天竺黃之類。若苔紫唇焦。齒黑便祕。溲濇。宜滋陰生津。可用玄參。鱉甲。青蒿。生地。知母。丹皮。玉竹。石斛。花粉。黃芩。麥冬。白芍。蘆根。地骨皮之類。若身兼發黃者。茵陳亦可加入。濕熱互滯。肢體困倦。胸悶溲赤。舌黑兼膩。口渴不飲。在清化之中。助些辛燥。以便濕邪先化。如杏仁。蔻仁。苡仁。半夏。滑石。竹茹。黃柏。黃芩。赤苓。豬苓。佩蘭。朴花。陳皮。爪蔞之類。舌苔黑色中帶白膩。大便溏而不爽。脈細而滑者。宜芳香化濕法。如蒼朮。蔻仁。砂仁。苡仁。陳皮。蘇梗。茯苓。神麯。朴花。竹茹。佩蘭。半夏。枳殼之類。若舌黑而滯黃膩。便滯溲濇。脈象沉細而數。宜利濕清熱法。如茯苓皮。大腹皮。苡仁。梹榔。黃芩。砂仁。知母。滑石。玉竹。花粉之類。若濕熱薰蒸而成黃症者。可用茯苓。澤瀉。山梔。黃柏。黃芩。朴花。半夏。陳皮。蒼朮。枳殼。茵陳。通草。佛手皮。以及五苓加茵陳山梔黃柏之類。若大劫之後。精枯髓熱。腰脊痠痛。骨蒸內熱。兩顴紅赤。午後虛煩。脈形弦細數。舌紅苔少。卽所謂病後轉成陰虛勞損之候也。此時切不可驟與補劑。宜用生地。龜板。黃柏。龍骨。知母。鱉甲。牡蠣。白芍之類。或用獨味犀牛性（注）燉服。庶不致陷入損途。

按溫熱之大便閉。陸氏九芝以溫證當大便一閉。卽有表證。亦當下之。不可逡巡。竊有未妥。蓋溫熱達於二期。火勢燄燄。眞陰將傷。便既閉而臍腹脹滿鞕痛。固當急與通幽。以祛熱燥燄結。速投下劑。以保全其津液。若病延三期。燄熱已減。津液已枯。雖有形似表證之頭暈身熱。大便雖閉而無腹脹鞕痛之苦實。萬不可下。若誤下之。是重耗其陰而速其斃也。故葉先生天士有云「留得一分津液。便有一分生機」。此時宜投大劑生津。津液充則便自行矣。因是我主張溫熱之大便閉結。宜通與否。當視其腹部脹滿鞕痛之有無而定。實不可固執而誤解溫病下不厭早之成語也。

病後調理與預防

熱病大劫之後。病者常現虛弱之象。因是病家每喜服大補氣血之劑。尤其是富裕之家。常以參、耆、歸、地、姜、棗之類。爲溫補氣血之上品。或有見病者體瘦。而強令食肉。在彼輩心目中。以爲非參棗不足以強其身。非肉食不足以肥其體。殊不知燄威雖退。餘灰猶存。燔劫之後。脾胃虛弱。略予甘溫。有時燎原復熾。飲食倘能助邪。況參、耆、姜、棗、肉類者乎。孫氏思邈有云「凡熱病新瘥後。食堅實難消之物。胃氣尚弱。不能消化。必更結熱。適以下之。則胃氣虛冷。大利難禁。不下之必死。下之復危。皆難救也」。但人之體質不同。其有平素陽虛。或寒令過當者。邪一去而正以衰。不扶其陽。則氣立孤。法須益陽。所謂有者求之。無者亦求之。非見之眞。斷之確。實不可冒昧從事也。故我以爲病後調理。在藥劑上。應當分溫熱與濕溫二種。溫熱者。當以滋陰爲主。如甘涼中。佐些開胃。濕溫者。當扶陽爲主。如甘溫中亦佐些開胃。俾肅餘邪。而健運。開胃運健。肌肉以生氣血不補而自充矣。至於飲食之調理。但取其氣。不取其味。如五穀之氣以養之五菜之氣以充之惟無使過之以傷其正故孫氏思邈又云「凡溫熱病新瘥後但得食糜粥寧少食令飢愼勿飽不得他有所食雖思之忽與之也引日轉久可漸食羊肉白糜若羹汁雞、兎、鹿、肉不可食豬肉亦然」蓋以肥甘之品油膩素多。以胃弱油多。不特有礙健運。抑且易於阻滯經絡。而使餘邪不能外出矣。若云預防則凡瘥後宜靜養勿多坐以勞其肌肉。勿多言以勞其心意。勿飲酒以助餘邪。新瘥後未滿百日。氣力未平復。愼勿犯房室以竭其精。以觸外邪。此數種而已。

（註）犀牛性。卽犀牛之陽莖。（晒乾用此味熱帶中之藥圃有出售）味鹹平。專治陰虛煩熱。骨蒸虛煩。爲溫病末期陰虛煩熱之良品也。服法每次二錢至五錢。用清水燉服。

王淸任之醫林改錯。發前修錯認內景之謬。雖彼所論。不盡合事實。然不避穢惡。躬察屍體。膽大直言。其精神大堪欽佩。醫界中革命鉅子也。而陸九芝則詆爲齒骼堆中殺人場上學醫。可謂腐化極矣。靈樞經水篇曰「其死可解剖而視之」。陸氏何獨不詆靈樞邪。

（華谷）

呂氏春秋曰。「天生陰陽寒暑燥溼四時之化萬物之變。莫不爲利。莫不爲害」。又曰。「民寒則欲火。暑則欲冰。燥則欲溼。溼則欲燥。寒暑燥溼相反。其於利民一也」。近人不明此旨。凡病雖陽明大熱證。必覆之以被。飲之以熱。是若喜熱而惡寒也。居常服食。喜涼性而惡熱性。食則又似重寒輕熱矣。護孩提者。謹避風寒。似知寒冷之有害。不敢向日。又似溫熱之無益。出爾反爾。矛盾可笑。

（華谷）

論別白喉與喉痧

陳周鑑

喉痧與白喉皆稱惡性傳染病。然古無是病。迨明清以還。始有發見。西歷一八八四年。據纍福拉氏SOFFLER所發見白喉桿菌。又近年來Baginsky氏又發見一種喉痧連鎖桿菌。始可證明此兩病之一大原因也。然考歷來此病之流行傳染。誠堪驚人駭聞。其流行驟速。往往闔門沿戶。一病數十。甚至一鄉一縣皆能為病。諺有云。走馬咽喉。良非虛語也。考咽喉乃肺胃之門戶。人命之關鎖。咽以嚥食。喉以候氣。咽竅出自食道。而司飲食。喉竅接連氣管。下司呼吸。且肺為華蓋。而主皮毛。胃為倉廩。而主肌肉。人處於氣交之中。一旦外束風寒。疫菌內蘊。遏伏肺胃。其機能反射。牽動肝胆。引火升騰。而障衝咽喉。必見咽喉腫痛。飲食難下。痰涎咳嗽。甚則言語蹇澀等症之所由來也。然若喉痧與白喉。其症狀又多混淆。苟不詳細論別。分症施治。鮮有不誤人也。喉痧白喉。皆有頭痛發熱惡寒。喉間有白膜而腫痛。最易錯誤。然以白喉屬陰虛。當須忌表。倘誤發汗。愈亡其津液。以致陰愈虧。甚至厥疾不起者。故其療法。宜甘寒清潤法。方以養陰清肺湯為主。若喉痧屬表。古賢主以汗清下三法。初宜辛散疏解法。以解其表。若痧出喉自愈。是故當清則清。當下則下。所謂解其毒泄其病機。分別如斯。應人化裁耳。又如喉痧有三忌。一忌鼻塞。二忌音啞。三忌泄瀉。白喉亦有三禁。一禁刮破。二禁近火。三禁多臥等。涇渭之分。可不細辨哉。爰將歷來之學驗。分別以下。請高賢者之斧正。

白喉　西名 Diphteria 日名實扶的里亞

原因　本症以陰液乾涸。或血質變壞。營熱熾甚。羸弱之體。加以過勞動陽。為素因。傳染白喉桿菌為原因。以氣候不正。六淫之偏勝為誘因。其發時為散在性。或流行性。多由空氣或接觸病人之衣被褥類及一般用具。即傳寄生于咽喉假膜中。或扁桃腺等處。此症之免疫性甚短。往往以數月或數年感觸能再發者。西歷一，八八四年據纍福拉氏所發見白喉桿菌。確切證明此症具有傳染性。

病理　陰虛液體不足。或動陽以致神經具奮太過。體溫產生超度。扁桃腺之分泌腺液不足。白血輪之抵抗力缺乏。即為桿菌侵寄。然其桿菌繁殖。雖在咽喉。而其毒素則侵佈全身。是以全身症狀較重于局部也。

症狀　本症多見二歲至七歲小兒。其發病之前。常見不定之全身症狀。初起頭痛。發熱微寒。喉微痛或不痛稍微硬。遍身骨節疼痛。二三日後喉內即生點狀或線狀之白色假膜。不易剝脫。同時扁桃腺。咽喉粘膜。頷下淋巴腺皆起腫痛。嚥下艱難。咳嗽聲嘶呼吸迫促。舌絳苔薄脈象細數。若預後不良。致變心臟衰弱。或毒素攻入心臟。神識迷朦。昏沉抽搐。或至末稍麻痺。或潰後白塊自落。鼻孔流血。兩目直視。肢厥神倦自汗。肺氣上脫而斃。併發症狀有兼支氣管肺炎。腎臟急性炎。皮膚匐行疹。紅斑出血中耳炎。多發性關節炎。（歷節風）

治療　本症之治法。須扶正養陰爲本。排洩毒素爲佐。應以甘寒清潤之品。減少其血液中之熱分。助其血質與細胞而能中和毒素。或抵抗力務使菌毒排洩於體外也。初起喉間未見白膜。其症尚輕。宜除瘟化毒湯。後見有白膜。則投養陰清肺湯。或初起疼痛難忍。咽閉飲水作嗆。眼紅聲啞。白點立見。口出臭氣者。宜神仙活命湯。後若稍輕。則再以養陰清肺湯。餘如桔梗湯。甘草湯。猪膚湯。一味玄參湯。亦可投下。

禁忌　白喉爲陰虛之症。其發熱。頭痛等。皆是虛熱驟增。體溫產生與放散之故。是以此症始終禁忌表散。

附外治法　須頻吹玉鑰匙。硼砂散。或瓜霜散加牛黃。或錫類散等。外而石炭酸水。或昇汞水應用適量之溶液洗之。

喉痧　或曰爛喉　爛喉丹痧　紅痧

西名 Scharlach 日名猩紅熱

原因　本症之病原體。或謂血液中存有 Amoeba 性運動寄生細菌。或謂一種連鎖球菌。或由接觸而傳受細菌等。尚未確定。然其傳染力甚強。大概其病毒多存於鼻涕。喀痰。眼淚。血液。上皮落屑。及尿囊內汗腺等之排洩液中。而其傳染。多從空氣由鼻腔口腔而侵入咽喉粘膜。扁桃腺。咽喉淋巴腺爲原因。又須氣候不正。（古籍稱爲邪氣天地不正之氣六淫之邪）爲誘因。不必身體之有無強弱爲素因。若病此之後。即有免疫性多年不再發也。

病理　因氣候不適於病。人而適於菌之發育。而招染菌繁殖於咽喉。然其毒素甚劇。又表部神經外受風寒之刺戟。則發生劇烈之惡寒。間或開始戰慄。若在小兒。則每發全身痙攣等之腦症狀。表邪外束。即內部體溫聚集體表而反射驅逐。則發高熱。此時體温升騰至三十九度或四十度。內時脈搏因動脈流速之故。由百三十至百五十。又其病菌繁殖在咽喉則起紅腫腐爛。毒素散佈入裏。故起惡心。嘔吐。心悸亢進。全身倦怠。侵于血分。則動脈血流驟速。致靜脈血回流不及。鬱滯末稍。或各血管。而發生細小紅疹。甚則熱毒灼傷中樞神經。致神昏。譫語。痙攣。厥逆之危症。

症狀　本症多見于二歲至七歲小孩為多。若十歲以上之小兒較少。大人罕見。其潛伏期平均持續四日至七日。間或有不滿廿四小時而發者。發病時猝然惡寒戰慄。繼則壯熱。或乍寒乍熱。頭痛。嘔吐。惡心。咳嗽。精神倦怠。咽喉灼熱。紅腫黏涎。或至深紫或紫黑黃腐灰白不等。或披有白膜。多呈褐色。且易剝落。舌赤多刺。為楊梅舌狀。同時起紅色疹子。先發自頸部鎖骨部。此時尚得清楚。後則蔓延全體而成一片。頤部及鼻部因血管痙攣而呈非常之蒼白色。此症在二日至五日為最盛。每因熱度增高。往往致咽喉潰爛。或且頸部淋巴腺強度腫脹。甚至化膿。或則耳前後腫。頰車不開。神昏譫語。痙攣厥逆。鼻煽音啞。肺陰告絕而斃。經五六日後。皮疹漸漸消退。熱度亦漸次低降。七八日後其及皮片漸次落塊。至十餘日而全愈。

治療　本症之治法。須以痧疹為主症。喉病為客症。初起懍烈惡寒發熱。頭痛。咽疼。治宜用辛散疏解法。使病毒從皮膚上排泄。以透其疹。不必治喉。而喉自愈也。

初應麻杏石甘湯加蘇子桑皮貝母牛蒡。或荊防敗毒飲。荊芥葛根湯。普濟消毒飲。清咽梔子湯。藿香正氣散等。凡痧疹出而復沒者。早防毒素內攻。急投升麻葛根湯。托裏帶斑湯等。若邪盛火旺時。疹點已出。口渴煩燥。咽喉腫爛。舌色光絳。或焦黃焦黑。甚則神昏譫語者。方可投寒涼瀉熱藥。如化斑湯。白虎湯。玉女煎。清瘟敗毒飲。犀角大青湯。神犀丹。犀角地黃湯等。隨症酌用。而病自愈也。但切不可早投寒涼滋補等劑。致病機遏而不得外達。驟變內陷等之危症也。

附外治法

1. 痧子發出時可用芫荽（香菜）少許和酒煎湯洗之。以助病毒透發。
2. 項外蔓腫疼痛者可用異功散少許。蓋太乙膏。有生小泡者。以針破之卽差。
3. 咽喉內須常吹玉鑰匙。金不換。硼砂散。重者吹珠黃散。錫類散。

4. 漱喉須用白蘿蔔汁。或喉牛膝汁。或荸薺汁。漱喉吐出膿痰。

5. 牙關緊閉。救急之法。以一字散少許。吹入鼻孔吐出痰涎則開。

淮南主術訓曰。「天下之物。莫凶於奚毒。（高注烏頭也。許注附子也。）然而良醫橐而藏之。有所用也。」準此。則時下醫生之畏峻劑者。直廢效劑矣。

（華谷）

西醫之言曰「熱病經過中。各種維太命之供給。甚屬要舉。如菜湯橘汁。如是方不致引起缺乏維太命之合併症。而能使早期恢復。」（見鄧源和傷寒全書）勘之國醫葉天士薛生白輩用梨皮蔗漿之類。可謂不約而同。然則彼輩亦見及之歟。

（華谷）

國醫有熱病愈後食肉必復之說。故不得已時如豬膚湯之用於少陰證外。必相戒勿食肉。驗之事實。確多不爽。而歐西醫界鉅子霍爾孟氏與罷爾氏則於腸窒扶斯病人實行充分之榮養療法。施之以乳酪牛油肉類等物。豈所謂中西異體歟。抑此等肉類入腸。可不為細菌之培養基歟。最當吾人研究者也。

梁任公曰。「凡天下事。必比較然後得其眞。」余謂為學莫不宜然。傷寒以六經分證。自來注家拘仲景自序所云。遂以彊合素問熱論之六經。東邦丹波元簡曰「本論所謂三陰病者。即仲景所謂陽明胃家實之證。仲景所論三陰病者。乃陰寒之證。本論所未言及。」雖不盡然。要非無據。可對勘而得之。

（華谷）

肺癆（即肺結核）

陳汾平

肺癆源流

世界上肺癆患者之多。莫若我國。而研究肺癆最早之國。亦莫若我國。以最先發明肺癆。反造成肺結核最盛之國。「東方病夫」。宜其有是稱也。我國古代醫家。對於是病。已有精詳週密之發明。考素問之於肺癆一症。稱謂五虛五癆。靈樞謂之四脫（精脫津脫液脫血脫）扁鵲難經稱謂虛損。金匱要略名之曰虛癆。但諸多以火立論。綜核意義。要不外「癆瘵」二字。惟華陀中藏經最爲詳密週到。備論傳尸傳疰等病。僉爲癆瘵之分類。且闡明傳染之危險及原因症狀。迨至唐代孫思邈。論虛癆有五癆六極七傷等稱。而肺癆二字之定名。實始於是時。惜其未加細察。忘將六極七傷。混入肺癆系統。明代虞搏醫學正傳。謂「熱毒鬱積之久。則生異物惡蟲。食人臟腑精華。變生諸般惡症」。證上諸說。今西醫所謂肺癆。乃傳染性之細菌病。我國醫固早已曉然知之矣。而西醫之于肺癆。紀元前三十七年始創肺癆之說。及性狀。並倡承候變換療法。迨公元一六七二年。施爾維斯氏（譯音）發見肺癆患者之肺部內。有形成粟粒大之小結節。結核之名詞。始於當時。公元一八八二年。德國考克博士方發現結核菌。由是全球始確是癆瘵爲傳染病之一種焉。

肺癆之組織與生理

肺爲人身重要臟腑。職司呼吸。位於胸廓之間。分居身體之左右。爲兩大葉。右葉大於左葉。右葉更分爲二支。葉左葉則分爲三支葉。爲海綿狀之氣胞組合而成。是人體內與外界交換炭養氣之主要氣官。身體循環內所失之養氣。藉其吸息以補充之。血液於身循環內所載來之炭氣。亦藉其呼息而排除之。故凡動物之生命。端賴肺臟之呼吸機能而保持之。是則肺之與心。同爲生命之樞紐。故肺之有疾。烏可以忽視哉。

癆菌（即肺結核桿菌）

結核菌之形狀。恰似桿棒狀。不能自動。其體甚微。非目力所能及。須集千枚於一處。人目始能辨視。其結核菌計分四類。第一類即人體肺結核菌。第二類謂牛體結核菌。第三類引起禽獸結核症之結核菌。第四類引起冷血動物結核症之結核菌。四類之中。以前二者。於病理學上爲最重要。人體結核菌。卽吾人所患結核症的媒介。牛體結核菌。不獨爲害牛體。卽人類腸結核亦爲其構成。結核菌之發育甚緩。僅能於溫度三十七度內生長。不在人獸體內。卽無蕃殖能力。遇強盛之日光。足以消滅之。蓋吾人體溫。率以三十六三十七度爲標準。故癆菌在於人體生殖。較爲繁速。

肺癆的傳染

結核菌之侵入人體。不外飲食呼吸爲其媒介。其傳染之途徑。多由吸收空氣以來。或因外感咳嗽。肺絡受損。使結核菌乘機侵入。此其外因。或爲思想過度。絃傷腦力。工作過度。損害精神。先天羸弱。營養不良。而醉心聲色。縱情肆恣。以致精神虧竭。細菌藉是而伸張其侵襲之能事。此內因也。又病者沿途痰唾。車轍所過。飛揚空際。尤足易於侵入人體。若鼻腔喉頭。雖偶有亦爲其侵害者。大部分停留不能耐久。而直接入於肺臟。飲食所用之器皿。亦爲傳染之先導。由患者于飲食時。口涎痰沫。包含無數之癆菌。由涎沫傳染于器皿。若未經消毒。被健康之人接觸。而罹肺癆者。又或家庭之中。有本無疾病。其日常接近之人。父母也。昆季也。姊妹也。妻子也。或則有肺癆而不知隔離。或則其癆菌潛伏於內而不覺。故其與人談話飲食同臥。皆足爲傳染之原因。又吾人之職業。與肺癆之傳染亦皆有關係。若烟廠工人。若石匠。若錐工。其傳染肺癆亦易。又居處日光之不足。飲食滋養之缺乏。血清組織之特性。皆足以影響肺癆之傳染也。

症狀

綜上諸節觀之。肺癆病無非細菌作祟。我國醫多以陰虛熱甚爲論。且有無火不成癆之說。蓋患者素體貧血。神經過敏。肺臟缺乏涵養。乾燥過度。乾咳咯血氣喘等症。逐漸環生。由是血液之循環。脈搏之數量增速。體溫亢進。咯痰盜汗。食慾減退。胸痛頭眩。生冷辛熱之物。皆不得進。育陰瀉陽之劑。亦不得入。在初期症狀之過程。或隱或現。不甚顯著。惟患者日漸羸瘦。容易疲乏。略有奔走勞動。卽致呼吸迫促。略吃辛熱食物。卽咯血絲。晚間往往發輕熱。體溫升高自二三分至半度以上。時有輕微短咳。或不見咳嗽。故患者每易忽略。不加注意。而症卽轉入中期矣。至此胃腑漸衰。食欲減退。濕氣易侵。細菌藉濕濁之氣。繁殖更速。人身之陽電亦漸受其殘害繼卽發生頑固之咳嗽。白色的黏痰。盜汗潮熱。皮膚蒼白。神形憔悴。眼珠微陷。頭昏目眩。重症畢生。若再轉入第三期。則壞症發現。如咳嗽不止。胸部作痛。痰出混血。體溫達至三十九度以上。盜汗頻頻。音啞腹瀉。皮骨相附。病入膏肓。不可救藥。但心臟司行血液。細菌最難侵蝕。故凡癆病垂死。人倘清醒也。玆再將再癆病主要症狀。分述如次。

（一）脉搏。　通常成人脉搏每分鐘以七十至八十爲常。肺癆患者。每期增進之數量。以十搏爲準。是以脉搏之診斷。關係非常重要。

（二）咳嗽。　咳嗽爲肺癆病之著要症狀。大都在早晚更劇。白晝稍輕。同時咯痰甚多。亦有乾咳者。在病初起時。亦有不咳嗽者。故患者往往雖已有衰弱之現象。如食慾不振。體重減輕。失眠貧血等。而獨無咳嗽。在病家決不疑有肺病。每多忽視。以致病症循序漸進者甚多。

（三）痰。　單純肺癆病。無其他混合者。其痰爲純膿性。若因肺癆而連帶氣管枝炎者。則吐出之痰。半粘液性。而半膿性。

（四）盜汗。　盜汗亦爲肺癆之著要症象。其原因則由於呼吸障碍。炭氣充滿血液之中而致之。惟不論原因如何。盜汗終爲厭惡之症象。故病入後期者。皆汗流如瀋。蓋盜汗爲表明氣管機能損壞也。

（五）胸痛。　胸痛爲肺癆患者最初之自覺症狀。後期肺癆。亦常有胸痛。原因爲胸肋感受刺激之故。

（六）食慾。　胃腑受結核菌之傳染而成疾病者絕鮮。惟患者之食慾不振。則常見之。若由新陳代謝之機能變化。以致食慾不振。力疲不支。肌肉漸削。此胃氣將絕之兆。宜急助以新陳代謝扶胃消食之劑。故患者如有胃納不佳。則投以開胃藥品。促進飲食之增加。如無效而因營養不足者。則進以鷄蛋牛奶等與之。如病勢沉重。則每隔二小時。當與患者以富於滋養料之食品。因食物營養雖不能直接治愈痼疾。實爲增加抵抗力及維護身體之維一方法。但次數增多。則每次之數量須有限制。

療養

（一）藥劑。　肺癆療治之難。世所共知。毋庸贅述。是以歷經幾許研究。費盡多少心血。至今尙屬意見紛紜。百無一是。我國醫家。對於肺癆治法。或寒或熱。或實或虛。有謂由於陽虛者。有謂肺氣實者。有謂肝木動者。有謂陰虛肺燥者。各偏一法。令人無所適從。

加以現在代人作嫁之西藥房在報章雜誌時有所謂結核特效藥劑。不知凡幾然一經臨床實驗。則概歸泡影。故選古方之有效數劑。附於篇末以資臨床之借鏡焉。夫肺癆初起病尚膚淺治療得法其愈頗速而初期之主要療法一爲增加血球殺滅細菌之力（育陰活血）二以補固中氣防止疾病之進展方如下。

獺肝一具陰乾　當歸一兩　元參一兩　川貝一兩　山藥一兩　茯苓二兩　右三味作末以蜜和丸每服五錢。百合粉作湯下。

症入中期單藉藥力恐難收效須一面服藥。一面安心靜養。尚易爲力以清養殺菌之劑。獺肝丸有特效。方如下。

獺肝一具　鱉甲一兩五錢　北柴胡一兩五錢　升麻一兩　桃仁一兩　梔仁一兩　地骨皮一兩　知母一兩

黃芪七錢　甘草五錢　麝香二錢另研　珠砂水飛細研一兩

右共研細末煉蜜爲丸如梧桐子大每服三十丸。不拘時熱湯下。

大凡癆症至最後一期多成死症因胃氣受其摧殘過度。雖有療法。難期見效除常服獺肝丸。加洋參外。並同時施行空氣療法安靜療法兼施以楓子油靜脈注射及注意榮養使病無進展之虞有挽回之望也。

（二）空氣　空氣之於人猶水之於魚也人能數日不飲食而不能片時不呼吸空氣。故空氣尤屬重要。肺臟司呼吸空氣之職。一旦而患結核症則對於吸取新鮮之空氣爲肺癆病患者癆治上之一要法所謂空氣療法者令患者居處於清靜空氣中之謂也。其地位不論寒暖海濱高山均可考古來之空氣療法以氣溫爲第一要素居住之地尤以海濱爲最宜夫吾人吸入之空氣。即直接輸入肺臟能助食物之消化。使血液常清潔人之營養。因以佳良。新陳代謝之機能。因以旺盛由是水精四布五經並行但患者之行空氣療養。須於症在初期。無須他人之扶持也。病若在進行時期。起發熱咯血等症。身體極衰弱者。可於自家宅內。或附近之場所擇有空氣清潔者爲佳居室之良否於肺療亦有絕大之關係此不可不注意也。是若土地濕潤。空氣不潔。陰濕而少日光。空氣不甚流通皆不適於肺癆療養之所。雖健康之人亦不適於居住。至戲館遊戲場等。爲多數人聚集之處空氣尤爲穢濁患肺癆者。尤不宜涉足其間呼吸空氣。練習初宜擇晴暖而有日光之處稍成習慣後則靜坐樹林之旁或荒涼而有日光之漸練至忍耐寒冷筋骨堅強。夜間臥室之窗。不可全閉。宜擇無風向之窗。開其一二。以流通空氣。如有感冒等發生。宜暫時停止進行。俟其復後再行習練。若是數月而成習慣。不但恢復肺癆而亦可以起痼。而普通人行之。可以延年。勉之勉之。

（三）安靜。 肺癆患者在新鮮空氣中。再使身心常持安靜。能使肺病之恢復更速。蓋心身安靜。其病不受振盪。腦神經不使作用。可獲早日收效之全功。試以例證明之。設吾人身體外部。有癰疽或腫疼瘡毒。如不時運動其患部。則其症勢必亢增。反是。而略不觸動。使得絕對之安靜。則其治療上之功效。指日可待。以外喻內。肺癆亦猶是也。如患者。不遵行安靜療法。結果招至血液循環亢進。刺觸病灶。癆菌之伸展。且易引起菌毒素散漫。而發生種種不良之象徵。故凡患肺癆而不自覺者。稍有操動。往往徵汗發熱。故素問云。恬淡虛無。精氣從之。精神內守。病安從來。是謂精神之甯靜。其重要蓋對等也。當患者勵行安靜療法時。不但使身體安靜毋動。且須萬念俱空。思慮俱拋。任何若大之事。故應悉屏棄勿念。毋縈於心。務使腦海心田。無一波之蕩漾。儼如入定高僧。忘世忘身。此安靜之眞諦。恢復肺癆之保筏。且不可高聲急語。不可長久深談。不食興奮之物。不閱情感書報。如能循此絕對遵行。雖後期之死症。亦可挽回。

（四）營養。 人命之生存。全賴乎營養。營養之吸收。歸功於脾胃。由脾胃以變化精微。灌溉百骸。人藉是而生長焉。是以脾胃之健全與否。與人生有莫大之關係焉。今肺癆患者。體內之精華。被癆菌剝伐殆盡。營養一法。當在急務之例。蓋其足助恢復癆病能力。故凡患肺結核者。如消化不良。食慾不振。雖症候淺輕。亦足致命。食慾旺盛。消化力健全者。其症狀雖重。而轉易療治。所謂胃氣盛衰是也。夫肺結核有發熱咳嗽盜汗不眠等症狀。皆能間接損害於消化器之健康。滋養之品。首推牛乳鷄蛋。次則疏菜之類。藥用滋養品。以燕窩洋參麥冬地黃之類。三飯茶湯。須有一定服食之時間。又患中食慾減退。切忌過量之飽食。辛熱藥炒炙煿刺激食品。始終禁忌。

預防

毒蛇猛獸之爲害。夫人能知之。故雖愚者。亦知所避。結核症之傳染。人多不見。故雖智者。亦難避免。此所以肺癆一病。有甚毒蛇猛獸者也。苟吾人能於平時勵行預防。雖有十倍猛烈於肺癆。而其奈我何哉。預防肺癆。其法甚多。略舉如次。

（一）注意患者之咳嗽噴嚏咯痰。不可使其飄散空中。
（二）伏侍患者。須載口罩。不可與患者之面部相對。若有扶持患者。須頭部斜側。
（三）非看護病人。應與隔離。
（四）日用之器具。無論為患者接觸。或非接觸。或附近病人之室內。皆須嚴行消毒。
（五）在肺結核流行時期。須施行補充自身之抵抗力。或遷徙。注意家庭清潔。戒除外界惡濁接觸。

以上諸條。均為最適當最易辦之預防法。不僅可預防肺癆也。

國醫籍所論學種。頗多術語。所談病名。或賅合某種證候羣而言。初不必定有其事。定有其物。例如風溼、六經、膜原。實地解剖。未必可得。依之臨病。百不一爽。學者不知意會。而拘拘於實事實物。可謂買櫝還珠者矣。

（華谷）

嘗謂執仲景方以應付一切時病為不足則可。謂傷寒論非統論一切熱病之書則不可。陽明篇主論一切後世所謂溫病。先賢陸九芝已言之。而太陽篇「本發汗而復下之。此為逆也。若先發汗。治不為逆。本先下之。而復汗之為逆。若先下之。治不為逆。」片言隻字。實啓吳又可溫疫論用大黃之端。

（華谷）

經病與帶病

陳耀華

經帶兩病。爲婦女普通之疾。吾國醫學。專著甚多。然因拘泥陰陽五行之說。未免過于玄虛。方今科學昌明。西醫充斥之際。吾人若再故步自封。墨守舊法。將來國醫前途。何堪設想。因此特假診餘之暇。將經帶兩病。分別論治。並以參西衷中。吸收精華。傾吐糟粕。以貢獻于同道諸君。惟自愧才學淺陋•難免不無掛漏。讀者教之。則幸甚焉。

經病——月經一名紅潮。又呼月信。醫書上亦稱天癸。然不一定指月經而言。今人每以天癸誤指月經。其實不然。內經有女子七七天癸竭。男子八八天癸盡。可知男女皆有天癸。不過在男子則指精液。在女子則指月信。初必無分其性別也。月經在女子十四歲左右起。每月必有紅色之血液。由於陰道流出。但較尋常血液不易凝固。而且較有氣味。古人每以月經爲純粹不潔之血液。竟謂犬聞之必發狂。蜂過之必即斃。種種迷信。實堪發笑。吾人須知月經生理。乃由子宮之靜脈血管鬱血。因卵巢之卵子刺激子宮之血管破裂。其中含有多量之卵子。與子宮上皮粘膜。及卵巢黃體。子宮粘液等。數種成分。當月經來潮之際。注意自身清潔。每日必以清水沐浴陰部數次。殆亦可以減少其臭惡也。月經普通可分生理病理二種。前者無恙。後者有病。吾人若翻醫書一閱。便有謂居經避年並月暗經。以及胎前產後。月經皆不按月來潮。不可一任通經之藥。而作經閉治法。若月經一見一月兩至。或兩月數至。或至而寡淡。或多而有瘀。或先期。或後期。或來時腹痛異常。或過後而腹痛難堪者。皆屬月經病理。當早求治。惟治之之道。亦須臨月服藥。每有奇效。否則多服呆胃。反致有害。良以藥物無直接却病之勢也•。又今人每見月經先至爲熱。後至爲寒。多以寒涼攻伐之品。用於先期。溫通調補之法。用於後期。殊不知月經先期至者。有多有寡。其多者常屬陰虛。寡者則屬熱甚。此外若鬱怒傷肝。精神受環境之刺激。亦能引動經行先期。氣血虛弱。運行失常。子宮內膜之血停滯。亦能激致經行先期。務當以脉象與病形。詳細診察。如面赤口渴。煩熱悶亂。經色紫黑。惡臭難聞。腹痛腰痠者。屬於熱症。地骨皮粉丹皮杭白芍大生地白茯苓全當歸淡枯芩川柏皮紫丹參杜仲續斷之類。涼血調經是也。若經多有塊。色紫稠粘。如膠漆狀者。乃內有積瘀。須用逐瘀之法。宜桃紅四物湯。經多脉輭。舌絳口乾。陰虛生熱者。宜以傅氏兩地湯。滋陰清熱爲主。先期有經少淺淡者。乃氣虛不能攝血也。宜用當歸補血湯補之。虛甚者。則用四物加人參黃芪名聖愈湯。鬱怒傷肝經行早期者。多見頭暈目花。肋痛胸悶。脘嘈吞酸吐苦之症。宜以四物加玉金山梔柴胡之類。或用逍遙散逍遙丸具可。氣血虛弱。血運失常。子宮內膜停滯瘀血。經行先期者。其舌苔多呈虛白。脉象多見虛軟。此則當以大補氣血爲主。如八珍湯十全大補湯當歸補血湯補中益氣湯等。任症選擇可也。至于經行後期者。亦有寒熱二種。寒者多因身體羸弱。氣血不足。卵巢之機能減退。不能按時產生卵子而起。宜溫經湯之類。或用四物湯加鹿角霜台烏藥川桂枝巴戟天淡吳萸炮姜炭。純陽之品。溫經散寒。尤爲至妙。熱者因津液乾枯。血絡燥結。宜清熱養陰之法。芩連四物湯加知母石斛龜板茯苓丹參之屬。甚或加澤蘭黃柏雅連涼營導濁之法。務使津液不涸爲要。設或醫者不察。一味以先期爲熱。後期爲寒。過信用事。殊無變通之法。以致每有誤事。又不自知。噫居今日之社會。正科學昌明之時代。舉凡萬事萬物。無不續有發明。如往時之帆船拖車。進而有今日之汽車輪船。往時之輕氣球。進而有今日之空行飛機。他如收音機。無線電等。皆無不是新發明者也。再觀各國醫學。亦有扶搖直上之勢。而吾國醫學。反獨依然不振。當毋使關心人發一嘆耶。推原其故。殆無非以五行六氣臆測之說。相沿不悟。未能從事科學解釋也。如經前腹痛屬於子宮靜脉聚血。宜通之。經後腹痛屬於子宮上皮脫落。宜補之。此皆有學理與事實可憑。非同臆說也。月經有因種種原因而致經行閉止者。往往變爲風消瘵癆癥瘕積聚者。須視其原因及症狀。分別醫治。如肝傷血枯血少之經閉也。補脾養血。正屬合宜。其症多見胸肋苦滿。飲食不思。衄血咯血。四肢清冷。頭目昏花。惡血不去之經閉。有腹部脹痛。小便難。大便硬。脉亦沉實。宜以攻瘀逐濁之法。此中病情。辨別不精。差之毫厘。診之千里。豈可忽哉。大約經閉之病。虛者補之。實者攻之。虛寒則溫通。虛熱則清補。實寒則大劑溫補。實熱則平肝涼血。亦治經閉一定之法也。又女子有月經來時暴然大下不止者曰崩。有來時而淋漓續續不斷者曰漏。崩漏兩症。皆屬體虛。但有虛寒虛熱不同。大抵治法。宜用固濇收斂補氣養血之品。惟寒者加石英炮姜艾葉之類。溫煖子宮。虛熱加龜板阿膠子芩山枝之屬。清熱養陰。至于伏龍肝左牡蠣煅龍骨五味子海螵蛸陳宗炭椿根皮赤石脂禹餘糧等。皆常用固濇收斂之品。綿黃芪潞黨參焦白朮全當歸等。則爲調補氣血專藥。知此則經病治療得其要矣。

帶病、——女子之有帶下。亦猶男子之有淋濁。故淋濁與帶下。本不過爲男性與女性之別。陳修園固已言之。此當無須加以討論也。然男子於淋疾之外。妄分白濁白淫之症。而女子於帶下之外。亦妄分白淫白濁之說。此則未免無枝分派。徒亂後學之心思乎。

白濁白淫。具無專著之藉。而且症狀治療。多與帶下相似。是殆古人未明病因之誤也。或曰白帶白淫固不能分。白帶白濁一則綿綿不斷。一則小溲作痛。一則稠粘之液出於胞宮。精之餘也。一則胃中濁氣。滲自膀胱。水之濁也。未嘗不可以分也。余曰。今之所謂淋濁者。無不皆言有毒。其小溲亦有刺痛。內經以脾傳之於腎。名曰疝瘕。小腸冤結而出白。明言帶下有作痛者。可知以小溲作痛。不能分別病門也。至於水濁精餘之說。甚爲無稽。余不欲以分辯之。余以爲中醫之分白濁白淫。既可不必。中醫之論病因病理。又不盡同。夫觀其論病理。則曰濕熱濁氣。注於帶脈。以帶脈束於腰。而統於脾。脾家之濕。由帶脈滲於任。而直下於子宮。故而連綿不斷。其論病因。則各具已見。或謂勞傷衝任。風冷据於胞絡。或謂經行產後。風邪入於胞門。傳於藏府。或謂痰積流下。滲入膀胱。或有謂七情內傷。下元虛冷。議論紛繁。莫衷一是。其實帶下乃子宮分泌異常之病變。有細菌之作用也。大抵可分傳染性與遺傳性二種。遺傳性者。其母素有是患。所生之兒女亦恆有之。傳染性者。其夫與不潔之婦女交合。因而累及妻孥。此外或經中產後。不善攝生。或房事過度。濫行手淫。以及腺病性膣炎者。亦皆足以致患。初至之時。身體發熱。寒戰繼之。無何陰內流出粘液。似膿似涕。黃白不一。其味腥臭。若浸潤于外陰部時。每發濕疹。奇痒不堪。而子宮則有覺疼痛灼熱。尿意頻數。交合不歡。種種現象。是爲急性帶下也。必過兩星期後。病勢方可漸減。不減則轉爲慢性帶下。身體日消。皮膚蒼白。全身倦怠。食慾不振。精神疲靡。因之孕育無望。或且月經不調。易患血崩。及全身虛脫而死。良可慨也。然則務當早日治愈爲妙。惟此病有淋菌所致。初起須用利水分清之法。以使子宮內滯之毒盡除於外。然後方可收斂固濇之品。斂固於後。否則若以毒素未淨之先。直以龍牡螵蛸五味子之類。收斂固濇爲主。吾恐其必不效也。即或取愈一時。將來復發。必致甚劇。今之爲醫者。每以此製丸方。持爲祕傳。不肯宣示於人。病家再至。不惟無效。益且愈劇。於是必謂體虛元損。補中益氣湯之類。隨筆而來。一服如是。再服亦如是。終見不能自知其誤也。嗚呼惜哉。或曰。如子之言。收濇不宜于早。然則何時而用乎。曰。年多日久。多宜于斯。但須診斷病情。有利濇並用者。有因營養不良所致之疾。初起宜用固斂調補並施者。不可不知也。必視其病人體質與症象。而据爲用藥標準。如面黃肌瘦。腰痠骨輭。形寒身倦。肌冷脈虛者。症屬虛甚。當從治標之法。急宜止帶補養爲主。否則病雖多年。亦可以利濇並用。不可專用前法。惟症雖復雜不明。若能旁敲側探。亦未始無診斷之法。如病家自訴。其夫素患花柳便毒。則知彼病亦因傳染于毒。當從毒治。八正散加芡實子淮山藥土茯苓川柏皮佩蘭葉之類。若因憂愁鬱怒。必見愁眉不展。則當疏肝理氣。宜補中益氣加減治之。至非以上二因。或原因不明。服分清劑不效者。尤可固濇分清合用。佩蘭黃柏木通茯苓椿根皮海螵蛸伏龍肝赤石脂之類。此外如腰痛。加川斷杜仲。骨節痛。加桑寄生大秦先。惡寒加老蘇梗土藿梗。甚或加桂枝一味。以助發汗。總之務當對症治療。加減應付。或治標。或治本。尤須臨診察核。腰痛協痛頭痛等。種種疼痛。來勢兇者。先標後本。亦爲一定之法。萬勿固守不變。金匱有膠艾湯。傅氏有完帶湯。清肝止淋湯。逍遙散加減湯。東垣有桂附湯。龍胆瀉肝湯。景岳有苓朮菟絲丸。婦人良方有白芷散。魏夫人有震靈丹。皆治帶下之良方。吾人更須熟記胸中。以備臨床選用。亦當較有把握也。

「補白」　　劉民鑄

許學士云「讀仲景之書。用仲景之法。未嘗執仲景之方。乃爲得仲景之心也。」斯言可爲醫家之祕訣。蓋時有變遷。人有強弱。若拘泥於某症用某藥。則未免有過與不及之弊。故業斯道者。在能相體裁衣。變通成方。始可與言醫也。

夢與病的關係

項廷陞

緒論

凡是生了某一種病。必有某一種病的原因。治療就是根據這成病的原因而設的。但是要明瞭成病的原因。到也很不容易。遍檢古今醫書。對于種種病症。先後都已經有專篇論述。但是以管見所及。人們都犯着一種因襲的弊病。怎麼因襲呢。你不看凡是一件平易的病症。他們所謂著書立說的。你也做你的一大篇文字。我也做我的一大篇文字。我做我的學說。你做你的理論。而實際上都是發前人所已發。述前人所常述。叠床架屋的理論。不過把他改頭換面。據爲已有而已。而不知原有的古人精義。掩沒無聞。最討厭的。凡是一種病症已有許多發明在前。偏是他也掛說名去研究。我也掛說名去研究。固然研究是可以精進的。但這種湊熱鬧的研究。不過是混混場子罷了。雖天天研究。恐也闡不出甚麼精微罷。至于遇到一件無人過問的病症呢。他們都把他拋在九霄雲外。算他不是病。或者說是不可以治療的病。他們的責任就是這樣輕輕地卸去了。

不信請看現在的什麼醫刊醫報。局局翻新。時時改換的種種作品。上面不是天天在做舊題目。說那老生常談的腐氣逼人的文字麼。但是最普遍的「夢」。這個題目。在各種刊物中很少披露的。或者也竟有說。「這不是病……沒有醫的必要……不能醫……」等等答復出啊。「夢」眞不與病有絲毫關係麼。沒有醫的必要麼。不可醫麼。恐怕有人拏出古人的理論。和近代的科學來證明。要知夢與病十九是有很大的關係。不過沒有人注意罷了。作者對于這個問題。自問也沒有怎樣研究。不過平日對于這個問題很想要解決。他這篇文字。就是平日讀書中所得到的見解。至于錯誤與否。自然有明眼人出來評判。我不過提出這個無人注意的重要問題。希望海內學者引起注意和研究。所謂「拋磚引玉」。那我做這篇文字的目的。就算達到。見解幼稚和錯誤。還在其次呢。

夢與睡眠

「夢」由睡眠中產生出來。這是誰都知道的。但要明瞭夢底原因。先須明瞭睡眠的原因。然後才有澈底的希望。

睡眠的原因。本極複雜。很難以數言說盡。我國古代醫書上似乎已有見及于此。靈樞云。「壯者之氣血盛。其肌肉滑。氣道通。營衛之行不失其常。故晝精而夜瞑。老者之氣血衰。其肌肉枯。氣道澀。五藏之氣相搏。其營氣衰而衛氣內伐。故晝不精而夜不瞑。」在事實上的觀察。吾人之身體當壯年氣血旺的時代。日間精神飽滿。毫不感到倦容。入夜就枕。酣然睡去了。老年人也因爲生理上的關係。就與壯年人有點不同。他們在日間也是兩眼迷矇。無精無采。夜裏又是輾轉床第。不入睡鄉。但也有年壯而失眠。年老而安眠的。這是與本人的體質強弱。氣血盛衰。及其環境有關。靈樞中之舉氣血。榮衛。肌肉等語。實則已包括一般在內。並不專一指定老的衰。壯的健。不過老的同壯的比率起來。當然以老衰壯健爲多數。所以把老的列入衰弱一例。壯的列入壯盛一例。這原指多數而言。總之。在氣血壯盛的人。除非病態及環境外。決不會患失眠的。而在適當時間裏熟睡的人。決不會體質衰弱和氣血不足的。如果與這兩種相反。也是少數之少數。因爲青年人有患失眠者。大抵由于各種環境關係。或患神經衰弱而來的。

西醫所說。睡眠爲腦中樞神經休止作用。似與中醫之言氣血的不相脗合。其實與中醫古說也有溝通地方。靈樞云。「髓海有餘則輕勁多力。自過其度。髓海不足。則腦轉耳鳴。脛痠眩冒。目無所見。懈怠安臥。」按髓海即腦髓。而腦中樞神經是由腦髓中分出。西醫稱睡眠爲腦中樞神經休止。正是中醫說髓海不足。因髓海不充足的緣故。所以藉腦中樞神經底休止而補償之。以希望恢復原來狀態。

夢的原因

成夢的原因。古人已有說過。列子說成夢的。就是精神作用。他說。「神遇爲夢。形接爲事。故晝想夜夢」看這兩句話。夢之與醒。原有互相牽引的。因爲人在醒時。不能脫離外界事物的接觸。尤其是接觸事物之後不能無一種感想。將這種感想移到睡眠中。就是成爲一種夢境。故所夢的材料。原是採取醒時的事物而來。不過這種事物。經過了心理的感受。是一種痕跡。並非實事。而且這種痕跡。並非自行發現。必須藉心神的自動而發出來的夢象。所以列子接着又說。「故神凝者。想夢自消。」這神凝的意思。就是禁止自動的作爲。心神把他凝聚起來。自然沒有自動的發現。而構成夢的痕跡。也不會產出來呢。但這種夢境。究是受外部的接觸而來的。乃是以事物爲誘因的緣故。還有不與接觸事物而發生的。如靈樞所說。「陰氣盛。則夢涉大水而恐懼。陽氣盛則夢大火而燔焫。陰陽俱盛則夢相殺。上盛則夢飛。下盛則夢墮。甚飢則夢取。甚飽則夢與。肝氣盛則夢怒。肺氣盛則夢恐懼哭泣飛揚。心氣盛則夢喜笑恐畏。脾氣盛則夢歌樂身體重不舉。腎氣盛則夢腰脊兩解不屬」又「厥氣客於心則夢丘山煙火。客於肺則夢飛揚見金鐵之奇物。客於肝則夢山林樹木。客於脾則夢見丘林大澤壞屋風雨。客於腎則夢臨淵沒居水中。客於膀胱則夢聚邑衝衢。客於胆則夢鬥訟自刳。客於陰則夢接內。客於項則夢斬首。客於脛則夢行走而不能前。及居深地窌中。客於股肱則夢禮節拜起。客於胞䐈則夢溲便」從上文看來。都是在人的本身上也能發生的夢。但這種夢境之由來。完全由人的藏府先有病態而後發出的。我們遇到病人。他一說出怎樣夢的情形。我們就可斷定他是那一藏府的病。這也是診病時的一種方法。

靈樞上所說這段文字。原有虛實的分別。上因某部的太盛。由有餘的氣血起了動機。而發現各種夢象。下因身體上某部不足。客邪乘虛而入。由邪氣起了動機。而發現各種夢境。但此兩種成夢的原因。皆不外於本身的內藏而發。此外構成夢環的原因。尙有種種。不過總括起來。都是受事物接觸的由外來。如列子所說之類。是從本身某部起了變化的由內起。如靈樞所說之類。是除此兩種成夢原因之外。只有把外界接觸事物。引動心機。而又由某部起了變化。同時發現混合而成的夢象。也屬不少。譬如患了遺精的人。他的性神經。是已經有疾患了。因爲有了疾患。就更外容易被外界誘惑。於是夜間夢中就遺精了。反之因外界誘惑而漸至性神經衰弱。也是如此。這種遺精的夢。是由外界接觸以後。性神經受了刺激。夜間遂有這種夢境的發生。故做這類夢的病。都是互爲因果的。

夢的種類

夢是無論誰都會做的。不過你做你的夢。我做我的夢。你的夢和我的夢。不能說是相同的。這因爲各人的環境。各人的思想也有關係。若要把他細細分析出來。是全然不可能的事。(但我們中國有種書上說也有各人做同的夢。這我想各人心中的想念必是相同。)現在不過把古人所說的例子。舉一二種說說罷。

列子周穆王篇說「夢有六候。一曰正夢。二曰噩夢。三曰思夢。四曰寤夢。五曰喜夢。六曰懼夢」照這六夢的取名。我們可以簡括的把他解說出來。「正夢」是平正自舒。心中坦蕩而無別種牽掛的夢。「噩夢」由平素受一種驚駭的刺激。而發出怪異驚駭的夢。「思夢」因懸念某種事物。或心中想念的人。卽將此種事物。與想念的人。發現於夢中。「寤夢」醒覺時之接遇事物。而聯想于半睡眠中的夢境。「喜夢」因快樂的事情演成夢象。「懼夢」因恐怖的事情。演成夢境。此外雖也有別的種類。但總不出這幾種夢象之外。

夢的學說

夢的種類。既然有許多而學說亦因之不能一致。這原不是他們解說夢的理論偏異。因爲彼此各有根據。各有見地。在他所根據見地而發出他們的理論。自然也有正確與不正確的所在。我國最古的經籍也有說過。如周禮說。「太卜掌三夢之法。一曰致夢。二曰觭夢。三曰咸陟。」鄭鍔爲之解釋「有心而夢。出于有所因。故曰致夢。觭字從角從奇。蓋角出奇異。所謂怪異之夢。無心感物謂之咸。升而有至者謂之陟。咸陟言無所感。精神升降有所致而得夢也。」王符潛夫論「凡夢有直、有象、有精、有想、有人、有感、有時、有反、有病、有性、」其實這許多夢的意義。都已被着列子所說的六候包含在內。不過名目有的不同。可是此種夢境。出於心理變態。原是一樣的。其餘尚有各國醫學家與心理學家的論述。也各有見地。並舉出之。

細胞惰性說——據德國心理學家文德(Wundt)說是腦爲富有活動性的細胞所組織。醒時受某種形變。卽帶有某種方面的傾向。這種傾向若受刺激。便發生強有力的聯合。而且時時受腦中樞之統一性所支配。故動作有系統。睡眠不必刺激。也不受腦中樞底支配。只依其固有勢力。自然聯合而發出種種光怪陸離不可窮詰的夢象。

腦神經反應說——英人楷乃得(Kenet)以爲感官受刺激。由求心神經傳達於腦。遂起一種相當的反應。夢則反應與刺激不相應。且往往幻作無數危害境遇。所以夢中常有魔境現象。

病的潛伏說——裴奈楷(Beneke)謂人底身體已成某病。尚未達顯現時期。所以表面很爲健康。並不覺有病象。但病症已潛伏於體中。故睡夢中中樞神經失其統馭作用。各部組織牽其現有病的勢力活動。遂顯出其潛伏期中之病的狀態。所以夢生某病。而覺生某病。

欲望的滿足說——奧國的著名醫生佛洛德(Freud)他說夢是一種欲望的滿足現象。日間所思想的事情。不能達到目的。至夜間實現於夢境。以滿足日間的要求而使精神得適當的安慰。

補償說——瑞士醫生榮恩(Jung)對於夢的意見雖與佛洛德底理論不盡同。但是補充他底學說。並未曾推翻他。在他的意思。以爲白晝之中。有許多欲望不能自由表現。遂於夢中用他種方法滿足其欲望以補償之。

夢與病理

不論什麽病在醫書都有充分的解說。只有夢的一症。專述很少。而古時玉匣記古夢全書……等。不過是一種記夢的書。而且涉于迷信的一類。對於夢的原因和人體的關係。實無足取證。而普通的心理。又以夢爲平常的事。不必與病理的看待。那曉得有許許多多的夢因與人身的疾病有直接簡接的關係。如內經所說的「陰氣盛。則夢涉大水而恐懼。陽氣盛。則夢大火而燔焫…」及「厥氣客於心。則夢丘山煙火。客於肺。則夢飛揚…」之類。都是病症的實例。又如上篇裴奈楷以夢爲病潛伏期。夢生某病。即爲某病發現的預兆。這都是表明病夢相應的意旨。王符潛夫論有云「陰病夢寒。陽病夢熱。內病夢亂。外病夢發。爲病之夢。或散或集。此謂氣之夢也」這氣大概是指外來的邪氣而言。也是靈樞中說的厥氣客邪的意義。又內經說「肝氣虛則夢救火。陽氣實則夢燔灼。脾氣虛則夢飲食不足。實則夢築垣蓋屋。肺氣虛則夢見白物。見人斬血藉藉。實則夢見兵戰。腎氣虛則夢見舟船溺人。實則夢伏水中若有畏恐」這都是因了本身某部分發生病機。在夢中顯現之徵象。故吾人在醫學上參考古書所論。可知夢與病非爲無因。所以列子說「神凝夢自消」莊子說「至人無夢」這雖說是他們修道的玄理。到是可以指導我們免除夢跡的正果。至人即內經所謂「中古之時。有至人者。淳德全道。和於陰陽。調於四肢。去世離俗。積精全神。遊行天地之間。視聽八達之外。此蓋益其壽命而強者也」這種人就是專於內外修養。積精凝神。沒有絲毫凡俗的念頭去擾亂他。夢是一定不會做的。不過人們要學到內經及列子莊子所說的那種地步。却是不容易的。現在只能把一些已經患了夢病的同胞。而常常受了夢魔所擾的。我們把他想個法子去補救他。

病夢的處治

治夢的方法本來很少現不過找幾種古人遺傳下來。對于夢症處治的成方選出幾個來。以備患了這夢的人去用。

病原　七情六淫相感心虛神亂。

現症　睡臥不甯恍惚驚悸夜多夢寐。

處方　益氣安神湯（回春）

當歸　茯神（各一錢）　生地黃　麥門冬　酸棗仁　炒遠志　人參　蜜炒黃芪　牛胆　南星　竹葉（各八分）

小草　黃連（各四分）。

右剉作一貼姜三片棗二枝水煎服。

病原　心胆虛怯。

現症　觸事易驚失志不寐虛煩惡惡。

處方（甲）　温胆湯（入門）

半夏　陳皮　白茯苓　枳實（各二錢）　青竹茹一錢　甘草五分

右剉一貼姜五片棗二枚。

處方（乙）　加味温胆湯（回春）

半夏三錢　陳皮（二錢二分）　竹茹　枳實（各一錢半）　酸棗仁　炒遠志　五味子　人參　熟地黃　白茯苓

甘草（各一錢）

右剉分作二貼姜五片棗二枚水煎服

說明　本方治症同前兼治心肝氣血不足。

病原　心虛不足。

現症　虛煩不得安睡。或夢涉危險。

處方　寧志膏（局方）

炒酸棗仁二兩　人參一兩　朱砂五錢　乳香二錢半

右爲末煉蜜和丸彈子大每一丸溫酒化下。

病原　心神不寧

現症　驚悸噩夢或不得睡。

處方　眞珠母丸（本事）

眞珠母七錢半　熟地黃　當歸（各兩半）　人參　酸棗仁　犀角　白茯神（各一兩）　沉香　龍齒（各五錢）

右爲末蜜丸梧子大朱砂爲衣每四十五丸薄荷湯下日二服。

說明　本方用眞珠母爲君龍齒爲佐皆是鎭肝安神的藥。

病原　心虛神不寧思欲太熾。

現症　夢遺心悸。

處方　茯神湯（千金）

茯神　遠志　石菖蒲　人參　酸棗仁　茯苓　黃連　生地　當歸　甘草　蓮子

病原　眞元虧損心腎不交。

現症　夢遺滑精盜汗虛煩、腰痛、耳鳴、四肢無力。

處方　金鎖固精丸（功用）

沙苑蒺藜　芡實　蓮蕊鬚（各二兩）　酥炙龍骨　鹽水煅牡蠣（各一兩）

右蓮子粉爲丸每三錢鹽或酒湯下日二服。

病原　腎陰不足虛火上炎。

現症　夢遺失精。

處方　三才封髓丹（寶鑑）

天門冬　熟地　人參　砂仁　黃柏　炙甘草

右研末麵糊丸

病原　心風爲病。

現症　男夢見女女夢見男。

處方　別離散（入門）

白朮一兩　天雄　附子　肉桂　乾姜　茜根（各三錢）　茵芋葉　桑寄生（各五錢）　細辛　菖蒲（各二錢）

右爲末每二錢空心白湯調下熱甚去附、雄、姜、桂、加知母、黃柏各三錢當歸、地黃各五錢。

說明　本方專引心邪外達使兩方不復相見的意故稱別離散。

辟夢雜法　麝香久服不夢寤魘。又將眞麝香一劑安枕中枕之除邪餘惡夢。（本草）

蘇合香令人無夢魘。或服或帶。（本草）

虎頭骨爲枕。枕之能惡夢除魘。（本草）

犀角除魘寐。或服或帶。（本草）

羚羊角安心氣。不令魘寐除邪氣驚夢。（本草）

尾言

從上文所述的各種。先由夢而成疾的。或先由疾而成夢的。及夢與吾人健康的身體。和有病的身體安危。是有很大關係。大凡我們平日看到病人往往告訴「我夜夜做夢。做了夢。醒來以後就覺不快。或心中怔怔餘悸。或做了夢以後。身體就覺得很倦怠。或病了之後。因爲夜夜發生惡夢。而使病態惡化……」這種種情形。我想老于臨症的醫生。必已聽厭了。但是他們從不爲之注意病與夢的關係這不能不說是一件錯誤的事。大家要知道患病雖說是生理失常。我們治病不過使失常的生理。仍舊復于常態。往往由于精神的不甯而發現種種的夢。夢爲擾擾精神安甯之大敵。我們若不明瞭這大敵「夢」的原因而驅除他那我們的精神。就很不易使他安靖。換言之。我們的病就難于脫離了。這種淺薄的理由想人人會知道的。但爲什麼沒有人去注意他這始終使我不能不納罕了。我很希望我們醫界中人出來把這問題作圓滿的解決。至于作者敍述的疎漏。是因爲篇幅的關係。讀者取其意而略其詞罷。

本院廣東同學社的歷史

翁澄宇

凡一個集團的產生。總有數點特殊必要情形。才能成立。我們這個廣東同學社的產生。當然是逃不出這一般的公例。爲什麼呢。因爲我們的廣東同學。都是從南方負笈到這裏來。在第一點是爲了人地生殊。第二點是感覺到方言的隔膜。對於學問的疑難。每苦不能領會。同時亦無從探索其源。是以爲了求知的慾望起見。乃不然而然的大家集合在一起。藉以互相研究。所以在這二種特殊的必要情形之下。我們同學社就因此產生。以至成立了。當起初組織到了現在。雖則經過二載的時光。但因爲了在中途曾發生了小小的波折。陷於一度的停頓。然而停頓雖則停頓。而同學對于研究學問。依然不斷的努力。結果才有今日的燦爛存在。其中最值得我們欣慰的。就是學術的一組。在這學期中能把過去各社員切磋的結晶彙集。雖則無多大補益於我道醫界。然亦值得本社的紀念。所以研究組主任許鏡澄君發起印行季刊。以貢獻於社會。以爲本院各社團倡。經諸同學熱烈的贊成。和踴躍的助款。遽然發行了廣東同學社季刊。但是我們不能以爲就此意滿。所以把它分送諸同學暨各名醫與集團。希望大家指正。藉以發揚我國醫的精粹。

末了。我希望本院的各研究社都能把零碎的結晶集合刊行。爲我國醫界增光。

痰飲與欬嗽概論

黃毓芳

小引

痰飲與欬嗽。一言以蔽之曰肺病而已。肺病者人類之大敵也。足以寒英雄之心胆。促壯夫之壽算。敗事業於垂成。離骨肉於家庭。而爲舉世所畏。據國際衛生專家之調查全世界之患肺病者。以吾中國最爲普遍。是以東亞病夫之稱。喧騰於萬國。百年以來。疆土日蹙。雖原因甚多。而民族之衰弱。實爲一大之主因也。近者救亡建設。復興民族之呼聲。高唱入雲。誠爲全國一致之企圖。舉凡政治軍備經濟實業文化教育諸根本大計。靡不從事於積極之進行。而所以煅鍊體魄之衛生運動。厥以醫藥爲首務者。在袞袞諸公。非但不加以提倡。而反從事於摧殘。殊足怪焉。國家興亡。匹夫有責。吾輩既從事於研究醫學。而抱救濟民族之宏願。則對於舉世所畏之肺病。尤不容忽視。故特取痰飲與欬嗽以爲標題者。作醫學救國之先聲。斯則草此篇之主旨與動機也。

總論

所謂肺病者。僅指病狀之顯見者而言。其原因固不如是簡單也。雖痰飲與欬嗽。無不有互相連帶之關係。而有痰足以致欬。亦有欬而無痰者。痰飲有自欬而漸來。亦有不作欬。而並非起於作欬而來者。故細辨之、痰飲與欬嗽。固自有別。而痰之與飲。又有不同之點。斯其內外標本新久虛實。當各溯其源。而分別檢討者也。

內經無痰證之名。衹有積飲之說、蓋痰之本水也。飲之源亦水也。水者循津液而流者也。痰飲並稱。可知液聚而成痰。水積而成飲。觀於飲入於胃。游溢精氣。上輸於脾。脾氣散精。上歸於肺。通調水道。下輸膀胱。水精四布。五經並行之說。則水之積也。無非從脾胃之失於輸運。精微不化。津液無以流通。或始停於脾胃。或上停於肺。或下停於膀胱。推其源。皆從飲水之所積至。仲景始痰飲並稱。雖同屬於液體。其經煎熬而濃濁者。則名之曰痰。未經煎熬而淸稀者。則名之曰飲。故後此又有痰從火化。飲屬水濕之說。然有熱甚而水不及化。寒甚而水液凝沍者。所謂寒氣生濁。熱氣生淸。熱勝則乾。寒勝則浮。有熱痰即有寒痰。有寒飲即有熱飲。固不能以水火寒熱而鑿分。故仲景於痰飲欬嗽。與肺痿肺癰欬逆上氣。分列爲二篇。則外感與內傷。固各有其因果也。

分論

痰爲百病之母。怪病皆起於痰。推其所以致病之因。無非由於風寒濕熱之盛。七情飲食之鬱。以致氣逆溢濁。變成多量稀粘之液。或吐咯難出。或凝滯胸膈。或留注腸胃。或聚於經絡四肢。隨氣升降。遍身上下。無微不至。其症之爲病。爲欬嗽。爲噁心嘔吐。爲痞隔壅塞。爲眩暈。爲風痛。爲噯氣。爲嘈雜。爲怔忡心悸。爲寒熱。爲病腫。或胸脅漉漉有聲。或背心一點常冷。或周身習習如蟲行。或胸臆間如有二氣交阻。或身中結核不紅不腫。或頸項成塊似癧非癧。或塞於咽喉狀如梅核。或大便時挾如膿汁之物。關格不通。走馬喉痺。齒痛耳鳴勞瘵癱瘓顛狂。婦人經閉帶下。小兒驚風搐搦。甚至無端見鬼似祟非祟。無一不爲痰而致病也。痰之爲病。變化百出。而痰之來源。固非一端。有因熱而生痰。亦有因痰而生熱。有因風寒暑濕而得。有因驚而得。有因氣而得。有因飲酒而得。有因飲食而得。有脾虛不能運化而生。有因血虛火煎而生。有腎虛而不能制水。水泛爲痰者。有陰虛火動而火結爲痰者。總不外乎外感夫六氣。內由於七情飲食。以致中宮失清化之令。交相薰蒸。交相引誘。水液凝聚而成。但古來諸家治痰之法。各隨其所見而各有所偏。如張子和主於汗吐下之法。此則在外感與表裏閒之實症爲宜。至隱庵主以礞石滾痰。此則偏於熱與實之頑痰爲宜。節齋主以清氣。則以燥熱之痰爲宜。東垣青堂之輩。則主以調理脾胃。安常則主以調氣。河間之說。亦偏於治熱。景岳養葵之輩。則動以參朮熟地。秦皇士以風濕燥鬱食積五端。內外虛實。固無不備。而又未能該括無遺。其詳盡者。誠莫若乎丹溪風寒濕熱。則外感可以盡之。氣血精虛及食積老痰。則內傷可以盡之。如痰之流注於各部。及用藥虛實之宜忌與否。誠堪爲後學取法。總之辨其內外虛實之因。則汗吐下和溫清消補諸法。準酌於標本之間。或治其痰。或治其病。或治其因痰而生諸病。或治其因諸病而生痰。則無不可治之病。亦無不能治之痰矣。

痰固有寒有熱。而飲亦有寒有熱者也。水積而成飲。總由內傷者多。其由外感而致者。必非新感之暴病。乃日久而有以致之。故仲師於痰飲篇中無外感之條。分其大綱爲四。曰懸飲留飲支飲溢飲。又曰痰飲者。則飲之總名也。又曰伏飲者。亦無非四者之由停積而來也。至於在心在肝在脾在肺在腎之五者。於是後世穿鑿附合。名曰五飲。水飲停積三焦之水道。失於通調。其泛濫也。何處不足以爲患。此其支流而非本源也。蓋腎與膀胱者。水之淵藪也。脾胃者。水之提防也。肺者。水之上源也。故仲景立方。無不着眼於肺脾腎三者。而以溫化逐水爲主。如苓桂朮甘腎氣十棗之類。若當用清法者。則列於肺痿欬嗽篇中。是可知並主於寒熱溫清之二法也。在後人則痰與飲混而不分。丹溪亦論痰而未及乎飲。惟子和則分痰爲五。曰風熱濕酒食。分飲亦爲五。有膽鬱而得之者。有困乏而得之者。有思慮而得之者。有痛飲而得之者。有熱時傷冷而得之者。斯則痰飲既分。而病由都盡。誠可謂獨出機心者矣。欬嗽之病。灶固在於肺。其由於痰與飲而致作欬者。源皆由於內傷諸因。特假道於肺耳。內經於五臟六腑皆令人欬。不獨於肺者。則先由於其他諸臟受病之移傳。而累及於肺。亦久病而非暴病也。示人以上欬之法。曾從其本而治之。若徒用鎮欬之劑以治其肺。未有能愈病者也。河間以無痰有聲謂之曰欬。則屬於肺氣之傷。有痰無聲謂之曰嗽。則屬於脾濕之動。有痰有聲方謂之曰欬嗽。由是可知古人所謂胃爲貯痰之器。肺爲作欬之路者。皆無不本於聚於胃關於肺之旨也。其暴欬者。無非由於外感之六氣。而又有因外內合邪者。其證狀固各自有別。不辨其因。不審其證。又何怪欬嗽之難治。而肺病之獨多也。嗚呼。

結論

由上之說。以總觀之。飲則偏於內傷。痰與欬嗽則各有外內二因。治療之大綱。則寒熱標本新久虛實而已。蓋知其要者。一言而終。不知其要者。流散無窮。然學者對此每苦難於領會。故特就管見。述其概要。所憾者。對於治療方劑。未能盡舉。不無非完璧之嫌。而一隅可以三反。拋磚可以引玉。則此篇之作。藉以可引起同志之注意。更加以深切之研究。俾肺病絕跡於人類。強體魄而震國威。則民族復興之機。亦未嘗不肇於此焉。

燥與濕之研究

張仲侯

導言

吾人處於大自然界。奉爲養命之原者。厥惟空氣與飲食。內經所謂天食人以五氣。地食人以五味是也。然氣候有突變。飲食有央節。更以環境之遭遇。情志之感觸。不能適合於生活之要素。遂致影響於身體之健康。而釀成疾病之繁殖。卽所謂三因也。三因之中。各有連鎖之關係。如同屬外感。其由於本身之一部原有空隙。以致感受外邪。兩虛相得。乃客其形。所謂不得虛。邪不能獨傷人也。而所以空虛。無非從情志飲食。而使氣血不和。不能抵禦外邪。或由於外邪之侵襲。以致抗毒素衰弱。而細胞組織。被其破壞。此則所謂邪氣之客於身也。以勝相加。至其淫佚。不可勝論是也。若純或由於喜怒不節。飲食內傷。或由於本身臟氣之變化。或由於病情之轉屬。或因潛伏而發。或從傳染而來。要當究其若者爲主因。若者爲誘因。若者爲續發之因。若者爲潛伏之因。若者起於飲食情志之關係。若者因於自身臟氣之變化。若者因於厲氣之傳染。辨其因而迎頭趕去。施以治療。適中窾竅。既不可誅伐太過。又不可使累及無辜。驅病魔於軀殼之外。復斯民於健康之原。此醫者之能事也。嗚呼活人之術。豈易言哉。能不爲庸工。而勉爲中工。已屬難能可貴。如傷寒濕熱。本有專書。而古今中外。聚訟紛紜。其能辨別而不淆惑者。幾希。至於燥之與濕。介於寒熱二者之間。治療更爲複雜。小子不敏。固不敢自詡獨探驪珠。姑將一得一愚。就正於當世之有道云爾。

一　燥與濕之原理

氣候與康健。已爲世界公認。以言氣候之變化。不外寒熱而已。處於寒帶之地。有秋冬而無春夏。固屬寒病爲多。而起居飲食。舉凡足以去寒而就溫者。羣爭就之。禦寒過度。而反至於病熱。此由人事之關係。是以寒帶之地。每患熱病。處於熱帶之地。亦何莫不然。前人爲謂南方無正傷寒者。又豈是通人之談。若處於溫帶之地。春夏秋冬。一歲之中。氣候溫度。隨時升降高低。於是而有風熱暑濕燥寒之六氣焉。其實由寒而熱。由熱而寒。亦僅二氣之遞禪。二氣之偏多偏少。於是而有濕與燥介於其間。故似寒非寒。似熱非熱。有時則偏於寒。有時則偏於熱。有時而寒熱相混。更兼以表裏臟氣情志飲食之種種變化。誠非研究有素。鮮不神迷意惑頭搖肘掣。過之而無法可施者。此則燥與濕之原理。不可不先求其澈底明瞭者也。不明其理。則不能溯其源。所謂燥者。乾澀之謂也。凡物之潤澤者。曝之以日先烘之。以火氣。則以蒸發而乾燥。置於陰涼之處。懸於涼風之地。則以收斂而乾燥。前則由於熱。後則由於寒。是以介於寒熱二者之間也。久晴不雨。則亢燥而草木焦槁。風霜高潔。則淒清而萬物乾萎。氣候之最顯者。厥爲秋令。當長夏之後。所謂秋陽以曝之者。則燥之偏於熱者也。在九秋之候。所謂已涼天氣未寒時者。則燥之偏於寒者也。所謂夜深如水怯衣單者。則燥之平氣也。若在山林高阜之地。氣候既屬高爽。而足以吸收水分之物又多。是以亢燥而少雨水。此從氣候物質以觀察之。凡過涼過火。均足以收燥者。則燥之原理明矣。

所謂濕者。凡氣質之含有水分而潤澤者是也。濱臨海洋及河流交叉之地。日光下蒸。水濕上騰。烟霧常瀰漫於空氣之中。若或驟寒而驟熱。則知雨之將作。所謂礎潤知雨。山雨欲來風滿樓者。一則由於煖熱。一則由於風涼。可知濕亦介於寒熱二者之間也。是以當黃梅時節。及長夏溽暑。皆謂之濕令。醬之與豉。本物之濕者也。久掩而霉腐生焉。茶葉之與餅乾。物之燥者也。一則遇火烘而回潤。一則透空氣而變軟焉。若與菌之生也。必在陰濕低窪之地。（此可作細菌觀）種種無非水與火之相蒸。此則濕之原理也。由是可知燥爲水火消耗之氣。濕爲水火相蒸之氣。二者原處於相反之地位。而亦絕對互相調濟者也。無如歷來以水流濕。火就燥之旨。深印於人羣腦海之中。以爲濕偏於寒。燥偏於熱。而燥之偏於熱。濕之偏於寒者。無治法矣。殊不知以溫水潤之。涼水潤之。皆足以使潮濕。以火烘之。以涼收之。皆足以使就燥。同屬一體。其變化固大相懸殊也。

二　燥濕與人體臟腑之關係

人在氣交之中。久雨則精神煩悶。而肢體痿倦。恆欲望晴以冀暢適。久晴則肌膚皺揭。而氣液乾耗。恆欲望雨以希潤澤。此僅在於神經之感覺。若體質有偏寒偏熱。未有不困頓以病者。此可知與人體臟腑之內景有關矣。胃與腸爲陽明。其作用猶燥氣之變化。肺與脾爲太陰。其作用猶濕氣之變化。而胃又主濕。脾又主燥。水穀入胃。其所以相蒸而腐化者。則脾之司也。所以濟泌爲糟粕者。則腸之司也。無此腐化與收燥之作用。則水穀不化。或爲溏泄。或爲閉結。腸之燥。端賴胃濕以濟之。脾之燥。端賴肺濕以收之。腸之傳送。又端賴肺氣以導之。脾之蒸化。又端賴胃氣以濟之。此其相互之作用。原爲臟氣自身之變化。故凡氣候飲食居處環境。有不適合於身體之健康者。則疾病之所由作也。

二　燥病大概

原病式謂諸澀枯涸。乾勁皴揭。皆屬於燥。燥勝則乾者。此燥病之大綱也。然精血枯涸。則爲乾於內。皮膚皴揭。則爲乾於外。有乾於津液。而營衛氣衰。肉燥而皮着於骨者。類多爲久病之後。由臟氣傳變而續發。其在初起。形證未顯。其爲傷於燥氣之爲病者。則喻氏補秋燥之論。誠爲有功於醫林。清燥救肺一方。治熱遺寒。究狃於火就燥之一語耳。內經所謂燥淫所勝。治以苦溫者。原指燥之偏於涼者而言。變苦溫爲辛瀉平寒。原屬熱反勝之之例也。是以表病多屬於肺。裏病多屬於腸胃。秋傷於燥。上逆而欬。諸凡喘、衄血溢。肺痿、咽喉諸病。皆爲有寒有熱。亦即諸氣膹鬱。皆屬於肺之旨。故其病外在皮毛。內合膺脇肩背。此蓋屬於外因者也。仲師陽明治法。亦爲續發之因。故腸胃病之熱渴燥結。取乎清下涼潤。而燥之偏於寒者不與焉。若內經之寒清於中而瘖欬。腹中鳴。注泄鶩溏等證。謂非燥之偏於涼者乎。若所謂秋傷於燥。冬生欬嗽。逆秋氣則傷肺。冬爲飱泄者。此因爲潛伏之因。亦介於寒熱二者之間也。蓋因肺爲嬌臟。傷於燥氣。則收肅太過。而胸中不便。不嗌塞而嗌。叉手心冒。苔白厚而潤者。謂非屬於清燥乎。嗌乾而欬。心膈中熱。苔白糙而乾者。謂非屬於燥熱乎。肺痿吐膿。仲師用甘草乾姜湯者。則寒之甚者也。欬而出白血。營衛氣衰。而血不及化者。則熱之甚者也。三消一證。經於心移寒於肺。與心移熱於肺。並舉。亦同於此類也。飱泄爲完穀不化。所謂清氣在下。則生飱泄者。固屬於寒。若肺移熱於大腸。久爲腸澼。腸澼下白沫者。謂非屬於熱乎。秋傷於燥。又有發爲痿厥之文。此亦臟氣傳變而爲續發之證。肺熱葉焦。乃生痿躄。是則偏於燥熱。若因津液營血。漸至消耗。筋脉失於溫養。以致股膝髀腨胻足。皆病。治痿固當獨取陽明。若肺虛而腎臟失蔭者。與腎氣傷而爲痿厥者。固無所異也。厥雖爲肝臟之本病。而燥氣下臨。則肺氣逆而不行。壅於膺脇肩背之間。能不上犯於腦戶耶。其寒熱之證狀明顯者。固易於辨別。若面色蒼白。脣口淡紅。其面冷汗。投溫藥而如平。與涼劑而反熱。總不能斷爲熱矣。又誰知燥熱之鬱閉於肺乎。又如熱面發赤。口瘡舌碎。驚駭筋攣。類多爲寒甚於下。格陽於上。蓋始因肺虛火亢。炎極而餘焰浮於上。涼藥入口即斃矣。此種寒燥與熱燥之病。都因於肺炎而致發厥。上一證在善用溫藥者。無不斃於桂附姜萸。後一證在善用清藥者。無不斃於芩連羔知。而於小兒爲尤甚。不幸而夭。在病家總以爲病屬不救。震於醫家之名。靡不深諒。夫醫家在醫家以生人之術。反操臨刑之刃。能不痛夫。望吾同志。倘遇此證。必當審慎詳察。庶不致夭人壽算耳。

內經於燥淫所勝則曰平以苦溫。佐以酸辛。以苦下之。至燥淫於內則曰治以苦溫。佐以甘辛。以苦下之。則燥之偏於寒而當用溫法者也。在燥化於天。熱反勝之。則曰治以辛寒。佐以苦甘。至燥司於地。熱反勝之。則曰治以平寒。佐以苦甘。以酸平之。則燥之偏於熱而當用清法者也。總而言之。燥者潤之。寒熱分治。清潤與溫潤而已。

四　濕病大概

寒濕之病。醫家固優於爲治。惟濕之偏於熱者。靡不諉爲難治。則因惑於名醫之讕言也。在表而不敢發汗。熱甚於裏而不敢用苦寒酸泄之品。陰液已刼。而尙用苦燥之藥。雖幸不至於死亡。而元氣大傷。此則醫家未能勤求古訓之道也。夫治濕大法。不過發汗與利小便而已。辨別濕熱病之大綱。除表裏上下營衞氣血而外。必當分其爲濕勝於熱。熱勝於濕。或濕熱並勝之三者而已。內經謂霧露之邪。從上襲者。則當以發汗爲治者也。又謂傷於濕者。下先受之。則當利小便者也。又謂濕流關節者。則當視脉之浮沉。或當分用。或當並用者也。若濕熱交鬱而漸至上壅。此亦內經濕上甚而爲熱之例。則治以苦溫。佐以甘辛。以汗爲止。在仲師於濕家身煩痛則曰以麻黃發其汗爲宜。創濕溫忌表之說者。誠不知何所本也。鬱遏不宣。馴至發爲疹瘔。氣液兩涸。綿延不解。而反用透發之劑。安得不驅之於夭折之途。至熱盛於裏。但守辛溫辛燥之一法。殊不知此乃濕勝於熱之治也。在熱勝於濕。內經則有治以苦寒。佐以苦酸。及治以苦冷。佐以鹹甘。以苦平之之訓。誰謂濕溫之病。不可用苦寒酸泄之品耶。若濕熱兩勝。自當融辛燥苦寒淡滲之品。於一法之中。清熱化濕並用焉。至纏綿不愈。至於陰液被刼。原當從燥病治例。蓋燥偏於寒。本屬於濕。濕偏於熱。本屬於燥。但守燥以勝濕。濕以潤燥。而不辨其偏寒偏熱。又安在有所濟乎。余鑒於近世之治濕病者偏於燥。治燥者偏於涼。故約略於燥之宜乎溫潤。濕之宜乎淸化者。述其大概。雖語言不詳。竊取尋余所集。則思過半矣之旨。規矩繩墨。固不足以使人巧焉。

癰疽論

張秉煌

導言

年來中西醫學。互相競爭。日進一日。兩者抵禦。各執其見。有如水火之不相入。冰炭之不相同。而社會一般人士。評論之曰。中醫長於內科。西醫長於外科。愚妄者聞之。頗謂其然。蓋西法器械精良。手術靈敏。外表光彩。灼然可觀耳。近數年來。對於醫學。有所究求。乃知此係門外漢之語。實不足道也。夫中醫治內症。果有特長。而外科治療。尤具顯著之功效。惜知者祕而不宣。不知者棄而不究。因此日以不振耳。考中醫外科。其名甚多。聖賢方書。紛歧層出。致令學者。無所適從。及至臨診。治之無據。不知所以。深可長嘆也。內經有言。知其要者。一言而終。不知其要者。流散無窮。余入校迄今。轉瞬四載。對於外科。得有淺識。敢將癰疽二者。暢言之。景岳云。凡瘡瘍之患。證候雖多。不過內外二因。原因雖多。不過陰陽二則。知此四者。百病盡羅。治療方法。亦不越乎於此。寥寥數語。實爲瘍科不二理義。按人身外爲陽。內爲陰。丹疹流火。紅腫焮痛。無名腫毒。屬陽爲癰。鶴膝骨槽。乳巖瘰癧。屬陰爲疽。故陰陽者。卽癰疽之代名詞也。然治外證癰疽。如治內證傷寒。善治傷寒。則雜病無不易治。能療癰疽。則諸瘡無不精妙。每當假期回里。凡有親友患外科者。商治於愚。皆以陰陽爲戒規。再以脈證合參。何者爲癰。何者爲疽。處方配藥。或內服。或外敷。莫不應手獲效。今屆畢業之期。不揣簡陋。略陳愚意。求正於高明。

原因

考方書敍癰疽之原有五。一天行時氣。二七情內鬱。三體虛外感。四身熱搏於風冷。五食炙煿。飲醴酒。服丹石等熱毒。總之不越乎內外與不內外之三因也。

外因

凡春之風。夏之暑。長夏之濕。秋之燥。冬之寒。當時而至。無太過。無不及。主生萬物。爲造化生成之理。人在氣交之中。吸收其氣。內應藏府。外充肌膚。則爲正氣。若非其時而至。或過偏旺。則爲淫邪。體虛之人。夏秋露臥當風。坐眠濕地。冬春之季。寒暖失愼。陰陽不調。

六淫之邪。襲於經絡。營衛稽留。血脈凝濇。陰氣鬱而不行。陽氣遏而不通。邪正相搏。乃生寒熱。穢毒之氣。騰出於外。畜結而成矣。又有房事後得之。其寒毒乘虛深入骨髓。與氣血相凝而成。或因失於調治。外感風寒。發散未盡。遂成腫痛。此得之外因最重者也。究陰陽應象論云。地之濕氣。感則傷人皮肉筋脈。生氣通天論云。諸癰腫筋攣骨痛。此寒氣之腫。八風之變。而靈樞經又云。血脈營衛周流不休。上應星宿。下應經數。寒邪客之。則血濇。血濇則不通。不通則衛氣歸之。不得反復。寒氣化而爲熱。熱勝則腐肉。肉腐則爲膿。膿不得瀉。則爛筋。筋爛則傷骨。骨傷則髓消、漸至臟傷而死。由此觀之。癰疽之起原外因者。莫不由六淫侵襲。血氣受而致之也。

內因

陳無擇云。癰疽不問虛實寒熱。皆由氣鬱而成。經云。氣宿於經絡。與血俱濇而不行。壅結爲癰疽。不言熱之所作。而後成癰。此乃因喜怒憂思。有所鬱而成也。按人身陰陽正氣。呼吸升降。流行榮衛。營養臟腑。爲生成之理。亦有七情不遂。則生喜怒悲思憂驚恐之七氣。喜過傷心。氣散不歛。怒過傷肝。神亂不定。思過傷脾。肉脫肢廢。悲過傷肺。皮槁毛落。恐過傷腎。精怯不升。憂久則氣結。卒驚則氣縮。氣爲血之先。血爲氣之師。氣行則血亦隨之而行。氣既內鬱。不能流暢。則血凝瘀阻。壅遏肌肉。蘊結經絡。升降不得運行。不能何可覓路行消。於是羣火沸騰。銷爍眞陰。聚腫而赤。癰疽乃成。故張子和曰。諸病皆生於氣。諸痛皆因於氣。又云人生大氣中。如魚在水。水濁則魚瘦。氣逆則人病。邪氣傷人。最爲深重。隨其臟腑虛實冷熱。結以成病。可知癰疽因於七氣而成者。亦不謬矣。

不內外因

旣無七情于內。復無六淫傷外。其病何由來耶。曰是爲不內外因。往往得之於飲食不節。氣居不愼。過飲醇酒。則生火。消灼陰液。過飲茶水。則生濕停飲。過食五辛。則損氣血。傷飢失飽。則傷脾胃。此皆起於飲食之所致。亦有晝日過勞。挑輕負重。跌撲揌墜等類。損其身形。夜不靜息。強力入房。勞傷精血。此皆因於起居之所致。上述二者。略舉大概也。然人有窮富之分。體有高粱藜藿之別。亦不可不辨。經曰。膏粱之變。足生大疔。受如持虛。東垣曰。膏粱之變。亦是滋味過度。榮氣不從。逆行肉裏。凝於經絡而成。考榮氣者。胃氣也。飲食入胃。先輸於脾。而朝於肺。肺朝百脈。分散津液。佈五臟。洒六腑。而成氣血。今富貴之人。不知節法。酒肥腥雜。厚味積久。太過究其氣味俱厚之物。乃陽中之陽。易於化火。若不愼房事。損其眞水。水虧則火愈炎。薰蒸肌肉。其所止處。無不潰爛。故經言如持虛器以受物。則無不受矣。藜藿之人。得於饑飽勞役。喜怒不常。飲食者。冷熱不調。動作者。勤勞不惜。以致臟腑不和。榮衛不順。脾胃受傷。經絡凝滯而致。由是言之。人之飲食起居。可不慎哉。

症狀

癰疽之鑑別

考癰疽之症。方書紛紜。不下二十餘種。概以臟腑經絡地位而言。吾儕臨症。何必先定其名。然後處方。要須分別陰陽二者而已。所謂不泥於古而近古者是也。發於陽者。為癰為熱為實。寒熱大作。高腫起盛。光澤疼痛。皮膚之上。熱急脹滿。或有癢疼。多犯于皮肉之間。其來甚速。其愈亦速。其膿易化。其口易斂。此為與臟腑無涉。故易治而易愈。發於陰者。為疽為寒。其虛皮厚色淡。甚則沉黑腫硬不高。如牛頸之皮。痛如錐刺。或全不知痛癢。其來不驟。其愈最難。多犯於骨節經脈之間。甚有瘡毒未形。精神先困。七惡疊見。大危之候也。又有陰中之陽。似冷而非冷。不腫而實赤。肌膚微熱。有膿而痛。外雖不盛。內實煩悶。至若陽中之陰。雖腫而實虛。赤而不燥。痛而無膿。浮而復消。外盛內腐。若陽變陰者。陰變陽者。不可不知也。觀精要云。二寸至五寸為癰。五寸至一尺為疽。余敢謂其謬矣。

虛實

凡癰疽皆藉氣血為主。若白陷不起。聚腫不赤。肌寒肉冷。自汗色脫。或潰而不腐。或不收斂。膿色清淡。為氣血皆虛。宜大補之。最忌攻伐之劑。亦有膿反多者。乃氣血虛而不能禁止也。皮膚壯熱。膿水稠粘。頭目昏重。為氣血皆實。以清火解毒。泄其餘邪。潰後發熱作渴。脈大空虛。膿愈多出。屬真氣虛。邪氣實。在所不治。此其大概也。然亦有虛實兼症者。大抵瀉利腸鳴。飲食不入。嘔吐無時。手足逆冷。脈弱皮寒。小便自利。或時艱難。聲音不出。精神不爽。臟腑虛也。大便硬。小便濇。飲食如故。腹滿膨脹。胸膈痞悶。肢節疼痛。口苦咽乾。煩燥引飲。身熱脈大。神志昏迷。臟腑實也。頭痛鼻塞。目赤心驚。咽喉不利。口舌生瘡。煩渴飲冷。譫語咬牙。上實也。精滑不禁。大便自利。腰膝沉重。睡臥不寧者。下虛也。肩項不便。四肢倦怠。目視不正。睛不了了。食不知味。音嘶色敗。四肢浮腫。真氣虛也。焮腫尤甚。痛不可近。多日不潰。寒熱往來。大便秘濇。小便如淋。心神煩悶。恍惚不寧。邪氣實也。經云。諸痛為實。諸癢為虛。又云。脈洪大而數爲實。細軟而微爲虛。常見氣血充實之人。患瘡瘍者。皆腫高色赤。易腐潰。易收斂。怯弱之人。多不起發。不易腐潰。難以收斂。若不審察。妄投攻劑。虛虛之禍不免矣。

發熱惡寒

夫瘡瘍初起。未潰膿時。有發熱惡寒者。乃榮衛不行。經絡阻塞。瘡瘍之焮發所爲也。如脉浮數。發熱惡寒。爲邪在表。宜散之。脉沉數。發熱者。爲邪在裏。宜下之。自汗脉浮數而弱。惡寒。爲陽氣虛。宜補氣。脉濇而發熱者。爲血虛。宜補血。發熱煩燥。肉瞤筋惕。氣血俱虛。當施兼補之法。有夜則惡寒。晝則安靜。是陰血自旺於陰分。夜則安靜。晝則惡寒。是陰盛而上溢於陽分。日夜惡寒。而不發熱。是重陰無陽。當泄其陰而峻補其陽。晝則發熱。夜則安靜。陽氣自旺於陽分。晝則安靜。夜則發熱。是陽氣陷入於陰分。晝夜俱發熱。煩燥。是重陽而無陰。當泄其陽而峻補其陰。如已潰之後。膿血大泄。正氣未有不虛。故丹溪曰。瘡瘍潰後惡寒非寒。是衛氣虛不能溫分肉實腠理而惡寒也。薛立齋曰。潰後發熱。實非眞熱。因膿血大泄。或汗多亡陽。下多亡陰。以致陰血耗散。陽無所依。浮散於肌表之間也。治者當深味之。

渴

瘡瘍作渴。若焮痛發熱。便利調和者。上焦熱也。腫痛發熱。大便祕濇者。內臟熱也。焮痛甚者。熱毒蘊結也。漫腫微痛者。氣血虛也。或因胃火消爍。而津液短少。或因胃氣虛而不能生津液。或因胃氣傷而內亡津液。或因腎水乾涸。口舌乾燥。須以脉證別之。邪實者。清金降火。渴何由作。體虛者。滋陰降火。生津止渴。庶幾無犯虛虛實實之禍也。

嘔吐

考癰疽嘔吐。出于胃氣不和。人所共知。然有胃寒胃熱。痰水宿食毒攻之分。不可不究其自來。寒而嘔者。喜熱惡寒。四肢淒冷。脉細腸鳴腹痛滑泄。當以剛壯溫之養之。熱而嘔者。喜冷惡熱。心煩咽乾。脉實便祕。當以清涼降之瀉之。痰水症者。吐沫怔忡。先渴後嘔。與之消痰之劑。宿食症者。胸腹脹滿。煩悶吞酸。與之消食之品。毒攻而嘔。聞穢便嘔。煩熱不食。胃氣原虛。瘡毒之甚而然。宜辛香之品。逐之補之。各究其源而施治。丹溪雖有腫瘍作毒氣上攻。潰作氣虛之說。亦大概言之耳。大約熱毒內攻而嘔者少。脾胃虛弱而嘔者多。

大便祕結與瀉利

夫癰疽熱毒內結。嘔惋心煩發熱脉沉實腫硬木悶。大便祕結。此毒在臟。宜疎通其內。以絕其源。若飲食依多。腹不脹者。攻下之法。切宜戒之。癰疽潰後。氣血兩虛。腸胃乾涸。大便祕結。氣血雙療爲善。可少加潤藥行之。如仍乾燥。尤宜潤之。愼不可下。直腸乾涸。古人蜜導法。胆導法爲最善之劑。東垣有云。面赤伏熱。不得攻下。設不審虛實。概施疎利。鮮有不誤。若泄瀉者。或因寒涼尅伐。脾氣虧損。成脾氣虛弱。健運失司。食不尅化。或中氣下陷。不能引舉。或命門火衰。不能生土。或腎經虛弱。不能禁止。醫者當深求之。隨症治之。庶得萬全。

小便頻數與不利

癰疽小便頻數。或莖中濇者。爲腎經虧損之惡症。宜補其陰。足脛逆冷。宜補其陽。頻數而黃。宜補肺腎。短而淋漓。脾肺兩虧。若熱結膀胱而不利。清利之品爲最善之法。肺氣燥。而不能通調水道。應施滋陰之方。若膀胱陰虛。陽無以生。或膀胱陽虛。陰無以化。皆宜滋陰。苟專用淡滲。傷損其陰。乃速其危矣。

內治法

疎通

考癰疽之生。表裏不同。或攻或發。稍有差誤。變證蜂起。故所用之藥。當明臟腑虛實。藥味君臣。仲聖治傷寒有汗吐下三法。東垣治療瘡瘍有疎通托裏和榮。所以不云汗下者。蓋欲保全元氣爲主。而不專於攻瘡。究疎通者。即汗下也。察其果有外邪。脉見緊數。症有寒熱。方宜表散。然散之之法。必辨其陰陽盛衰。宜溫宜涼宜平。或兼補而散。或解毒而散。又如裏症用下。毒盛勢劇。大下之。滯毒稍輕。微下之。榮虛便結。滋陰而下。中氣不足。潤導而出。苟不究虛實。妄投猛劑。不但目前爲害。尤畏將來難結。是以表症不眞。汗之亡陽。故仲聖謂瘡家不可發汗之戒。裏症不實。下之亡陰。東垣云面赤伏熱不得攻下之禁。亡陰亡陽。均能於死。爲醫者。可以孟浪。夭人天年乎。

和榮衛

凡患者大小便如常。飲食不減。腹中和。口知味。知不在裏。不惡風寒。止於熱燥。脉不浮。知不在表。表裏旣和。與臟腑無涉。卽當於經絡中求之。蓋調和榮衛。則腠理疎通。氣行血活。經絡融暢。而腫自消矣。

補托

癰疽之證。在初起之時。必令內消。或內服。或外敷。若消之不應。勢必作膿。當以補托爲是。微腫微痛。而不作膿。或漫腫不痛。或膿不潰。氣血虛甚。峻補之。色晤而微腫。或膿不出。或腐肉不潰。陽氣虛寒。溫補之。世人不知。概以清火解毒爲主。殊不知毒發卽須畏寒。解寒而毒自化。清火而毒愈凝。然毒之化。必由膿。膿之來。必由氣血。氣血之化。由溫補。豈可涼乎。況清涼之劑。僅可施於初起之紅腫癰節。若遇陰寒險穴之腫。溫補尙虞不及。安可妄行清解。反傷胃氣。甚至陽和不振。難潰難消。毒攻內腑。不可畏歟。

外治法

辨膿

凡癰疽之疾。毒氣已結。內消不應。勢必成腫。當辨其淺深生熟。視之可否。不至危殆。腫處按之堅硬。雖有陷凹。不卽隨手而起。爲膿尙未成。猶可消散。按之軟陷。隨手卽傷。爲膿已成。手按上下不熱者。無膿。熱者有膿。半軟者。膿亦未全成。按之實而痛甚。內必是血。虛而不痛。內必是氣。愼之愼之。不可刀圭。大抵開刀。先宜出黃白膿。次宜出桃花膿。又次宜流淡紅之水。肨人膿多。瘦人膿少。此皆佳兆也。重按乃痛。膿之深也。輕按卽痛。膿之淺也。深則深開。淺則淺開。愼勿忽略。如魚口便毒。背疽。臍癰。腹癰。瘰癧。宜淺開之。恐傷裏膜。難以收斂。甚或切斷經脉。血流不止。頃刻死亡。若臂癰。膀腫。肉厚等處。宜深開之。使流出膿。以泄內毒。用刀手法。口宜稍大。取膿易盡而已。

去腐

潰瘍膿未清。惡腐不脫。宜去之。或以針刀割去。或以末藥膏藥貼之。以平爲期。則新肉自漸而生。所謂推陳致新之意。蓋腐肉爲細菌之大本營。其惡如狼虎。毒如蛇蝎。甚至戕賊性命。若壯者。筋骨強盛。氣血充溢。眞能勝邪。或自出自平。尙無大害。年高怯弱之人。

血液少肌肉濇。正不勝邪。有爛筋骨之患。可不畏歟。患處不痛。死肉不潰。當純補脾胃。庶能收斂。若腐肉未淨。早施長肉生肌之法。非特不能得愈。而反加潰爛。宜熟玩之。

生肌止痛

肌肉脾之所主。潰後收斂遲速者。乃氣血盛衰使然。世人但知生肌用龍竭。止痛用乳沒。予謂不然。生肌之法。當先理脾胃。助氣血爲主。則肌肉自生。設若膿毒未盡。就用生肌。反增潰爛。壯者輕者。不過復潰。或遲斂而已。怯者重者。必致內攻。或潰爛不斂者亦多矣。止痛之法。熱者清之。寒者溫之。實者損之。虛者補之。膿鬱者開之。惡肉侵蝕者去之。如是則痛自止。豈特乳沒之屬也哉。

敷貼

外科之法。首重外治。而外治之法。敷貼之方。較之他醫尤重。不但初起爲然、即成膿收口。始終賴之。一日不可缺少。其用大端有二。一治表。一治裏。治表者如呼膿。去腐。止痛。生肌。幷遮風。護肉之類。若瘡瘍初生。不能透發皮膚。勢必四布。惟敷貼能收束之。一則使不散漫。引出其熱毒。一則折伏其熱勢。驅逐其惡邪。如潰破後。提毒去腐之藥力極輕。以致毒氣浮散。漫腫無度。亦賴以敷貼收功也。治裏者或驅風寒。或和氣血。或消痰痞。或壯筋骨。其方甚多。藥亦隨病加減。蓋人之疾病。由外入內。其流行於經絡臟腑者。必服藥力乃能驅之。若其病既有定所。在皮膚筋骨之間。可按而得者。用敷貼之。閉塞其氣。使藥性從毛竅而入其腠理。通經貫絡。或提而出之。或攻而散之。較之服藥力尤雄大。此至妙之法也。

腫瘍主治方劑

[仙方活命飲] 腫瘍初起赤腫焮痛

穿山甲 皂刺 歸尾 草節 金銀花 赤芍藥 乳香 沒藥 花粉 防風 貝母 陳皮 白芷

[神授衞生湯] 治癰疽初起能宣熱散風行氣活血解毒散腫疎通臟腑

羌活 防風 白芷 穿山甲 沉香 紅花 連翹 決明 銀花 皂角刺

歸尾　草節　花粉　乳香　大黃

〔雙解復生散〕治憎寒發熱大小便祕宜此發表攻裏

荆芥　防風　川芎　白芍　黃芪　麻黃　甘草　薄荷　山梔　當歸　連翹

滑石　銀花　羌活　人參　白朮　大黃　芒硝

〔神功內托散〕治發背腦疽不作腐潰脈細身涼者宜

當歸　白朮　黃芪　人參　白芍　茯苓　陳皮　附子　木香　甘草　川芎

山甲

〔托裏消毒散〕補虛托毒令其速潰

人參　川芎　白芍　黃芪　當歸　白朮　茯苓　金銀花　白芷　甘草

皂角刺　桔梗

〔回陽三建湯〕陰疽危症

附子　人參　黃芪　當歸　川芎　茯苓　枸杞　陳皮　山茱肉　木香

甘草　紫草　厚朴　蒼朮　紅花　獨活

〔透膿散〕治癰疽內膿已成

生黃芪　穿山甲　川芎　當歸　皂角刺

潰瘍主治方劑

〔八珍湯〕氣血俱虛

人參　白朮　茯苓　川芎　當歸　白芍　熟地　甘草

〔十全大補湯〕潰後作痛元氣虛也

人參　白朮　茯苓　川芎　當歸　白芍　熟地　黃芪　肉桂　甘草

[補中益氣湯]　氣虛勞倦口乾發熱頭痛惡寒脈洪大無力及下陷足腫等症

黃芪　甘草　人參　當歸　白朮　升麻　柴胡　陳皮　或加麥門冬　五味子

[神應異功散]　發熱作渴手足並冷陰盛陽虛腸鳴腹痛

木香　官桂　當歸　人參　茯苓　陳皮　白朮　半夏　丁香　肉豆叩

附子　厚朴

[托裏溫中湯]　瘡為寒變反至不疼便溏腹痛

白朮　茯苓　木香　丁香　半夏　陳皮　羌活　益智　干姜　人參　豆叩

甘草　附子

[香砂六君子湯]　胃虛嘔吐

人參　白朮　茯苓　陳皮　半夏　甘草　木香　砂仁

外貼膏方（附製膏法）

[太乙膏]　治一切癰疽不論已潰未潰

麻油　桐油各一斤　血餘一兩

先將麻油入鍋煎數沸再入桐油血餘烊代下淨飛黃丹十二兩以柳木棍不住手攪之文火收膏置冷水內以減其熱度磁器收貯隔水燉烊攤貼

[硇砂膏]　治一切癰疽未成者消已成者潰已潰者斂而消散之力獨富

麻油十斤　槐杏桑柳桃嫩枝各三尺　浸三日再入後藥生山梔六百個　童子髮四個洗淨

煎枯去渣入飛黃丹一百兩收成膏候微溫入後列細料　沉香　兒茶各二兩　血竭三兩　梅片五錢　琥珀一兩

象皮一兩微炒　硇砂四兩　麝香五錢共研極細和透候膏微温不注手攪勻隔水炖烊攤貼疔瘡忌用

[大紅膏] 治一切癰疽未潰已潰均宜暑癤尤驗

萆蔴肉五兩　松香十兩研細　杏仁霜二兩　銀硃二兩飛　廣丹二兩飛　掃盆兩飛　茶油二兩

先將草蔴肉打爛松香杏仁緩緩加入打勻再緩緩入銀硃廣丹掃盆打極透再緩緩入茶油搗透成膏隔水炖烊攤貼

[玉紅膏] 治一切癰疽潰爛惡腐不去新肉不生

當歸二兩　白芷五錢　甘草一兩二錢　紫草二錢　用麻油一斤入藥浸三日熬枯去渣下白占二兩烊化再入

血渴掃盆輕粉各四錢攪透磁器貯搽瘡口外蓋薄貼

圍敷方

[金黃散] 治癰疽發背疔毒濕痰流毒大頭時腫漆瘡火丹風熱天泡赤腫乾濕脚氣等症

南星　陳皮　蒼朮各二斤　黃柏　姜黃各五斤　甘草二斤　白芷五斤　花粉十斤　川朴二斤　大黃五斤

晒乾研細篩過貯磁罐用時菊花露和蜜糖調敷

[金箍散] 治癰疽基部散漫不收束者

五倍子焙四兩　川草烏各二兩　天南星　生半夏　川柏各二兩　白芷四兩　甘草二兩　狼毒二兩　陳小

粉一斤各研細末未成者茶露蜜調將潰者醋調已潰者麻油調敷

[冲和散] 治癰疽發背陰陽不和冷熱瘀凝能行氣疎風活血定痛散瘀消腫

紫荊皮五兩　獨活三兩　白芷三兩　赤芍二兩　石菖蒲一兩五錢　晒乾研末葱酒搗汁調敷

[回陽玉龍散] 治癰疽陰瘡不焮痛不高腫一切皮色不變漫腫無頭鶴膝等症

軍薑炒三兩　肉桂五錢　赤芍炒三兩　南星一兩　草烏炒三兩　白芷一兩研細末熱酒調敷

摻布方

〔九黃丹〕 提毒拔膿去瘀化腐
乳沒各二錢　川貝　雄黃各二錢　升丹三錢　辰砂三錢　月石二錢　梅片三分　石膏煆六錢研極細末摻瘡口上蓋薄貼

〔海浮散〕 去瘀定痛生肌收口
乳香　沒藥各等分　研極細摻瘡口上貼膏藥

〔桃花散〕 提膿生肌
石膏二兩　輕粉一兩　桃丹五錢　冰片五分研極細摻瘡口貼膏藥

〔八寶生肌丹〕 腐肉已脫生肌收口
石膏煆一兩　輕粉一兩　黃丹三錢　龍骨三錢　血竭三錢　赤石脂一兩　乳沒各三錢研極細摻患上貼膏藥

感冒病之原因及治療

楊國昶

經云。千般疢難。不越三條。蓋示我人對於身體發生疾病之原因。分內因外因不內外因三則是也。而西醫祇分誘因與素因二種。誘因即謂外因之作用而發生者。如空氣日光土地飲食等。雖為人類所必需。若其性質分量有變化時。則害及生活之機能。而為誘起疾病之原因也。然外界最足釀為病因者。莫如么微機體。（即細菌）其蔓延無處不到。實為一種傳染病之原素。素因即為內因係身體具有一種特異性。致外因易以侵襲。或起於胎生原始。因生殖素之變性。或諸臟器之構造特異與生後各種原因發生變化而得罹之。故二則有軒輊輕重之判。然感冒一症屬之誘因。而其學說紛紜。莫衷一是。證諸載籍。均視為疾病之一種。致後起諸家。漸有非難。而其研究之結果。亦未有達乎堂奧也。茲就在校所知。略記於下。

寒冷之作用。　此以感冒為因寒冷作用於身體而發生疾病。言之。吾人於短期間內受強度寒冷之刺戟。或受長期間之弱度寒冷刺戟。皆能得以誘發是病。因受寒冷之作用。而致全身惡寒或冷卻者。為發本病要件。然僅局部受寒冷之刺戟。亦能惹起同樣之感冒。則又不可不知也。里希氏嘗行試驗。以每秒0.15^{cm}至1.46^{cm}速度之常溫氣流。以手當之。溫度漸致消失。而覺冷感。但此不感氣流。依此試驗。雖以猛烈之風。可因身體之發生抵抗。而不致感冒。若輕微之風。則反易起感冒也。以此足證局部之寒冷作用。為感冒之原因。據上所說。感冒問題因可了解。而溫中樞神經亦有關係在焉。凡溫血動物能得維持平均體溫之能力者。全賴體中之中樞神經系逞其媒介作用。溫調節中樞神經。在於頸髓。能調全身之溫度也。而中醫之學說。為命火之蒸騰而得體溫。然命火即命門。為足少陰腎。居於脊十四椎下。其形如豆。左右各一。中有油膜一條。是為腎系。貫於脊中。以通髓道。為人身生氣之根本。故命火衰微之人。必呈有畏寒瑟縮手足寒冷之證。此即溫度調節中樞之衰弱故也。然命火衰微。易於惹起感冒。以陽氣不得衛外而固表。溫調節中樞衰弱。而溫發生溫排捨之力量減低。不能與外界之溫熱。及寒冷作抵抗。亦易於惹起感冒也。此中西之學說各殊。而實一貫也。Eflinjer 氏嘗將溫血動物之髓頸割斷。而試驗其體溫及其代謝之點。則與變溫動物無異。又再置於外溫15,16.度之間。則其體仍無溫冷之感覺。若非不起其調節機能。仍不能謂其冷變動物也。由此足證人之溫調節中樞在於髓頸下也奚何疑哉。

刺戟之反應。 當隆冬寒冰地裂之際。受嚴寒之刺戟。罔不手足瑟縮。肌膚隆起。現如粟粒之散布。此等粟粒。乃卽皮膚血管收縮所致。血管收縮。卽爲體內一種調節機能之本能。其血管內液向內還流。以防體溫之放散。蓋自皮膚壓排之血液達於深層。則其壓血及行增高各部之臟腑器管皆起同樣變化。凡身體表面均有自動之血管系。送其血液至於深層。以遂其調節之能事。且筋肉與皮脂肪均爲溫熱之不良導體。實足以保護體溫。有大造於身體者也。尤可注意者。由外溫減少而起之血管反射運動。其作用擴布身體表面。且疊高舉者。卽其例也。夫寒冷作用於皮膚。反射而起溫中樞之調節。固足以維持康健。然令其長久持續。則陷痲痺。而其結果。遂起全身違和之感冒矣。

發熱之原理 凡溫血動物之體內。均有溫中樞神經負担調節體溫之任務。不論外界寒冷與溫熱。常得保持其體溫攝氏37度。若外氣過熱。則皮膚之血管擴張。增加溫之放散。以防溫熱之氣蓄於體內。若外氣過冷。則皮膚血管收縮。以防溫之散放於體外。今如寒冷作用於皮膚。自皮膚刺戟於溫中樞。由是而分於皮膚之神經。傳達命令。以命其血管收縮。制止溫之放散。然久持不已。或寒冷過劇之際。則其溫度之調節機能。自無效益。蓋溫中樞已陷于痲痺故也。因其痲痺之結果。而致發熱。發熱者。乃各臟器粘膜皮部之充血是也。此種機轉。卽名感冒。葛而倍氏將動物之腹部冷却三十分鐘後。而剖檢之。則皮膚貧血。筋肉充血。又休來氏置冰於溫動物之腹部。乃剖驗其頭顱。知其腦膜血管擴張。羅司敗氏報告。將動物加以冰冷。然後剖腹試驗。爲氣管粘膜初呈貧血後爲充血。吾國赤眼北地有脚傷風之說。蓋因下部受寒之刺戟。則頭部之血管擴張。而呈其頭痛眼赤也。故多以衣被加於下。使取下體血壓加高。眼赤得愈。亦有過食生冷。而致全身發熱之症。(此症小兒多患)蓋卽寒冷作用。能使皮膚貧血。充血內部亦充血貧血也。

細菌性感冒。 自十九世紀以還。細菌學之進步甚速。多數求感冒以細菌爲原理。迭次試驗。亦有發明。或謂爲球菌。或異形之殊特菌。或謂加答兒性球菌與腐敗菌之作用。以使血行循環發生障礙之結果。亦有其他病原菌之結果。而吾人所稱是普通感冒。確與細菌性感冒不同。細菌性感冒。由係細菌而起。卽流行性感冒。常流行城市或大區域內。如白喉痲疹猩紅熱赤痢等。爲一種傳染病。多人嘗於流行性感冒之流行時。恐其傳染恆杜門不出。爲避疫之一法。卽其例也。顧普通感冒無傳染之說。且其全身症狀。強弱亦有霄壤之別。普通感冒無劇烈之症狀。而流行性感冒有朝患而夕死者之強烈症也。

感冒之部位。　如上所述感冒之原因由身體一部受寒冷之刺戟而起。最爲顯著之事。然其受寒之部分。亦有易惹難誘之說。乃以後頸部受寒易惹感冒。膝臂受冷易誘感冒。要之無論何部。常受寒之刺戟。以養成其耐寒習慣。則雖遇寒冷不易感冒。

炎症進行症狀。　炎症進行第一先侵咽喉而爲喉頭加答兒。次侵扁桃腺炎。再侵氣枝管及肺而成氣枝管加答兒與加答兒性肺炎。或進爲肋膜炎。循次以進。毫不紊亂。然在小兒起加答兒性肺炎（卽吾國所謂肺風痰喘）在大人因不易起毛細氣枝管炎而加答兒性肺炎尤少。然若在流行性感冒之時。大人亦能起加答兒性肺炎也。

感冒之症狀　感冒之症狀。惡寒或冷却。或體溫高升。頭重頭痛。噴涕。嗅覺鈍滯。鼻塞。咳嗽。全體骨節疼痛（風痛）因致全身違和。老人則腰部疼痛。食慾不振。更進而成種種之現象。茲將感冒之最著者。及其治療如下。

1　急性鼻加答兒（中醫名傷風症）又說鼻感冒。大抵忽然而起。往往惡寒。伴以輕度之發熱。前頭部疼痛。感鼻腔狹窄與焮灼。因鼻腔之閉塞。以口代營呼吸。斯時言語帶有鼻聲。其他噴涕嚏頻繁。分泌旺盛。而鼻汁分泌爲最著。其初分泌少量之液。帶粘液。至後而水樣鼻汁。尙有變爲膿樣者。同時鼻內粘液膜亦發赤腫。甚且上唇皮膚發生濕疹。易於發生丹毒。急性鼻加答兒早施適當之治療。卽能全愈。若怠於治療。或不攝生。則病變成慢。不但不易於治療。且發生種種之障害。故宜早施適當治療爲要。

處方　荆芥　防風　大力　蘇葉　杏仁　陳皮　生姜

作用　考發熱因受寒冷刺激後。外皮膚充血。因充血而致鼻腔粘膜發炎。而覺鼻塞。又因交感神經之傳達。而發頭痛。惡寒。因身體發熱而呈其反感等症也。荆芥防風蘇葉對身體上能減退組織之氧化機能。阻止體溫之加高。卽退熱消炎。陳皮生姜能奮與全身之血行循環。又可止血管發酵。使分泌力加增。故可消鼻膜炎而退熱也。大力杏仁。刺激神經達於麻木頭痛可愈。亦能抑止氧化機能而袪熱也。

2　急性喉頭加答兒。（乳蛾）發生聲音之變鈍濁與粗糙。或聲嘶失音。喉部乾燥灼熱。咽物發生疼痛。咳嗽與咳痰頻作。爲患者最感苦痛而全身狀態。如急性傳染病。惡寒發熱頭痛。強度之體倦。或有體溫無甚變化者。僅有輕度之全身違和。按之喉頭。則發疼痛。恰如喉頭結核。然有喉頭粘膜出血或痰中帶血絲與血點血塊。或有結核甚爲重大。若不經醫生辯別。加以適當之治療。則必陷於慢性。致釀成種種之障害。難以治療。或受結核菌之驅使而成喉頭結核之證。其可忽乎。

處方　桑葉　薄荷　連翹　子芩　大力　杏仁　象貝　竹茹　花粉

作用　因受寒冷作用。致體溫加高。喉頭粘膜發炎。芩連能減退組織之氧化機能。制止體溫。退熱消炎。桑薄能加快血行。使呼吸徐緩。血壓降低。促進汗液分泌。大力杏仁。亦能抑止組織之氧化機能。不使發炎。並刺载大腦神經麻木。致全身知覺減其敏銳。纖而肺神經亦被麻木。欬嗽頭痛得愈。象貝無麻醉性。惟使肺臟分泌力減少。故以爲治咳治痰之作用。竹茹花粉。俱有蛋白澱粉質。能潤咽喉乾燥以消炎。

3　急性氣支管加答兒。(卽中醫肺受寒邪化熱也。)以咳嗽爲主症。初期欬痰少量。帶有粘稠性。而爲透明粘液。所謂生痰是也。本症終期。痰量增多。且不透明。爲膿樣之熟痰。大人無發熱症。小兒呈中等度之體溫。

處方　芥子　萊菔子　半夏　陳皮　杏仁　象貝　蔞仁　生姜

作用　芥子萊菔。具纖微水灰。與揮發性。能使支氣管炎消退。揮發性增進肺臟呼吸機能。使痰涎外出。象貝同杏仁蔞仁。使肺臟之分泌減少。減免其釀痰的機能。以治痰原。半夏陳皮生姜。具揮發性。刺激神經。奮發促進肺臟之呼吸力。使痰易出外。

4　毛細氣支管加答兒。(卽肺風痰喘之輕者。)此症發於小兒老人爲多。咳嗽頻發。呼吸困難。尤以小兒爲甚。其胸部呼吸時陷沒。體溫加高。脈搏亦數。宜早以施治。否則易于由其毛細氣支管移行深入而爲氣支管炎及肺炎。以致一發而不可收拾之危症。此實不可玩忽者也。

處方　麻黃　細辛　杏仁　蘇子　旋覆　陳皮　半夏　桔梗

作用　麻黃細辛。能收縮外表之微血管。增加汗腺分泌力。并能刺激氣支管炎。使其鬆解。餘藥均具有揮發油。能促進肺臟之呼吸機能。使呼吸不致發生困難。而得通暢。半夏杏仁。能刺激神經。達於麻醉。使咳止喘平也。

中風論

楊懷珍

世之論中風者。每以中府在表。中藏在裏。中血脈在半表半裏立說。或專主痰。或專主火。或專主氣。紛紛議論。各主一說。雖皆有至理。然總未能闡發現代學理。惟近世魯人張伯龍氏。據素問調經論血之與氣。并走於上。則爲大厥。厥則暴死。氣復反則生。不反則死一節。參用血冲腦經之說。謂腦有神經。分佈全體。以主宰一身之知覺運動。凡猝倒昏厥。痰氣上壅之中風。皆由肝火上亢。化風煽動。激其氣血。并走於上。直冲犯腦。震擾神經。而爲昏不識人。喎斜傾跌。肢體不遂。語言不清。諸症皆腦神經失其功用之故。寥寥數語。既能申明素問氣血并走於上之眞義。復能闡發血冲腦經之原因。新發明之學理。仍與舊說符合。余今宗其說而詳論之。夫中風一症。現代醫學上謂之腦溢血。蓋因腦血管之破裂。血液外溢。壓迫其附近之腦部神經。而發生之症狀也。此症多由於突發。故又稱猝倒。或猝中。其溢出血管外之血液。如壓迫其關係生命之重要部份。即血管運動中樞神經。及呼吸中樞神經。則引起痲痺。而停止心臟之運動及肺部之呼吸。竟爲致死之原因。或出血較少。其被壓迫部分與生命無大關係者。則被壓迫腦部所轄之神經系受其影響。而至痲痺。以成口眼喎斜。或半身不遂。其腦血管破裂之原因有二。即血管硬化與血壓亢進是也。茲將血管硬化與血壓亢進。分論於後。

（一）血管硬化。蓋吾人頭腦中。有多數之大小血管。內有血液。循環不息。血爲生命之根源。故其血液之盛衰。血管之硬軟。與血壓之高低。實爲計量吾人壽命長短之尺度。腦血管破裂之原因。爲血管之病的變化所誘起。此可分爲毛細血管瘤與血管硬化症二種論之。

（甲）毛細血管瘤。爲腦溢血之直接原因。據德醫沙考 Charcot 普沙 Bouchara 兩醫生之報告云。解剖腦溢血死亡者屍體後。發見毛細血管瘤破裂之狀態者。有百分之九十。按毛細血管間有缺少彈力性之脆弱部分。不能抵抗血液循環之壓力。而使管壁擴張。現出隆起之狀態。名曰毛細血管瘤。若血壓突然亢進。則該瘤容易破裂。遂至而爲中風。

（乙）血管硬化症云者。血管因種種原因。失其生理的彈力。及潤澤性。而致硬化脆弱之謂。凡人之血管。譬如橡皮管。常久使用。則其彈力必自減少。且人之血液。常循環流通於血管。故血液中新陳代謝之殘存物。自然沉着於血管內部。使減少其潤澤性而變硬。例如多年使用之自來水管內。必有渣滓附着于管壁。然血氣旺盛之人。自有完全吸收與排泄新陳代謝物之機能。故能保全血管之健全與潤澤性。及至老衰。則新陳代謝之機能。日見衰弱。代謝之殘存物。復隨時增加。沉着於血管內部。終變爲硬質。蓋四十多以上之人。其身體之各部機能漸次衰弱。則血管自然硬化。察其原因。則或有因腎臟病。及糖尿症。以障碍排泄之作用。增加代謝之殘滓而起者。或有嗜好飲酒。以致脂肪質過多。或因鈣質代謝機能之障碍。鈣質沈着於血管壁。以起血管硬化症。按酒之爲物。一入體內。易與別種脂肪酸結合。變成脂肪質。自然沈着。硬化血管。飲酒家之易於中風者。職是故也。

（二）血壓亢進。腦血管雖有上述諸病的變化。但如無破裂之動機。則決不致起腦溢血。其破裂之動機。則爲血壓亢進。蓋血壓者。因血液之循環力。與血管壁互相磨擦。以發生之力也。健康人之血壓。以水銀血壓計檢之。則最小爲八十米里米達。最大至一百二十米里米達。所謂最小血壓者。因心臟擴張。而血液流入於心臟之壓力也。所云最大血壓者。卽由心臟收縮。而血液自心臟流向血管之壓力也。測定血壓。概以最大血壓爲標準。且血管收縮之時。其橫斷面狹小。其通過血液。則不得不與血管壁而互相磨擦。故血壓力亦隨之亢進。而血壓亢進的原故。由於血管狹小而發生。其原因有三（一）由心理的作用。如驚愕恐怖忿怒喜悅等突發。則皮膚血管忽然縮小。而血壓乃爲亢進。故中風多起於突然興奮。如震驚奮怒。以及意外狂悅。遽用暴力等時。惹起中風者也。（二）外部的刺激。如冷水浴電氣刺激等物理的刺激。與服用麻痺血管運動神經之藥物等。皆爲緊縮血管而亢進血壓之原因。（三）病理的作用。如因血管變硬。彈力缺乏。血管狹窄等。而起磨擦。遂爲亢進血壓。又或因全身病。而血行循環有障碍者。或患慢性腎炎。慢性便閉。以及發汗排尿排便機關有所障碍者。皆爲血壓亢進之原因。所以血管硬化與血壓亢進。爲中風之重要主因。凡具此兩種病因者。則無論男女。皆爲中風之的症。李東垣云。凡人年過五旬而氣衰之時。多患中風。蓋年由四十歲以至六七十歲。其血管硬化。乃爲自然之傾向。况當此物質文明之際。生存競爭之劇烈。日甚一日。多受外界之刺激。致使神經衰弱。而血壓之亢進。因之益甚。所以現代之人。多罹中風症也。但是血管硬化症。須血壓亢進。而血液循環有障碍。遂能引起各種神經障碍症狀。如頭痛。頭暈。頭重。耳鳴。眼在。失眠。記憶力減退。胸下心臟部時有壓迫的感覺。四肢厥冷。心悸怔忡。感情銳敏。易於興奮。手指顫動。種種狀態。皆爲中風病發生之先覺症狀。同時又爲血壓亢進之自覺症狀。抑有說專。中風症由于父母遺傳而來者頗居多數。此所謂遺傳性者。並非遺傳其疾患。乃遺傳其素因于體質之謂也。劉河間說。肥人多中風。蓋肥則腠理緻密而多鬱滯。『血管硬化』氣血難以流通。『血壓亢進』中風之症所由來也。夫胖肥體質。頭大頸短。胸闊腹大之人。往往有血管硬化及血壓亢進之症。故易成腦溢血中風者也。此外如頸長身細。手足瘦瘠。頭髮早禿。此等人每多血管硬化症。而竟起中風。所以血壓過高者。卽有中風之虞。蓋血壓高則血管易于破裂。而成腦溢血。如其所溢出之血量老。而僅壓迫其一部分之神經。則起麻痺而已。倘溢出之血較多。則必起突然昏倒人事不省之中風症。犯此者。結果概不良。卽僥倖苟活。亦難免半身不遂之殘廢人矣。嗟呼。成中風者。由于腦溢血。而腦溢血之所由起者。由于血管硬化及血壓進之故。所以治療中風之方法。惟有降血平腦。俾亢進之血壓降低。而腦血管可以不至破裂。則腦神經之功用得以復其常矣。然乎否乎。希冀高明指教。

體溫在國醫學上之鳥瞰

黎年祉

引言

體溫之變化。不論古今醫家。莫不重視。蓋不僅以體溫之變化。足爲診斷之助。抑于疾病之豫後。亦有莫大之指示也。第古今醫家。因其所操之工具——哲學的與科學的。經驗的與實驗的——不同。故其致力之結果。當然不能一致。而各有畸形之發展。所謂『西醫長于解剖國醫長于氣化』一語。在今日似已成陳腐之談。無一顧價值。然審諦事實。未可全棄也。試平心思之。國醫研究生理解剖之典籍。靈樞以下。除王淸任外。復有何人。外此諸子。蓋莫不大談其氣化者也。坐是原因。故古人對于體溫致力之結果。除反復詳其脈因證治外。初不明其眞際若何。今人雖已闡明其一小部。而大部仍屬糢糊。實爲當前一大憾事。余認爲醫家研究之對象。不論古今。除少數疾病。時代人種地方而不同外。殆爲一律。則古今醫家之理論。縱不相牟。而治病事實。初無二致。有其事必有其理。其事相同。其理亦必相同。是必有可以互通者在也。本篇主旨。除以事實證明前說外。旁及關于體溫之外候診斷調劑爲理豫後……等。作一搜集與整理。以覓得一概念。惟自慚學識兩疎。未敢言是。効力先驅。聊供賢者參考而已。

一 體溫之今昔觀

『體溫』一詞。不見于我國醫書。然不得謂古代醫家。竟不知體溫也。惟古人不名之爲體溫。而名之爲衞氣。

靈樞曰。「衞氣者。所以溫分肉而充皮膚。肥腠理而司開闔者也。」(本藏)

亦或名之爲陽及陽氣。

素問曰。「陽受氣于上焦。以溫皮膚分肉之間。」(調經論)

又曰。「陽者衞外而爲固也。」(生氣通天論)

又曰。「陽氣者若天與日。失其所則折壽而不彰。是故陽因而上衞外者……」(同上)

人體溫度。賴有調節中樞。故不論外界氣候冷暖。而能維持其一定不變之溫度。(但亦有一定之限度。過此限度。則調節中樞卽生障礙）今人知之熟矣。古人于此。既無科學工具。供其研究。故無從决其體温常度。究爲若干。雖未能以數字明白指示。然未嘗不知人體有正常之温度也。故

素問曰。「陰平陽祕。精神乃治」。（生氣通天論）

靈樞亦曰。「陰陽和調。而血氣淖澤滑利。」（行鍼篇）

所謂平祕和調。非太過。亦非不及。中庸之道也。得其中庸。斯爲人體之常温。故陰陽失其和調。而有太過與不及之現象。則爲病理的體温。

素問曰。「陽勝則熱。陰勝則寒。」（陰陽應象大論）

又曰「陽虛生外寒。陰虛生內熱。陽盛生外熱。陰盛生內寒。」（調經論）

又曰「人身非常温也。非常熱也。爲之熱而煩滿者何也。陰氣少而陽氣勝也。人身非衣寒也。中非有寒氣也。寒從中生者何。陽氣少。陰氣多。故身寒如從水中出。」（逆調論）

總之。陽勝于陰則身熱。陰勝于陽則身寒。陰陽和調則身和。此古人對于體温升降之一般見解也。今日所知體温升降之原因甚雜。故以陰陽二字包括之。亦復滋惑。吾人一日間之常温。自上午七八時起。逐漸上昇。至晚間七八時。乃逐漸下降。故下午五時至八時之間。爲體温最高之時。上午二時至六時之間。爲最低之時。于此古人亦有相當之了解。

靈樞曰。「陽氣者。一日而主外。平旦而陽氣生。日中而陽氣隆。日西而陽氣虛。」（生氣通天論）

非所謂生理的體温變化乎。然不無少誤。又人既不能離自然界而生存。故體温爲適應環境起見。乃不得不有調節機能以應付之。

素問曰。「天温日明。則人血淖液而衛氣浮。天寒日陰。則人血凝泣而衛氣沉。」（八正神明論）

非今所謂氣候熱則體温加緊放散。而集表。氣候寒則體温減少放散。而集裏乎。體温之來源。有屬于生理者。有屬于病理者。屬于生理者。歸納之不外。

1.體內酸化作用。

2.肌肉之運動血液淋巴之循環等而起之磨擦作用。

3.温熱食物之輸入體內。

此三來源古人雖未能深悉但已知其總因。

靈樞曰「人受氣于穀穀入于胃以傳于肺五藏六府皆以受氣。其清者爲榮其濁者爲衛榮在脉中衛在脈外」（榮衛生會）

其屬于病理者歸納之關于體温亢進之部由：

1.放温之不足。

2.生温之亢進。

3.生温超過放温。

關于體温不足之部則由：

1.放温之亢進。

2.生温之不足。

3.放温超過生温。

至其何以使放温生温不能平衡則由：

1.血中毒素之刺激生温與調節中樞使之興奮或麻痺。

2.寒冷温熱之刺戟。

3.心力之不足。

于此亦有可徵信者。

素問曰「寒則腠理閉氣不行」（舉痛論）

又曰。「上焦不通利則皮膚緻密腠理閉塞玄府不通衞氣不得泄越則外熱。」（調經論）

又曰。「今風寒客于人使人毫毛畢直皮膚閉而爲熱……」而續之曰「當是之時可汗而發也。」（玉機眞藏論）

又曰。「體若燔炭汗出而散。」（生氣通天論）

此與放温不足及風寒刺激之條合也

素問曰。「陽勝則身熱。」（陰陽應象大論）

又曰。「陽盛生外熱。」（調經論）

此與生温亢進之條合也。

又曰。「有病温者汗出輒復熱……不爲汗衰。」（評熱病論）

此與生温超過放温及温熱刺激之條合也。

靈樞曰。「虛邪之中人也始于皮膚皮膚緩則腠理開。腠理開則邪從毛髮入。毛髮入毛髮立毛髮立則淅然。」（百病始生）

此與放温亢進之條合也

素問曰。「陽虛生外寒。」（調經論）

傷寒論曰。「無熱惡寒者。發于陰也。」

此與造温不足之條合也

又曰。「太陽病發汗遂漏不止。其人惡風……」

此與放温超過造温之條合也。至葉天士之熱入榮分。邪陷心包。最合于血毒素之說。仲景少陰病之脈微細。惡寒欲寐。最合于心力不足之說。則又頗爲顯明。無待詞費者也。高熱持久之後。今說謂蛋白質消耗過多。故日瘠而致命。古人雖不知蛋白質爲何事。而于致死原因與患者狀態。則固觀察甚明。

素問曰。「其寒也則衰飲食。其熱也則消肌肉。」（風論）

又曰。「二陽之病發心脾。有不得隱曲。女子不月。其傳爲風消。」（陰陽別論）

蓋前者指急性熱病而言。後者則指虛勞而言也。

二 體變動之外候

西法有體溫計。故不必瑣瑣分析其外候。即可得其體溫之升降如何。國醫既乏此種工具。欲作簡易之診斷。不得不借重外候。而詳加分辨。以爲診療之根據。故體溫變化之外候。國醫研究。獨爲詳盡。在治療上。亦佔重要地位。蓋亦事理使然也。茲列表于左。以便省覽。

全身症候	局所症候	自覺症候	他覺症候	兩覺症候
發熱	肢清	惡熱	發熱	惡寒發熱
潮熱	肢厥	惡寒	潮熱	惡風發熱
惡熱	肢熱	惡風	肢清	惡熱發熱
惡寒	背惡寒	戰慄	肢厥	寒熱往來
惡風	五心煩熱	背惡寒	肢熱	寒熱如瘧
戰慄	上熱下寒	五心煩熱	上熱下寒	熱厥來復
惡寒發熱	上寒下熱		上寒下熱	肢厥惡寒
惡風發熱				外寒內熱
惡熱發熱				外熱內寒
寒熱往來				晝熱夜安
寒熱如虐				晝安夜熱

肢厥惡寒				晝夜俱熱
熱厥來復				骨蒸勞熱
外寒內熱				
外熱內寒				
晝熱夜安				
晝安夜熱				
晝夜俱熱				
骨蒸勞熱				

除右所歸納外。有不可不知者。卽熱之時間性也。熱之程度也。熱之經過也。熱之眞假也。所謂時間性者。晝夜。早暮。間歇。連續。初中末之別。程度者。微熱。發熱。壯熱之異。經過者。以往之變狀。眞假者。症狀之底面。俱有關于診療不可不細加辨析。

三　體溫變化與各種症候之連帶關係

各種症候云者。乃指直接間接能致體温之升騰與降落。或體温之升騰與降落。常伴有此種症候之並發者而言。分別歸納之。諸證候有限制體温之放散。或亢進其發生者爲一類。有促進體温之放散。或減弱其發生者爲一類。因體温之升騰。而牽動其他生理常態者爲一類。因體温之降落。而牽動其他生理常態者爲一類。

1. 無汗。汗少。便祕。便難。溲閉。溲少——以上諸候。不僅妨碍體温之放散。而爲體温亢進之一因。抑亦妨碍毒素之排除。而造成體內毒素擾亂體温之機會。故見上述症狀時。體温之眞際。恆爲亢進。而惡寒惡風等證。皆體温亢進之徵。非體温不足之象也。換言之。體温升騰之患者。對于以上諸症。絕對不利。必須設法加以糾正。使其證候。轉爲與上述相反地位。俾加多放散。以調劑之。卽爲適當之治。但體温不足之患者。經治後而顯以上症候時。爲藥物之効力已達。不能者此同日語也。

2. 汗多。便泄。尿利——以上諸候。俱能放散大量之體温。而尤以前二者爲甚。故仲景有汗下亡陽之喻。凡見上述證候時。體温恆爲不足。此時速加糾正。使上述證候。處于相反地位。以限制其放散。卽爲適當處置。但體温亢進之患者。施治後而見上述證狀時。爲藥物正在發揮其作用。絕不能謂爲不當。有因生温十分亢進。雖見上述證候。亦不見退。此時只須降低其體温。不必限制或加多其放散。

3. 口渴。煩躁。懊憹。譫語。發狂。暈厥——以上症候。大抵因體温升騰而伴發。此等症候之消長。卽一永不變壞之體温計也。反之。由體温之升降亦可推知諸症之加重抑減輕。

4. 不渴。鄭聲。踡臥。嗜眠。脫厥——此等證候。大抵因體温降落而伴發。諸症之消長。卽體温升降之標誌也。反之。由體温之升降。亦可推知此等症候之劇否。

四 體溫變動與診斷

診斷體溫之變動。除證候已述于前外。尙有脈搏與舌苔。雖不能單就脈舌上診察。卽可知其體溫變化之狀態。但欲下確切之診斷與治療。則亦不能舍脈舌於事外也。此種診斷技術。國醫確有特殊之長處。蓋國醫于此。用功獨多。不若西醫之目爲不足道。不屑研究。正如西醫對于細菌學下功獨精。而國醫夢夢也。仲景曰。「凡脈浮大滑動數。此名陽也。」凡見此等脈象時。其體溫大抵高于常度。又曰。「脈沉弱濇弦微遲。此名陰也。」凡見此等脈象時。其體溫大抵低于常度。此爲診脈之大綱。但亦不能拘執。蓋體溫升騰。全身機能旺盛。心藏之活動亦加速。與體溫下降。全身機能減退。心藏之搏動亦減弱。乃事理之常。亦有心藏搏動之遲速。與體溫之升降。適成背馳之局者。此爲心藏不勝高熱與底温之壓迫而呈虛弱之候也。熱病中閉脫二症之脈象近之。診脈之道。目不僅注意其至數而已。而尤重在有力無力。故陽明病之脉遲。決不能認爲心藏衰弱。少陰病之脈遲。亦決不能謂爲心藏健全。同一遲也。一則遲而有力。知其心力尙健。一則遲而無力。知其心力已衰。腦膜炎之脈遲而體溫反高。亦屬此例。故以脉搏定體溫之升降。有時亦不可能。

至如舌診。亦不能爲診斷體溫之鐵證。惟熱之經久與否。傷津與否可以。一目卽知。蓋熱未經久。必不傷津。熱旣傷津。舌質必絳。葉天士曰。「初傳絳色中醫黃白色。此氣分之邪未盡也。」質言之。有一分之苔。即有一分之邪。苔未淨。決不可純投傷津之治。故以舌診定調劑體溫之藥物。適用與否。誠不可少。總之苔之厚薄。可決邪之輕重。質之潤燥。可決津之虧裕。玆列脈舌表以明其普通變化。

體溫與脈搏

症候	脈搏	體溫	
惡寒發熱	浮緊	上昇	
惡風發熱	浮緩數	上昇	
惡熱發熱	洪大數	上昇	
寒熱往來 寒熱如虐	弦數	上昇	
肢厥惡寒	沉細遲	下降	
熱厥來復	弦數沉伏	上昇 下降	
骨蒸勞熱	細數	上昇	

體溫與舌診

舌診	常見體溫變化外候	療法	
薄白	惡寒發熱 惡風發熱	發汗	
白膩	惡寒發熱	發汗	
積粉	戰慄發熱 惡寒發熱	發汗	

黃膩	發熱惡風　漸熱　發熱惡熱	發汗　潮熱	
薄黃	發熱惡風　寒熱如虐 發熱惡熱　寒熱往來	發汗　清熱 和解	
焦黑	漸熱　發熱惡熱	清熱	
淡白	肢厥惡寒	扶陽	
深紅	骨蒸勞熱	養陰	
乾絳	潮熱　骨蒸勞熱	養陰	

五　體溫變動與豫後

體溫急遽上升——熱病初起俱現此象。若其各個疾病特有證狀未顯。故無從斷定其爲何病。而豫後亦頗難決定。觀後列諸病初起之體溫變化。即可明瞭。

1 傷寒——發熱惡寒
2 赤痢——發熱惡寒
3 脚氣——惡寒發熱
4 痲疹——惡寒發熱
5 諸癰——惡寒發熱
6 痙病——惡寒發熱
7 勞倦——惡寒發熱
8 中風——發熱惡風
9 感冒——惡風發熱

10風溫——發熱微惡風寒
11風濕——發熱惡風寒
12破傷風——發熱惡風寒
13白喉——惡寒發熱或但熱不寒
14喉痧——戰慄發熱
15丹毒——寒戰發熱
16天痘——戰慄發熱
17鼠疫——戰慄壯熱
18瘟疫——惡寒壯熱
19中暑——壯熱
20溫病——發熱不惡風寒
21濕溫——微惡寒午後身熱
22瘧疾——寒熱間歇

熱病初起之體溫變化。在仲景名之爲太陽病。在天士名之爲病在上焦。其傳變如何。此時俱未有定局。吾人細析傷寒論與外感濕熱篇。觀其傳變後病情已複雜。可知其開端所言。實爲多種急性熱病之通有症狀。未可據以定其豫後也。但依溫度升騰之微甚。大約可知其病情之善惡。熱低者。病亦輕。熱高者。病亦重。在熱病經過中。體溫之感受性甚敏。些微之感動。即能使體溫急遽上昇。如勞復。食復。重感是也。此種體溫升騰。與前者相較。大抵豫後比較不良。因此體力已虧。非初病可比。但所感有輕重。亦不能一例看也。又體溫一時異常升騰。則往往致發暈厥。如中暑是也。若無適當之處置。則豫後不良。

體溫急遽下降——有由高熱下降者。有由平溫下降者。前者多見于熱病。後者多見于失血及吐瀉。其豫後各異。又不可不注意者。高熱時之感受性較平溫為過敏。故往往絕不能使平溫起變化之原因。常能使高溫起劇烈之變化。玆分述于次。

亡陽　據體溫放散比率。以體表放射傳導與發汗為最多。故仲景屢有過汗亡陽之喻。熱病已達分利期。復用發汗劑時。則每有此險。故熱病後期在國醫治療學上。絕無應用汗劑之事。夫豈偶然。因汗而致亡陽者。輕則漏汗惡風。（桂枝加附子湯證）重則汗出支厥。（眞武湯證）亦有因吐瀉過度。體溫驟落。脈微支厥。（四逆湯證）依法救之。厥回者生。厥不回者死。

虛脫　此與亡陽實無大別。惟此為尤重耳。不論何因而致體溫驟降。及至末期。必現虛脫之象。虛脫者。四支厥逆。脈微汗出。神昏少氣也。至此時期。豫後頗為惡劣。依法治之。（四逆加人參湯或參附湯）脈有起象。而支暖汗回者生。若脈暴出者死。

戰汗　係分利時之一種外候。每有就此虛脫者。葉天士論其豫後甚詳。其言曰「若其邪始終在氣分流連者。可冀其戰汗透邪。……解後胃氣空虛。當膚冷一晝夜。待氣還自溫暖如常矣。蓋戰汗而解。邪退正虛。陽從汗泄。故漸膚冷。未必即成脫證。此時宜令病者安舒靜臥。以養陽氣來復。……但診其脈若虛損和緩。雖倦臥不語。汗出膚冷。亦非脫證。若脈急疾。躁擾不臥。膚冷汗出。便為氣脫之證矣。」是同一戰汗。其豫後不同如此。

虐之退熱期　亦係分利現象。汗出熱降。往往甚驟。但此種體溫下降。豫後絕對佳良。

出血　平溫時因外傷或其他原因而失血過多。往往體溫驟落。暈仆支厥。脈搏細微。而入于虛脫狀態。豫後與前虛脫條同。但此次顧血證。不可過用溫劑。若在熱性病經過中。則往往因少量之出血。而使體溫驟落者。傷寒論中已有言之。論曰。「太陽病。脈浮緊。發熱。身無汗。自衄者愈。」又曰。「婦人中風。發熱惡寒。經水適來。得之七八日。熱除脈遲身涼和……」

但亦有體溫不因出血而起變化者。豫後無一定。

高溫持久稽留——高溫稽留過久。大抵有兩種變化。一為中毒。一為傷津。急性熱病。大抵如此。慢性病則多傷津而無中毒症狀。如肺勞。農勞。疳積。瘰癧之類。論豫後則中毒證較易痊愈。或死亡。傷津症不易驟死而難復。又有體溫並不甚高而粘纏不易復常者。如濕溫。虛虐。百合。肺勞等病是也。

體溫變化致死之原因——人體必需若干之溫度。以維持其體內各器官之工作。所謂無陽則陰無以長也。若體溫過度低落。至于不能維持各器官之官能時。則工作停止。心跳呼吸俱絕。以至于死。是爲虛脫之原因。若體溫過度升騰。且復持久。熱雖未能直接致人于死（亦不盡然）而毒素作用于腦。或妨碍心藏之活動。以致神昏不省。脉搏細數無力。所謂熱入心包是也。若僅由熱之關係。體內津液過耗。至不能供給消耗。以維體力時。則光焰亦隨將涸之油以同盡。故肺癆等病之死。頃神志清明而毫無痛苦者亦以此也。

六　規定體溫與藥理

使過高之體溫。降于適度。其直接作用于體溫者。有規整體溫之神經中樞者。有減退組織細胞之酸化作用者。有撲滅發熱所由之有機體內釀酵素者。有抗毒抗菌者。其間接作用于體溫者。有發汗者。有通便者。反之欲使體溫之低落。仍復于適度。則有興奮心藏之機能者。有亢進腦之機能者。有以補血者。若與國醫藥理對照。除發汗與通便可了無疑義外。其餘皆未能盡量說明。故下文所述。皆出于推論。未敢自以爲正也。

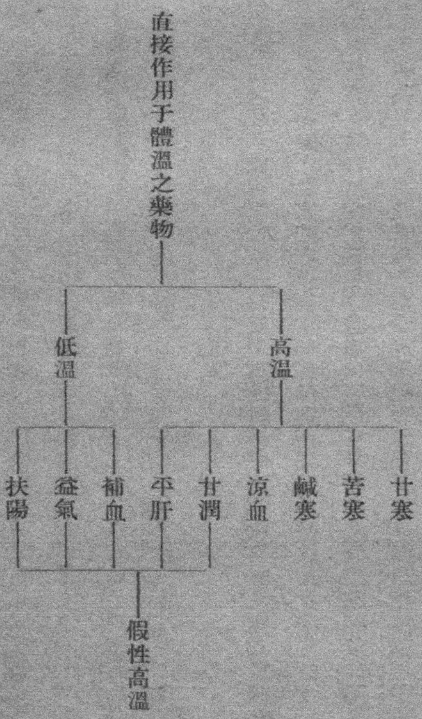

直接作用于體溫之藥物
- 高溫
  - 甘寒
  - 苦寒
  - 鹹寒
  - 涼血
  - 甘潤
  - 平肝
- 低溫
  - 補血
  - 益氣
  - 扶陽

（平肝、甘潤、補血、益氣、扶陽）——假性高溫

涼

間接作用于體溫之藥物
- 高溫
  - 汗——辛溫
  - 熱
  - 下——苦鹹寒
  - 假性高溫
- 低溫——收斂

茲且先述直接作用于高溫之藥理。此類藥物。雖皆爲使過高之體溫。恢復常度。第于適應上。各有其一定不易之規範。而不能互致其用。殆亦藥性未可卽廢之根據也。甘寒苦寒。俱適用于體溫高度升騰。是發熱。惡熱。漸熱等主症。旁證則呈煩躁。口渴。譫狂。脈象洪數等時。若未至惡熱。而有惡寒無汗時。則過量之體溫。尙可從汗放散。苟用甘寒苦寒。俱爲不當。若內見便祕。亦不能單用本劑。因本劑無瀉下力。是藥力不及。不能見功。若脈非洪素。而顯無力細弱。證雖如示所述。亦不可用。用之則正氣不支。此其相同之點也。據此可知本劑必適用于表解以後。裏未結之前。是其體溫之上昇。不在放溫之不足。而在造溫之亢進。故本劑疑有減退組織細胞之酸化。及撲滅發熱所由之有機體內釀酵素等作用。同時必有阻止發汗。妨碍心力之副作用。其相異之點。甘寒有生津之效。苦寒有化燥之機。故因體溫升騰而致傷津時。甘寒爲適宜。但爲抑低高溫。而必須任用苦寒時。當以甘寒諸藥爲伍。決不能獨任苦寒也。鹹寒涼血。俱適用于熱度稽留之后。呈煩熱。夜熱。骨蒸。旁證舌絳。脈象細毒時。若舌不絳。是熱未入榮。用本劑則爲太早。由此可知本劑或有中和抵抗血中毒素之可能。其相異之點。前者多用于慢性熱病之後期。後者多用于急性熱病之後期。甘潤平肝。則功能各殊。甘潤以生津爲主。故適應于高熱持久。津液大傷。呈發熱雖微而不退。旁證口渴舌絳脈數。或大便乾結時。由此可知本劑純爲補充體液之原料。並無如涼血鹹寒諸劑之功能。平肝藥以鎮靜爲主。適用于上熱下寒之症、或有規整體溫調節中樞之可能。

直接作用于低溫之藥物。扶陽之功速。而補氣補血之力緩。故體溫下降之急者。必以扶陽藥見功。而不能以此望之其餘二劑也。扶陽藥適用于體溫下降頗劇。而呈無熱惡寒支厥。旁證苔白不渴。脈沉細遲。踡臥喜眠時。若脈症有熱象時。用之則必狂躁大熱。

甚或吐衄。可知此種體溫下降。純由心身衰弱所致。故脉現沉細遲而支厥。同時本劑必具興奮心臟之功實無疑也。益氣藥適用于因正氣不足。體溫之支配不敷。旁證精神倦急時。或證與外邪正氣無力反寒。而呈劑熱不能發揚。因疑本劑有增加自然療能之效。但此便宜于體溫不足（虛寒）之患者。若久熱傷津。體溫有餘。用本劑則不合。補虛藥適用于血液不足之惡寒。或先血後體溫衰落。而呈發熱惡寒時。疑亦有補血之効也。

間接作用于高溫之藥物。不外促進其放散。從汗散者。辛溫辛熱辛涼。適應各不相同。辛溫辛熱同爲無汗。而辛涼則爲汗少。故前二者重在發汗。而後者非重在汗而實兼有抑低體溫之薄力。故體溫升騰而放散並非不足時。以辛涼藥爲過渡藥。每比前二者爲適宜。辛溫藥之適應症。爲發熱惡寒或發熱戰慄。旁症爲無汗脉浮。辛熱藥之適應證爲發熱惡寒。惡寒甚劇。旁證爲脉沉細遲。由脉而言。一則心力尚強。一則心力衰微。故辛熱藥中。不離前述扶陽藥也。辛涼藥之適應症。爲發熱或惡風。或不惡風。旁證口渴有汗。脉浮數。此時散溫未暢。造溫亦未全盛也。從下散者。惟苦鹹寒藥。其適應證爲熱久不退。同時具可下之證候。則用之以通大便。蓋不僅爲促進其放散。抑亦能排除腸間之細菌根據地。故往往退熱甚速。

間接作用于低溫之藥物。厥惟收斂。故凡因汗多下多而致體溫下降時。乃適用本劑。以限制其放散。但每因提高其効力。計常與扶陽藥合用。

至所謂假性高溫。如甘潤藥症之由于津長。非由于體溫亢進。于肝藥症之熱聚于上而下部仍爲不足。均甚易了。其餘諸藥之適應證。發熱俱屬外幕。同時診其舌脉。必有體溫不足之徵。否則慎勿輕用。但僅用爲副藥時。則河不依此定則。後文當有言及者。

七　調劑體溫之原則

藥性寒溫在調劑體溫上之真諦　今日藥理學上。不承認藥物有寒溫之性。吾在原則上亦服膺其說。若某所謂若藥性有寒溫。則必可以溫度計量之。雖其言出以滑稽之口吻。然醫學何等事。豈兒戲之可比乎。未藥性有寒溫。謂其爲過去之名詞則可。謂其不合于今日之論理亦可。謂其必無此事則不可。假令國醫用藥。舍寒溫之說而妄投之。吾知其殺人無疑。是又何耶。在調劑體溫之藥理上言。其直接抑低體溫者。不外寒性藥物。以其能抑低體溫。而名之曰寒。亦未始不可通。今之所認解熱藥 Antipyretica

清涼藥 Temperantia 非一而二二而一乎。若直接能亢進體溫者。不外溫性之藥物。以其能亢進體溫。而名爲溫。亦未始不可通。今所謂興奮藥 Excitantia 非二五與一十乎。金鷄納能解熱。石膏何常不能解熱。樟腦能強心。附子何常不能強心。不求其眞諦而維名是爭。殆亦别具苦衷者乎。

發熱非必爲體溫升騰。肢厥非必爲體溫下降。體溫之眞際如何。不僅由一二外候可得。蓋發熱固多由體溫升騰。但亦有僅因外表呈假熱而體內溫度實爲不足者。之厥固多由體溫下降。但亦有內部熱極而外現假寒者。故發熱時可用熱藥。而支厥時亦可用涼藥也。

診斷體溫之升降。須顧及全身不能側重局部　此卽說明前條之理由。蓋局部之體溫變化。若由局部而來。在人體無足重輕。爲患亦不致甚劇。如嚴冬之候。手足末梢。每易厥冷。此種由局部受寒而起之局部體溫變化。全體初不因此受影響。若吐瀉無度。四支厥冷。神昏脉微。此種局部體溫變化。乃由全身而來。由全身而影響及于局部。故于人體關係甚爲重大。同爲支厥。而關係輕重如此。亦足以徵夫全身症候之重要矣。

調劑體溫須明病者造放溫狀況　其高者從而越之。其下者引而竭之。此因事制宜之法也。調劑體溫。亦不外此。故必察其造放溫亢進抑不足。從而利導之。則事半而功倍。可汗者汗之。可下者下之。可清者清之。反之。有不可汗者。有不可下者。有不可清者。仲景於此論之綦詳。故不多贅。

調劑體溫須求其原因　上節所言。不過體溫升降之間接原因。若欲謀根本解決。必洗明其原因。西醫之血清療法。眞不愧爲探源之治。然Ommadin尙有存在之價値。則國醫之療法。固亦有同樣之地位也。

應用藥物調劑體溫須知方劑配合之意義　方劑者。有組織之藥羣也。體溫之變化種種不一。故方劑之組織亦種種不一。有取二種以上不同功効之藥物以治療二種以上不同原因之症候者。有副用某藥以拮抗其類藥之副作用者。有副用某藥除去其兼症者。有以二種不同功効之藥物相合而發揮另一種功能者。試舉例以明之。身熱如白虎湯症。而苦膩胸痞。則配以燥濕之蒼朮。名蒼朮白虎湯。一以清熱。一以燥濕。藥性兩不相牟。而各發揮其一種作用。此屬于第一種。身如熱白虎湯證。而脉搏無力示心力不足之象。若獨進白虎湯。心力必益受摧殘。而或至于不支。故配以強心之人參。名人參白虎湯。以防免心臟之衰弱。此屬于第二種。熱如白虎湯症。而微有惡寒。則配以辛溫之桂枝。除去惡寒之感。此屬于第三種。熱浮于上。寒盛于下。投以涼劑。而熱反加劇。且下寒益甚。投以溫劑。則下寒少安。而上熱以盛。俱非全策。此時惟平肝與扶陽合用。則兩者俱安。此屬于第四種。

八　調劑體溫之學說

體溫變化之涉于人身。既如是廣泛。故每一學說之構成。幾無不以體溫爲重要之材料。試舉其犖犖大者如次。但爲便利敍述計。不得不顚倒其次序。

仲景之六經說　在本篇之立場觀之。所謂六經云者。殆卽六種體溫變化。而定六種體溫調劑法也。惟詳細之機變。非參考原書不可。左表僅明其大概爾。

經別	體溫變化	治療方法	方劑舉例
太陽	發熱惡寒 風 寒煩躁	發汗	麻黃湯 桂枝湯 大青甚湯
少陽	寒熱往來	和解	小柴胡湯
陽明	潮熱惡熱 漸熱便祕	清熱 攻下	白虎湯 三承氣湯
太陰	肢淸便瀉	溫中	理中湯
少陰	肢厥惡寒	回陽	四逆湯
厥陰	熱厥來復	寒熱雜治	烏梅丸

東垣之內傷說　內傷者。勞倦傷氣。飲食傷脾也。飲食傷脾者。卽今之急性消化不良。其發熱惡寒。頗似仲景所謂太陽病。但病在此而不在彼。故祗須察其所傷之程度。或消之。或導之而已。東垣曰。「飲食過飽。乃虛中之實。爲其所傷飲食積滯不消。以致心胸

痞悶。仍發寒熱。惡心惡食。須用消導之劑……有宿食不消。日晡熱。氣實者下之。（亦見于金匱）……虛人飲食所傷。及外感暴病新愈之後。皆當用六君子理脾爲主。

此皆就其輕重立法者也。至勞倦傷氣。似純由摧殘其抵抗力所致。其體溫變化。與平人外感不同。一則寒熱俱作而無間。一則寒熱間作而不齊。一則惡寒雖近火不除。一則得暖則解。一則惡風乃不禁一切風寒。一則卻惡門隙中賊風。可知其證象皆種于平人外感。何莫非由正氣不足。不能與外邪作劇烈之抵抗。有以致此耶。東垣用補中益氣湯者。爲一面扶助人體之抵抗力。一面種攻病邪。卑邪去正復。而諸惡向安。虛之粘纏不愈者。服此神驗。豈偶然哉。自註曰「非正發汗。乃陰陽自和。自然汗出也。」亦可見其抵抗力足。則病自退耳。

景岳之扶陽說　古人每以陽字代表體溫。既如前述。故此說亦可謂之從扶助體溫之不足立言。蓋體溫之升降。必與體內各種生活機能成正比。而互爲因果。以此生活機能不足。則體溫亦必不足。生活機能停止。則體溫亦必消失。故扶助體溫。即亢進其生活機能。亢進其生活機能。亦即扶助其體溫。如響斯應。不容絲毫互歧者也。景岳謂陽主生長。陰主末殺。故人生百歲。五藏皆虛。神氣皆去。形骸獨居而終。夫形陰也。神氣陽也。神氣去而形獨存。此正陽常不足之結局也。此可以論正虛之體。而不可概體實病實之輩。蓋其說本針對劉朱肆用寒涼而發。吾人當操知其立說之本意也。

味菊之物質勢力說　本陰陽當平衡之說而作。所謂勢力。其表徵實即體溫。故體溫不足時。主助其勢力。體溫有餘時。主助其物質。蓋亦前賢補陽配陰。補陰配陽之意也。惟祝氏每以補助勢力爲多。謂勢力一足。則自能營吸收曰化作用。故補助勢力。即間接補助物質也。說又同于景岳。而篤信不疑。恐尤過之。

河間之火旺說　火之爲言。不外體溫之過度產生。欲使此過度之體溫。復于常度。從積極方面言。須抑制其產生。從消極方面言。須促進其放散。故防風通聖散一方。汗、下、清、利並行。峻力無匹。蓋深得治實人實症之法者也。

丹溪之陰虛說　「陽常有餘。陰常不足。」此丹溪之主旨也。又曰「火起于妄……煎熬眞陰。陰虛則病。陰絕則死。」宜亟亟于塡陰矣。其體溫變化。大抵午後子前發熱。寐則盜汗。兩頰漸紅而熱。或獨五心煩熱。若伴有咳嗽時。即爲肺勞無疑。肺勞之體溫變化。除靜養外。今尚無妥當療法。故丹溪主大補陰丸六味丸之類。雖得暫挫其勢。而實則終未能制止其升騰。且寒涼敗胃。終非久病所宜。故反對者力主溫補脾胃。實則經驗上亦不相合。愼柔師訓曰。「嘗治虛損。脈和緩而五六至。但欬嗽發熱。……以爲可治。服保元四君之類。十餘劑。咳嗽略可。熱亦微退。至二十劑。咳嗽反盛。熱復如前。」是已。總之。丹溪之法。雖不能令人滿意。但亦無以易之。有之。其惟靜養乎。

天士之榮衞氣血說　榮衞氣血。析之爲四。質言之。衞與氣。榮與血。俱相近。無事細析也。前已言之。凡高熱持久不退。則不但體內水分因蒸發而耗散。即蛋白質之分解。排出體外。亦頗可驚。此水分與蛋白質。國醫謂之津液。熱久而喪先此水分與蛋白質。則謂之熱久傷津。反言傷之熱未持久。水分未蒸發不多。蛋白質之損先亦少。故決無傷津之事。亦決不能用傷津之法。天士洞悉此理。開手即辨明榮衞氣血。而定用藥之時期。初用辛涼。病在表。體溫放散不充分。故取辛以散之。繼用甘寒苦寒。病在裏。體溫雖放散過重而不衰。故取寒以折之。終用滋養陰液。以體溫之不肯復于平溫。乃由津液之不足。故取甘潤以滋之。茲摘其要論于次。曰。「溫邪則熱變最速。未傳心包。邪尚在肺。肺主氣。其合皮毛。故云在表。初用辛涼……」此氣分之治法也。又曰。「若其邪始終在氣分流連者。可冀其戰汗而解……邪盛正虛。不能一戰而解。停一二日再戰。」此明邪在氣分。必須從汗解也。又曰。「初傳絳色中兼黃白色。此氣分之邪未盡。」又曰。「若煩渴煩熱。舌心乾。四邊色紅。中心或黃或白者。此非血分。乃上焦氣熱爍津。」此示氣分榮分之舌診也。又曰。「其熱傳榮。舌色必絳。」又曰。「若舌絳而乾燥者。火邪刼榮。」又曰。「其有舌獨中心絳乾者。此胃熱心榮受灼也。」又曰。「榮分受熱。則血液受刼。心神不安。夜甚無寐。成斑點隱隱。」此示熱入榮分之舌診與外候也。總之。熱病體溫之調劑。未有如葉氏致力之深者。

鞠通之三焦說　本葉氏之肺胃腎而作。並以仲景之學說參補之。可謂已有一番整理工夫。語其發明。則尚未也。

又可之膜原說　膜原究爲何物。今日尚無人作正確之說明。然治法則不可磨滅。其所論疫。非概一切疫病。乃指一般濁濕內阻之候而言。故曰。「感之種者。舌上白苔亦薄。熱亦不甚。感之重者。舌上苔如積粉。滿布無隙。」其體溫變化。先增寒而後發熱。嗣後則但熱而不惡寒。在例。不惡寒。無專于汗散之理。以無散溫不足之現象也。苔不黃。無直折之理。以不示有造溫過度之舌診也。達原飲用朴菓、常山以化其濁。而以知芩限制其高溫。蓋得乎濕蕴而體溫復高之治者。

生白之濕熱說　見熱卽表。表之不已。繼之以清。清之不已。繼之以下。下之不已。則技窮矣。此爲自昔醫者之通病。有又可出。創達原一法。爲千古開一奇局。生白之說。吾以爲拾又可之緒餘耳。試觀其敍症曰。「濕熱症。始惡寒。後但熱不寒。汗出胸痞。舌白口渴不引飮。」與又可之「瘟疫初起。先憎寒而後發熱。嗣後但熱而不憎寒。……感之輕者。舌上白苔亦薄。感之重者。舌上苔如積粉。」殆無所異。蓋略作輕重之分而已。

師愚之解毒說　又可擅濕濁之疫。師愚擅熱毒之疫。雖同爲疫。而實則不同。故主張自異。其言疫症之體溫變化。曰「熱若難支。」曰。「徧體炎炎。」曰。「通身大熱。」曰。「面上燎泡。宛如火燙。」曰。「通身焦燥。」曰。「棄衣而走。」亦與又可所論者大異。此等體溫變化。細菌毒素之作用極烈。故非劑量如清瘟敗毒飮者。決難取效。專主以放造溫解說一切體溫之變化者。亦曾思及此耶。

鉄樵之生溫放溫說　調劑體溫。俱建築于生放溫上。而排斥細菌毒素爲亢進造溫之原因。曾一時流行于國醫論壇。最近先生又函授醫學。惜予未獲一讀函授講義。不知此種主張。有變更否。

求眞·淵雷、逸人之血毒說　在皇漢醫學中。求眞卽認有此說。因彼本爲西醫。研究自較透澈。淵雷先生在今釋中。尙處于懷疑態度。近著補遺。始下肯定之語。逸人先生著時令病及傳染病學。採中西俱納之主張。當然亦採入此說。血毒說在國醫學上。此後當能確定其地位。而在調劑體溫之藥理上。亦可撤去一重障礙。

九　調劑體溫之方法

內服調劑體溫之方法。大部已見于藥理篇中。且各書俱有詳細之記載。此處無複述之必要。此處所欲言者。乃最易令人遺忘之外治及特殊療法耳。

一、摩擦法　適用于局部之體溫不足。但因全身而起之局部體溫不足。亦可以此輔助之。如四支厥冷。輕者可用軟絨乾擦。重者可用燒酒擦之。

二、艾灸法　適用全身性體溫衰落。而不及投湯劑者。仲景曰。「下利手足厥冷。無脈者。灸之。」殆與灸氣海關元同法。危急之頃。不可不知也。

三、水潠法　仲景曰。「病在陽。應以汗解之。反以冷水潠之。若灌之。其熱被刼不得去。彌更益煩。肉上粟起。」此但言水潠之弊也。今亦少有用者。姑不詳述。

四、截法　國醫于各種熱病。惟瘧疾有截法。亦恆有驗。可認爲一種特殊之解熱劑也。

五、待期療法　小兒之變蒸（初生兒一過性熱 Transitorisches Fieber der Neugeborenen 頗似爲第一次變蒸）產後之蒸乳。（今說分娩後第三日。體溫概一度上昇。經一二日而下降）其熱皆自能復于常度。故不必施治。

離別依依書贈本屆畢業同學

朱殿

行將分別之本屆畢業各同學。夫中醫淪落。振興全仗少年。國粹保存。光榮希留後日。當此歐風澎湃。美雨輕狂。望西學而如飛。念國醫之不起。所以抗志之士。固宜相對欷歔。憂世之倫。莫不同聲惋惜。然而歌哭多情。槎枒無用。坐言而不能起行。觀敗而不能補救。如此之流。良可慨已。長茲以往。尙忍言哉。我等責無可逭。義不容辭。仁心仁術。溺已爲懷。救世救人。痌瘝在抱。長懷破浪。力挽狂瀾。莫因來日艱難。輕消壯志。縱使前徒險阻。勿滅豪情。振刷精神。亟圖努力。將數千年之神明學醫。戮力扶持。使四百兆之親愛同胞。齊心信仰。可知洋藥輸華。利權外溢。西醫賣國。家戶滅亡。挽救之責。究屬阿誰。彌補之方。要在我輩。應抱黃衫之俠骨。矢志不忘。追青囊之高風。素心莫改。此非獨鄙人之區區禱祝。亦師長之殷殷期望也。昔年西窗剪燭。歡添桃李門中。此日南浦魂銷。淚落芰荷香裏。相離在卽。情何以堪。賦別匪遙。誰能無感。聊贈數言。敬祝努力。敬祝努力。

朱　殿　六，二二，

瘧疾之中西概說及療法

潘 球

中醫學說

（原因）瘧疾一症四時皆有。而夏秋患此者最多。即經云夏傷於暑。秋必病瘧是也。蓋是症發生。皆緣夏令汗出當風。或浴時水氣侵於皮膚肌腠。因夏令人身汗孔疎洩。最易爲邪氣所侵入。「邪」字即病源體的解釋。加之炎暑蒸蒸。露天睡臥乘涼者。或受瘧蚊感染。以致衞氣不守。（即白血球失其抵抗之能力。）邪氣併居。待至此種瘧疾病源微生物長大。則有破壞赤血球而繁殖其種之可能。此破壞之時。即爲發熱之期。是以瘧疾由此作焉。

症狀潛伏期約一二星期。以致數星期不等。泰半皆視其人之體質如何而已。如素體衰弱者。當然抵抗力少。則發時較近。其體質強壯者。當然抵抗力亦大。則發作時亦較遠。當其邪正交爭。併于陰。則中外皆寒。併于陽。則外內皆熱。大抵邪傳陽分。則作日早。陷陰分。則作日晏。然該症發時。有隔一定之時間。有每日瘧。隔日瘧、四五日瘧不等。發作狀態。略述幾種如下。

甲　屬于六腑的瘧

1. 足太陽瘧。腰痛頭重。寒從背起。先寒後熱。熱止汗出。
2. 足少陽瘧。身體解㑊。不甚寒熱。見人心惕然。熱多。汗出甚。
3. 足陽明瘧。令人先寒。久乃熱。熱去汗出。頭痛渴飲。
4. 足太陰瘧。令人不嗜食。寒多。善噫。熱甚則渴。
5. 足少陰瘧。腰痛脊強。口渴。嘔吐。寒從下起。熱多寒少。
6. 足厥陰瘧。腰痛腹滿。小便不利。如癃狀。即數便意。此六經之瘧也。

乙。屬于五臟的瘧

1. 肺瘧。令人心寒。寒甚熱。熱間善驚。如有所見者。

2.心瘧。令人心煩甚。欲得淸水。反寒多。不甚熱。

3.肝瘧。令人面色蒼蒼然。(面色靑)太息。狀若死。

4.脾瘧。令人寒。腹中痛。熱則腸鳴。鳴已汗出。

5.腎瘧。令人洒洒然。腰脊痛。痛宛轉。大便難。手足寒。 以上五臟瘧。更有胃瘧列後。

6.胃瘧。令人善飢。而不能食。食而支滿。腹大。

丙 屬於六淫瘧的症狀

1.風瘧。由感風而得。其脈浮大。惡風。自汗。頭痛。

2.寒瘧。先寒後熱。脈緊盛。惡寒無汗。

3.暑瘧。脈象虛弱。熱熾煩寃。發必寒輕熱重。唇燥舌絳。渴喜涼飲。

4.濕瘧。脈虛緩。面浮身重。寒熱。骨節痛。腹脹滿。自汗。善嘔。舌白。苔膩。喜熱飲。

5.瘴瘧。寒微熱甚。有煩寃欲嘔之狀者。

6.溫瘧。但熱不寒。脈搏如常。惟有時暈。骨節煩疼。及泛嘔之象者。

7.牡瘧。但寒不熱。是其候也。

8.瘧母。因瘧久不愈。腹內結有硬塊者。緣卽脾臟腫大。爲瘧菌「病源微生物」疾灶之所在地也。

療法其症不一。要皆不外五臟六腑之病。故處方之製劑。必審其機能之衰減。或抗盛。及病體之強壯虛弱。脈搏至數之多少。病者之症候。必須詳加診察。有無遺疑之處。然後對症施治。之以瘧愈爲度。如初起瘧邪未淸。不可突於截除。免留後患復發。如風暑之邪。乃從外而入。宜解散之。解表後。卽宜扶持胃氣。故無汗者。要令有汗。散邪爲主。意卽驅逐瘧邪外達。有汗要令無汗。固正爲主。驟發之瘧。宜解表。久發之瘧。宜補脾。寒瘧宜溫。溫瘧宜和。瘴瘧宜淸。挾痰則行痰。兼食則消食。他如勞瘧宜安。暑瘧宜解。鬼瘧宜祛。瘴瘧宜散。此其治療法之大略也。又如汗出過多不止者。則宜與以酸斂之劑主之。至病後調理。如六君補中諸種製劑俱可自擇攝服也。凡瘧發寒熱往來口渴引飲時。必須飲以熱茶。或溫水。倘若不愼。誤飲生冷之物。非但其疾未愈。並有發生瘧母之可能。是宜戒也。

處方1.　小柴胡湯

藥品　半夏　人參　甘草　黃芩　姜棗

右方宜於初起少陽瘧疾。用法可加減主之。如有風暑者。須去人參。加風暑藥治之。挾有痰食者。則加化痰消食藥治之。寒者以溫治之。熱者以清治之可也。

2.　羌活黃芩湯加減

藥品　羌活　黃芩　陳皮　甘草　前胡茯苓　知母　如口渴可加　麥冬　石羔

右方宜足太陽瘧疾。

3.　竹葉石膏湯加減

藥品　竹葉　石膏　人參　炙草　半夏　麥冬　粳米　加姜煎　如痰多。可酌加橘紅。貝母。

右方宜於足陽明瘧疾。

4.　桂枝湯

藥品　芍藥　甘草　桂枝　姜棗

右方宜於足太陰瘧疾。如見寒多。善嘔。熱甚則渴。宜用此方加減。參入建中湯。建中湯。卽桂枝湯加飴糖。

5.　桂枝人參白虎湯加味

藥品　石膏　知母　甘草　粳米　再加人參　牛膝　鼈甲　桂枝

右方宜足少陰瘧疾

6.　三黃石羔湯

藥品 黃芩 黃柏 黃連 山梔 石羔 豆豉 麻黃

鱉甲牛膝湯

藥品 鱉甲 川膝 當歸 陳皮 柴胡 熱甚加麥冬。知母。口渴加花粉。

右二方宜於足厥陰瘧疾診斷時。宜先用三黃石膏湯。繼用鱉甲牛膝湯加減可也。

7. 肺瘧 宜用桂枝芍藥湯

藥品 芍藥加倍 桂枝 甘草 姜棗

8. 心瘧 宜用桂枝黃芩湯

藥品 桂枝 芍藥 甘草 黃芩 姜棗

9. 肝瘧 宜用四逆湯

藥品 附子 甘姜 甘草

10 脾瘧 宜用小建中湯橘皮散

藥品 芍藥 桂枝 生姜 甘草 棗 飴糖

橘皮散

藥品 橘紅姜汁浸煮。焙干。研末。棗湯下三錢。

11 腎瘧 宜用歸芍桂枝湯

藥品 桂枝 芍藥 甘草 姜棗 加當歸酒芍

12 胃瘧 宜用二陳湯。加枳壳。草菓。

藥品 茯苓 陳皮 半夏 甘草

13 風瘧 宜左方

藥品 紫蘇 白芷 川芎 鮮姜皮等

14 寒瘧 宜左方

藥品 桂枝 生姜 厚朴 草菓等

15 暑瘧 盛暑發者宜白虎湯加味。

藥品 人參 石羔 知母 甘草 麥冬 粳米

秋涼伏暑發者宜後方。

藥品 杏仁 貝母 花粉 黃芩 半夏 知母 青蒿等

16 溫瘧 宜洩熱滲溫審其症之重輕。如柴葛麸津等品。應絕對禁用。

藥品 黃芩 半夏 杏仁 川朴 橘紅 生姜 竹茹 麥冬 括蔞 枳殼

17 癉瘧 宜柴胡白虎湯

藥品 半夏 人參 甘草 姜棗 黃芩 石羔 知母 甘草 粳米

18 溫瘧 若係溫邪兼濕。宜用左方。

藥品 半夏 杏仁 蔻仁 滑石等 柴葛升 舉均非所宜

19 牝瘧 宜用柴胡桂枝湯

藥品 半夏 人參 甘草 黃芩 黃芩 桂枝 芍藥 姜棗

20 瘧母 宜用鱉甲飲子

藥品 鱉甲 白朮 黃芪 川芎 白芍 檳榔 草菓 厚朴 陳皮 甘草 姜棗 烏梅

除上諸瘧之用處方外。至於痰瘧則用袪痰劑。食瘧則養胃湯減參朮。瘴瘧則宜袪瘴滌痰。主以平胃散加減。疫瘧宜用達原飲。鬼瘧宜與升散營中之邪。內補則主以建中湯加味。勞瘧之宜補中益氣湯加味。諸如此類。恕不多述矣。至於治小兒瘧疾。泰平與大人同法。以出汗爲瘥。宜麻桂柴胡參苓等輩。又須視其病食病痰。以意消息之。大抵皆因飲食失節得之。總以消導爲先治法可也。

西醫學說：

原因 瘧疾的發生。据倍倫氏所發現。係一種瘧媒蚊。吾人倘經此蚊螫過後。即可發生這種病症。大凡患過這種病後。能常引起續發性。有至數十次不已者。人身既經此種瘧虫居留迨後。則是症作焉。

症狀 潛伏期約一星期。以至二三星期。其發作有隔一定時間。發作狀態。亦可分爲下述幾種。

1.平常瘧疾。初起一二小時。則猛烈惡寒戰慄。脈搏頻數。持續三十分或三十分鐘以上。過後即轉而灼熱。頭痛。眩暈。大渴。體溫達四十度以上。持續約五六小時。再後則發汗淋漓。諸症悉退。此症發作有每日熱。隔日熱。五六日熱不等。2.假面性瘧疾。症狀與平常瘧疾同。但持異之處。即爲起神經痛。嘔吐。胃痛。哮喘。眩暈。麻痺。痙攣。3.惡性瘧疾。於惡寒時。或發汗時。常起心臟麻痺。有至於死者。4.稽留瘧疾。即熱後不即發汗。繼續發熱。此在熱帶地方居多。5.瘧疾惡液質。即發作之時。皮膚呈污穢之土色。心悸亢進。呼吸促迫。慢性泄瀉。食慾不振。倦怠乏力。此外並有持徵。即發作時。脾臟腫大。赤血球中常有該種瘧虫寄生。

調治法 近今治此病之最有効力者。惟金雞納是賴而已。當於發之五六小時前。頓服本品一・〇。即一克。待發作之後。又須連服一星期。每日一次。每次〇・五。即半克。以消滅其原虫。可不復發。但惡性瘧疾。金雞納霜即無効驗。應用亞砒酸。或內服或注射。此外尤應注意飲食起居。安靜休養。以保其心臟及體力。

處方

藥品	用量	
1.鹽酸規甯	一・〇——一・五	上藥發作前六時頓服
白糖	二・〇	
2.硫酸規甯	一・〇——一・五	上爲五包發作前三時二時一時各一包

白　糖……二・〇　若發作時不明則朝午夕各一包

3.鹽酸規甯……一・〇　上爲五丸發汗前一點鐘頓服。

龍胆膏……適宜　次回則減至〇・五。

4.鹽酸規甯……一・〇　有虛肌之兆時以攝氏三七度温。

食　鹽……〇・〇五　注入於上肢靜脈內。

溜　水……一〇・〇

上列四種處方用於上述數種瘧疾。均可應用。惟惡性瘧疾用金雞納無効。則須用亞砒酸。其用法。或注射。或內服等調治法。已詳上。略至於患惡液質病者。則應用鉄劑牛乳等品。或移地療養。其預防法每日內可服鹽酸規甯〇・三。以避蚊之刺螫。

按本品製成後。爲白色針狀之結晶。味極苦。水中難溶。金鷄納的有効成分。就是雞尼內。雞尼地亞。新可尼內。新可尼地應等。可作強壯解熱藥。治療一般熱性諸病。尤其是治療瘧疾一症。更是西醫治瘧獨一無二的東西。不論何種瘧疾。概以該藥投之。且不辨夫瘧疾有寒、温、風、牝、久等之不同。以致誤投病症加重者有之。我國醫則不然。對於療治此疾。可謂是確有把握的。就是每種的瘧有每種的立方治之。如上述數種瘧症治療時。能將各方對症施治之。確能立奏功効。這是鄙人經驗過的。並非是誇口的話。譬如瘧疾這種症候。有寒熱平均的。有熱多寒少的。有寒少熱多。復見惡風的。我國醫則施以嚴密的診斷。及審慎的處方。倘瘧邪未清。則必與以祛邪藥治之。待邪盡後。復又再爲之診察。是否仍有瘧邪未盡。及轉變他症。果無他種症狀發生外。便可謂國醫之事畢。由是觀之。國醫之處方診斷。諸種手續。堪稱備矣。如東西醫治療上述幾種瘧疾。除惡性的瘧疾應用亞砒酸。及惡液質的應用鉄劑牛乳等品。或轉地療養外。其餘什麼的風瘧。寒瘧。牡瘧。温瘧等。則概以一味金鷄納霜治之。凡病輕者。亦有治愈。亦有病輕。每服每無效者。並且較之加重者。照這原因推測起來。就是一種的藥。決不能治多種病的緣故。也就是沒有把病症分清楚的緣故。所以寒瘧用。瘴瘧亦用。當然可以見効。爲何反見加重呢。殊不知金鷄納製劑。主要成分是鷄納皮。据曾覺溲曰。本草備要新增藥品金鷄納霜條下言其性辛熱透表。於寒瘧相宜。若虛寒之體。多日飯後服之。頗能助消化。如係溫瘧暑瘧等證服之。足有殺人之禍。由是觀之。該藥投於寒性瘧疾。倘取有効。若是一種但熱無寒的瘧疾。未有不至病症加重者。因爲瘧有寒、溫、風、牝等之不同。當然治法也有寒熱溫涼之各異。既如上述。金鷄納本品。祇於寒瘧相宜。也如瘴、溫、風、暑等瘧疾之不相宜。勿庸言論矣。此藥近日用者甚多。爲害甚烈。故持略而舉之。譬如療瘧的藥。只有一種。但是瘧的種類。把牠分晰起來。則有寒溫風牝等之不同。當然症情亦各異。如今都沒有把病症澈底的想起來。則曰金雞納霜能治各種的瘧疾。不亦大謬。

况寒虐服金雞納霜。卽雖暫時見効。均須服中藥。方能斷根。是本品卽對於寒虐。亦無完全奏効。可知矣。是故切盼世人審愼服用也可。

陸士諤曰。五臟六腑。皆能病瘧。故胆瘧有胆瘧之治。肝瘧有肝瘧之治。胃瘧有胃瘧之治。各有專方。絲毫不得假借。且每經之瘧。又分風、寒、暑、濕、燥、火六種。寒瘧有寒瘧之方。熱瘧有熱瘧之方。各有專法。絲毫不得假借。彼西醫僅恃金鷄納一二種藥。欲治上述數種瘧疾。其可得乎。（以上略參陸氏之言）

余謂納霜治法。惟少陽胆瘧。國醫以邪在半表半裏。主用小柴胡湯者。投以納霜丸。奏効頗速、若厥陰肝邪瘧。邪在血分而夜發。寒重則用四物湯加麻桂。以散血中之寒。熱重則用四物湯加柴芩。以散血中之熱。消息治之。其病自已。謂納霜能之乎。

若陽明胃瘧。邪入中脘而患溫熱。忌用柴胡升散。國醫必與暑溫濕溫等類。施以對症之方。而病始解。謂納霜能之乎。

他如單熱無寒而爲癉瘧。國醫必用白虎。三黃承氣。大泄熱邪而後解者。謂納霜能之乎。

又如單寒無熱而爲牝瘧。國醫必用桂、附、參、茸大補眞陽而始愈者。謂納霜能之乎。

究納霜之用。除小柴胡證外。不過能治一種時行傳染瘧而已。若患傷寒而久用之。必中毒而漸成勞瘵。患溫病而重

用之必邪陷心胞而死。由是可知本品之宜愼用也。（參醫界之警鐸意）

至於小兒瘧疾。凡在七歲以上之小兒。或每日或隔日。於一定之時間內。來反覆之戰慄。灼熱發汗三症。一切與成人無異。若在一歲未滿之小兒。則惟四肢厥冷。或全身痙攣。不起戰慄。僅微有蒸發。無淋漓之大汗。其發熱的時候。每變間歇熱爲弛張性。以其卽在不發熱時。亦稍稍發熱也。故與平常正規之反覆者大異。但脾臟之腫大。往往較早。且多變硬。皮膚與粘膜。俱現蒼白色。脚瘦削。而兼浮腫。由是每易脫力而死。如在輕症。尚屬不妨。其豫防法。最好莫如避低濕之處。而移居高燥之所。治當命其靜臥。用冰囊罨置頭部。時給酸性飲料。如欲截瘧。須以鹽規或硫規。製爲散劑。或製爲溶液。于發熱之四時。或六時前服之。如瘧止而脾腫未消。可將鹽規減半。繼續服之。至脾腫消散爲度。或雖用鹽規。仍時發時止。必不得已。可用亞砒酸加儞謨液。注射皮下。每次以一滴或兩三滴。大約數日至停止爲度。

馬援征武溪蠻時。軍中有生瘡者。以其傳染於蠻族。名曰虜瘡。明李時珍引以爲中國有痘疹之始。初不知名痘。故曰虜瘡也。然考明代以前各家之說。皆痘疹不分。且言痘者多。而言疹者少。至明呂坤氏始著疹科一書。至清代有痲科活人全書。痲疹密錄等專著出。治痘科者。始有所參攷。近代更將痘疹分析清楚。不容混合。可知馬援未征武溪蠻之前。中國國民之面孔。猶平整可觀。既征之後。國民每見有滿面裝花者矣。（平孫）

婦女帶下症治概論

劉民鑄

緒論

帶下一症。婦女患者至夥。諺有十桃九痓。十女九帶。可以知矣。是故爲女子者。不論年齡之老少。莫不罹之也。自此病之表面而觀。似屬尋常。並無不碍。但往往由帶下而成經病。由經病而致不孕。甚至營津枯涸。形容消瘦。及病既深久則成瘵。故帶之爲害。小而言之。爲虛勞之嗣之根。大而言之。爲弱種亡國之源。其與國家之存亡。民族之盛衰。實有莫大之關係焉。噫。東亞病夫原因雖多。斯症亦其一也。此愚草是文所以刻不容緩耳。按近世婦人。於此多不注意。恆因患者多而生忽視之心。因其忽視而病日深。亦不施治。間有服藥者。又輒投止濇之品。以求速效。夫治病不求其本。不去其根。一味止濇。是係治標辦法。甯有效乎。且婦人執性偏。幻嫉妒之心倍勝丈夫。衞生之道。亦甚忽略。故此頑固性之帶下。决非一朝一夕所能救濟也明矣。雖然。病者於未病之前。苟能有充分之攝養。醫者於既病之後。更施以精密之治療。則審症當明。施治自易。何患病之不除哉。今不揣淺陋。略述本症之病原。症狀。治療。預防等項。臚列于后。俾社會人士得有所參考焉。倘望醫林諸君有以教我。則幸甚矣。

病源

清王士雄云。「帶下女子生而卽有。津津常潤。本非病也。但過多則爲病。……」斯言誠不誣也。蓋婦女平素所下之黏液。乃生理上固有之分泌。以防禦細菌之侵入。且有撲滅細菌之能力（惟對於淋菌則無抵抗力）故無所謂病也。待其分泌過敏。則爲病矣。考是症之起原。前賢診斷。各有見地。推聚訟紛紜。莫衷一是。如孫思邈之主風入脬絡。張景岳之主脾腎兩虛。劉河間之主濕熱。朱丹溪之主濕痰。議論旣入異途。用藥不免偏向。也愚以爲此症多由於子宮有病而起。其顯著之原因約有四種。一爲思想意淫。室女尼姑寡婦等患之居多（此言貞孀之女。浪漫者則不在此例。）每當情竇方濃之際。心之所愛。永永不忘。所願不遂。悒悒于心。日復一日。鬱結不解。則心氣不開。脾氣不化。且思想無窮。相火終必熾盛。心不開則不能生血。脾不化則不能統血。心既不能生血。脾又不復統血。更安能受相火之剷伐哉。故以此而帶下者。比比然也。二爲婦女過淫。合歡無度。色情太深。耗費精神。陰道過於倦乏。遂失其括約能力。於是不能攝納而下泄矣。妓女及有夫之婦。淫慾無節制者。犯之爲多。此卽景岳所謂太逐者是也。三爲分娩。後未及復元。卽行房事而成帶下者。蓋因產後營衛俱虛。復加相火不戢。壯火食氣。氣弱則帶生矣。四爲不潔之交。由其夫與不潔之婦交接而成白濁。因之傳染於其妻。或與已染白濁之女子同用浴布而得。此名爲白濁性帶下。病勢最重。調治較難。至身體衰弱。先天不足。素體濕熱之女子。亦恆患之。其他如月經不調。父母傳染。或聽動情之言。或閱淫蕩之書。或局部衞生不加注意。其次如沸水浴。興奮劑。手淫。便堅。患痔。早婚。晚婚。及家務操勞。心力交瘁。生育過繁等。均爲最易引起此病之原因也。

症狀

夫帶下者。卽各種稀薄及濃厚之粘液。由陰道口而流出也。在病之輕者。流出之液如水。病之重者。流出之液如膠。其量無一定。其色亦有種種之不同。或純白色。或帶黃色。或帶綠色。或帶淺紅色……故前賢有五帶之名。而患者以赤白帶爲多。病之始也。概爲潛進期。或作或止。恆不介意。故亦無所苦也。入後愈流愈多。漸覺神疲力乏。頭暈目花。顏色憔悴。腰痠肢輭。月經不調。胸滿不舒。胃納日滯。記憶日鈍。陰戶自覺發炎。少腹亦感拘急。于此若不速治。勢必輕者變重。重者轉危。可不愼歟。迨年久不愈。精液日涸。內風旋動。口苦咽乾。心悸少寐。足脛浮腫。下焦虛冷。日晡發熱。煩燥不甯。于是發痙發厥。妄見妄言。病若至此。已成不治。良可慨也。至於白濁性帶下。則稍有異焉。其初起陰中微癢。兼覺快美。先流黏液。二三日後。陰腫且痛。卽下白色膿樣之物。不能交合。待半月後。漸次減輕。甚至完全消失。然毒菌永久潛伏其間。一遇機緣。卽肆其毒力而復發。旋止旋現。治愈殊覺困難也。

治療

此病之原因。既有上述之不同。若言治療方法。當亦隨之而各異。故爲醫者。須精思細察。識透心理。燭照燃犀。見微知著。方無不治之疾。若徒以無情之草木。醫有情之心病。其能奏效者幾希。是以在臨症之時。除切當治療外。務必嚴囑病者。鎭靜腦筋。清潔陰戶。節制房事。講究衞生。然後下藥。方得中肯。按帶病可分虛實二種。新病實者多。久病虛者多。理固然也。凡新病而實者。可以通因通用。久病而虛者。可以塞因塞用。故同一病也。其治療則大相逕庭。不可膠柱鼓瑟。可知矣。如思想意淫。心火不靜者。治當淸火。可用淸心蓮子飲。加味逍遙散之屬。如心氣虛者。可用硃砂安神丸。直指固精丸之類。因慾事過度。滑泄不固者。治宜固攝爲主。當以秘元煎。固陰煎等與之。產後氣血並虛者。治須補益。當以八珍湯。七福丸等投之。體素羸弱。先天不足者。可服六味丸。腎氣丸。等濕熱下注者。可進清白散。解帶散等。他如血虛內熱者。主以柴芩四物湯。肝火濕盛者。主以龍胆瀉肝湯。脾虛濕盛者。可用加減勝濕丸。下焦虛寒者。可用桂枝附子湯。久遺成白崩者。既濟丹。斷下湯。均可主之。若治白濁性帶下。總不外清泄濕毒。其毒重者。宜九龍丹神效琥珀散。如純係相火之毒而成者。則先投中黃。中白。蒲公英。歸芍之屬。繼之以銀花。連翹。草梢。滑石之流。土茯苓。杜牛膝等。總宜視其毒之輕重而施之。至于五苓。八正。萆薢分清等散。雖均爲治濁套方。然見效之處。亦能立竿見影。不可視爲平淡無奇而忽之也。若帶下淋漓不止。排量極多。每沿內股而下流。致其下部發生濕疹而糜爛者。必賴洗滌之法。使毒菌不留。收效始易。否則傳染他人。爲害尤厲。其藥宜殺虫解毒爲主。如蛇床子。苦參子。土茯苓。金銀花。生草。明礬等品。煎湯熏洗。如西藥之石炭酸。水楊酸。來蘇水。硼酸。昇汞等。亦可借用也。茲將本文所用之方及普通常用之劑。謹錄於下。以供採擇。

1. 清心蓮子飲 局方 治憂思抑鬱。而致帶下者。（藥品）石蓮。人參。黃芪。茯苓。柴胡。黃芩。地骨皮。車前子。麥冬。甘草。

2. 加味逍遙散 見不謝方 治暴怒傷肝。血海沸熱。而成赤帶。（藥品）白朮。歸身。茯苓。白芍。丹皮。香附。柴胡。山梔。青皮。炙甘草。薄荷。

3. 硃砂安神丸 東垣方 治心神煩亂。發熱。怔忡不寐等。（藥品）淨硃砂。酒炒黃連。炙甘草。生地、當歸。

4. 直指固精丸 直指方 治腎虛有火。精滑。心神不安。（藥品）黃柏。知母。牡蠣。龍骨。蓮蕊。芡實。山萸。遠志。茯苓。

5. 祕元煎 景岳方 治遺精帶濁等病。專主心脾。（藥品）遠志。山藥。芡實。棗仁。茯苓。炙草。人參。五味子。金櫻子。

6. 固陰煎 景岳方 治陰虛滑泄。氣陷不升。帶下不止等。專主肝腎。（藥品）人參。熟地。山萸。遠志。炙草。五味子。菟絲子。

7. 八珍湯 局方 治氣血兩虛者。（藥品）熟地。歸身。白芍。川芎。人參。白朮。茯苓。甘草。

8. 七福丸 景岳方 治氣血俱虧。而心脾爲甚者。（藥品）人參。熟地。當歸。白朮。炙甘草。棗仁。遠志。

9. 六味丸 錢乙方 治腎水虧損。先天不足者。（藥品）熟地。黃山茱萸。山藥。丹皮。澤瀉。茯苓。

10. 腎氣丸 金匱方 治腎虛之體。能補腎益精。（藥品）熟地。山藥。山萸。丹皮。澤瀉。茯苓。附子。肉桂。

11. 清白散 濟陰方 治濕熱下注之白帶。（藥品）當歸。川芎。白芍。熟地。黃柏。貝母。乾姜。甘草。樗根皮。

12 解帶散 濟陰方 治血氣不調。濕熱白帶。四肢倦怠。五心煩熱。痰鬱嘈雜。（藥品）歸身。香附。白芍。白朮。蒼朮。茯苓。陳皮。丹皮。川芎。玄胡索。甘草。

13 柴芩四物湯 海藏方 治血虛內熱。口苦。脉弦、心煩。而帶下者。（藥品）當歸。白芍。熟地。川芎。柴胡。黃芩。

14 龍胆瀉肝湯 東垣方 治脾經濕熱而起帶下者。（藥品）龍胆草。澤瀉。生地。木通。車前。當歸尾。山梔。黃芩。甘草。柴胡。

15 加減勝濕丸 見不謝方 治脾虛濕重。下注成濁帶者。（藥品）蒼朮。白芍。滑石。枳殼。甘草。茯苓。椿根皮。陳皮。黨參。

16 桂枝附子湯 金匱方 治下焦虛寒。風濕相搏。身體疼煩。（藥品）桂枝。附子。生薑。大棗。甘草。

17 旣濟丹 見不謝方 治帶下久不止。變成白崩者。方以固濇爲主。（藥品）鹿角霜。石菖蒲。煅龍骨。煅白石脂。益智仁。當歸。茯苓。遠志。山藥。

18 斷下湯 見不謝方 治衝任氣虛。暴崩久漏。及經脉不調。並帶下三十六疾。（藥品）黨參。烏賊骨。阿膠。熟地。當歸。醋炒艾葉。川芎。炮姜。

19 九龍丹 正宗方 治魚口。便毒。橫痃。及因白濁而有帶者。（藥品）木香。乳香。沒藥。孩兒茶。血竭。巴豆。

20 神效琥珀散 準繩方 治淋濁之方。白濁性帶下亦可用。（藥品）琥珀。桂心。滑石。大黃。冬葵子。膩粉。木通。磁石。研末。燈心。葱白煎湯下。

21 五苓散 仲景方 此方爲行水總劑。濕熱下注。致成白濁帶下者。可服之。（藥品）白朮。澤瀉。茯苓。肉桂。豬苓。

22 八正散 寶鑑方 治小便赤澀。淋閉不通。（藥品）瞿麥。萹蓄。車前子。滑石。草梢。梔子。木通。大黃。

23 萆薢分清飲 直指方 作思慮過度。精濁相干。而白濁者。（藥品）石菖蒲。萆薢。草梢。烏藥。益智仁。茯苓。

24 補中益氣湯 東垣方 治勞役過度。飲食不節。損傷脾胃。以致陽氣下陷。白帶不止。（藥品）黃芪。人參。甘草。白朮。陳皮。當歸。升麻。柴胡。生姜。大棗。

25 完帶湯 傅氏方 治濕熱盛而患白帶者。（藥品）白朮。山藥。人參。白芍。蒼朮。甘草。陳皮。柴胡。車前子。黑荆芥。

26滲濕消痰飲 丹溪方 治濕熱痰積。滲入膀胱。白帶不止者。（藥品）白朮。蒼朮。半夏。橘紅。茯苓。白芷。香附。甘草。

27側柏樗皮丸 尊生方 治七情所傷。白帶下者。（藥品）側柏葉。白朮。白芷。樗根皮。香附。川連。黃柏。

28震靈丹 魏夫人方 治婦人氣血不足。崩漏。帶下。虛損。子宮寒冷無子。（藥品）禹餘糧。石赤脂。代赭石。紫石英。硃砂。乳香。沒藥。五靈脂。研末。糯米粉打糊丸。愣腹醋湯下。

預防

語云。當未雨而綢繆。毋臨渴而掘井。故善治國者治未亂。善治病者治未病。帶下之預防。即治帶之未病也。凡婦女欲免帶下纏綿終身之苦。須於平時。鍛鍊身體。修養身心。節制房事。勤潔陰戶。飲食起居。加以注意。如物之有刺戟性者。勿宜入口。一切妨礙衛生之行動。如手淫。妄想。善怒。工愁。亦應摒除。更如居住宜高爽。空氣宜流通。過於勞心勞力之事。尤宜戒絕。若能遵守上說。充分修養。庶免自蹈危途。即已病後。而能遵之。亦可得事半功倍之效也。

結論

帶下爲頑固之疾。治愈匪易。前已論之矣。推其原。無他。故實一般病者無信仰心耳。蓋擇醫既定。當一心聽從。不可輕易更換。一劑不效則二劑。二劑不靈則三劑。三劑不動。然後另行延聘。亦未爲晚。若躁急無恆。朝換夕更。勢必不救。其尤宜注意者。即嚴守禁忌。若一面服藥。一面犯禁。則所得不償所失也。至業醫者。宜割股爲懷。痌瘝是抱。轉變靈活。勿拘成法。如上述之治療。不過梗概而已。隨症增損。尤在臨時之變通。所謂當溫者溫之。當清者清之。應補則補之。應利則利之。宜升則升。宜澀則澀。循序徐進。整本清源。若胸有成竹。可以百無一失矣。

或謂古來以五色帶下。分屬五臟。汝既知其名。而不論其詳。得毋掛漏乎。愚曰。是言出於陳自明。所謂「傷肝經色如青泥。傷心經色如紅津。傷肺經形如白涕。傷脾經黃如爛瓜。傷腎經黑如衃血」云者。乃不知生理。不悉病理。而牽強附會之談。其實未必盡然。且斯亦不過濕濁之變化而已。若拘泥於色青傷脾。色紅傷心。色白傷肺。色黃傷脾。色黑傷腎之說。而施以各經之藥。則不啻刻舟求劍也。愚實不敢信。故略而未述。

痿症論治

劉受和

論總

天地間萬物。無不以水火二氣爲主宰。卽人身形體百骸。亦皆賴水火二氣以爲調養。苟一氣偏盛。則疾病遂以叢生。而痿病一症爲尤甚。痿者委也。猶草木之失於灌溉培養。或偏於燥濕。則枝葉傾垂。根本雖尙未損傷。然久而不加養育。則枯槁之態立見。痿症亦猶是也。觀內經痿論篇。固知五臟之痿。俱傷於熱。蓋偏盛於火。火盛則水衰。眞陰竭。筋膜被灼。而成痿矣。若水火二氣平調。津液四佈。如草木之得陽和雨露。潛滋暗長。自有欣欣向榮之象。又安有痿症之患哉。

原因

夫痿症之病有二。一爲枯痿。一爲痿軟。枯痿之症。其病在肺。是燥氣爲之其原起於陽。明之陰陽。痿軟之症。其病在脾。是熱氣爲之。其原起於少陽之火盛。若少陰之腎水治於內。腎水充足。則必不致盜母氣。而陽明之土不遽燥。太陽膀胱之水治於外。膀胱之水充足。則必不致竭脾經。而少陽之火。亦不遽炎。因思內經治痿之法。獨取陽明。其理概可想見矣。夫陽明者。統胃與大腸而言也。胃爲營衞之主。水穀所化。津液所從出。亦津液所由徧佈也。大腸爲燥氣之本。木火下轉。肝與大腸相通。肝胆之汁下流。淸濁之物所由分也。倘胃竭津液。則肺失所養。燥氣上逆。而其病則爲枯痿。又或腸竭津液。而熱無出路。水熱交鬱。而其病則爲痿軟。故治法以此爲本者。當救陽明之津液。胃陰足。則肺有所賴。而降令下行。腸陰足。則脾無所壅。而轉樞自捷。而痿可癒也。此略擧其大綱耳。至若推究其源。雖致病之緣由不一端。其綱領則可總而爲二。一則由于汗吐下之傷陰枯痿。一則由于濕熱內鬱。閉其排洩之路。營衞滯濇。致成濕熱痿軟。經云。精則養神。柔則養筋。無津必燥。燥則筋膜必縮。窮其究竟。則害歸於肺。有濕必着。着則筋膜必脹。至於鬱極。則害歸於脾。肺爲水之上源。三焦爲水之道路。肺熱則水源竭。下不足以濟腎。上不足以抑肝。三焦之水道枯。則相火熾矣。又何能輸精於肢體。行氣於玄府。又何以通調水道。下輸膀胱乎。故降水交陰。升水化陽之功用兩失。則發爲皮痿。脈痿。骨痿。筋痿者也。金匱云。或從汗。或從嘔吐。或從消渴。小便利數。或從便難。被快藥下利。而得熱痿是也。脾爲水之中區。胃外之水氣停。則胃中之穀氣困矣。決不能灌溉四傍。運行四肢。其何以分清濁。運精微。故穀鬱氣滯。濕鬱熱瘀。交滯經絡。故發爲肉痿。弦縱。內經稱曰。濕熱不攘。大筋軟短。小筋弦縱。短軟爲拘。弛長爲痿。是痿症之原由。其大要實在於此。因無庸舍此而別求其病因也、

治法

欲求治病之法。必先求其主病之經。得其致病之由。然後可以言治。內經曰。治痿獨取陽明。然陽明主潤宗筋。宗筋主束骨而利關節者也。此主病之經、金匱曰。誤汗吐下。傷津液而成痿。又傷寒論曰。過汗吐下。經脈動惕。久而成痿。此致病之由也。然尤有進者。三焦主全身之筋膜。濕熱亦易困于肌腠之間。內經稱濕熱不攘。大筋軟短。小筋弛縱。軟短爲拘。弛長爲痿。由此觀之。是痿症不獨取治陽明。致痿不獨傷津液矣。故治法又須分兩途。傷津液者。則獨取陽明。以潤澤其枯槁。經脈潤。則熱除。傷筋膜者。須取少陽。以疏通其濕熱。濕氣行。則熱化。潤之之法。如花粉。天冬。麥冬。阿膠。生地。元參。知母。玉竹。沙參。石斛。石羔。牛膝。白芍。龜板。牡蠣之類近是。疏法。如木通。絲瓜絡。桑枝。桑皮。黃柏。續斷。支子。茵陳。滑石。冬瓜仁。枇杷葉。竹葉。竹茹。蘆根。陳皮。川木瓜之類近是。且又有從本源中之本源以求治者。如五行和生相尅之義。如土生金。金生水之法。潤陽明者。多用潤肺之藥。清金以生水也。少陽之原出于腎。係膀胱爲腎之外府。腎陰不足。小水不利。而濕不行。濕不行。則熱被鬱。三焦爲決瀆之官。決瀆失司權衡。由于腎關閉閤。水氣不升。故治少陽。多用堅腎陰。生腎水之藥。壯水以抑陽光。水精四佈。筋節暢遂。治痿之道。其庶幾乎。此治痿之大略也。然既知痿之由來。並治痿之方針。要當詳細分別。素問痿論曰。五臟能使人痿。有爲肺痿。有爲肝痿。有爲腎痿。有爲心痿。有爲脾痿。今將五臟之痿。別爲內因之痿。舉其情狀。並列方藥如左。

內因之痿病狀與方藥

「肺痿」。痿之爲病。始於太陰肺熱葉焦。無津液以滋養經脈。毛悴皮枯。筋脈動惕。其脈浮濇。故足痿不用也。當以清燥救肺湯。或桑菊飲。桑杏湯。麥冬玉竹湯主之。咳嗽聲嘶。吐涎沫。脈虛數者。桔梗湯。炙甘草湯。或清燥救肺湯主之。

「肝痿」。肝主筋膜。肝痿之病。手足抽蓄牽引。如中風狀。甚則經脈動惕。夜睡驚跳。惡聞人聲木聲。手足消削。脈弦而濇。此皆肝痿之候。可以獨活寄生湯。或白頭翁加生甘草白芍阿膠湯主之。

「腎痿。」腎主骨髓。腎痿之病。腰不可俯仰。膝脛足牽引。足蹗肉消。足跟不能履地。尤忌房勞泄精。眞陰虧。必筋惕肉瞤。當以知柏八味地黃湯加牡蠣。連鬚主之。虎潛丸去干羌亦主之。

「心痿。」心主血脉。心痿之病。心氣熱而下脉厥而上。上則下脉虛。虛則生脉痿。樞折挈脛縱而不任地也。當以獨活寄生湯加遠志麥冬大生地主之。

「脾痿。」脾主肌肉。脾痿之病。由胃乾口渴。肌肉不仁。則肌膚甲錯。手足不便。身重難轉移。或枯縮不收者。可以温病條辨之新加增黃龍去黃硝湯主之。或玉竹麥冬湯主之。

以上五則。既列其病狀。並開具方藥。不過聊擬治法。然仍當隨症變通。以求盡善。而五臟之痿。其色之見於外者。亦自有別。岐伯曰。肺熱者色白而毛散。心熱者色赤而絡溢。肝熱者色蒼而爪枯。腎熱者色黑而齒槁。脾熱者色黃而肉蠕動。此五臟之痿。別其色。則爲以定治五臟之方針。是不可不加研究也。夫內因之痿。既爲見其來由。而外因之痿。與誤治之痿。又不可不詳加討論也。再將外因與誤治之痿。略陳其症治如左。

外因傷津與誤治傳變之痿

「風溫。」因風溫溫熱而致痿者。或由誤汗傷腠理之津。誤吐傷胸膈之津。誤下傷大腸之津。始則筋肉惕瞤。繼則足脛消削。終則筋膜枯縮。在上成爲肺痿。在中成爲肉痿。在下成爲骨痿。均分上中下治之。其主要則在救陰堅陰兩法。在上者主以炙甘草湯。在中者主以新加黃龍湯去黃硝。在下者主以虎潛丸。均可隨時加減。

「秋燥。」秋燥之痿。不由誤治。係由熱鬱傷肺胃之陰而成。或熱或咳。足脛腫。兩膝筋絡牽引而痺。行動則筋緊引痛。五汁飲合增液湯主之。或玉女煎亦主之。

「傷寒誤治。」傷寒脉浮。自汗出。小便數。心煩。微惡寒。脚攣急。誤服桂枝湯攻其表。服後。便厥。咽中乾。煩燥。吐逆。作甘草乾羌湯復其陽。厥愈足溫。更作芍藥甘草湯。復其陰。其脚卽伸。

「誤治傳變。」傷寒吐下後。發汗。虛煩。脉微。八九日心下痞硬。脇下痛。氣上衝咽喉。頭目眩冒。經脉動惕者。久而成痿。以附子湯加桂枝當歸續斷主之。

「勞痿。」一勞動傷津。筋失所養。耗氣損血。以致經血不和。肢體疼痛。口乾舌燥。乍寒乍熱。其脉虛數弦濇。以舒筋活絡方主之。久而氣虛不能導血脉。血虛不能榮養經絡。關節枯澁。筋骨軟弱。屈伸强硬。不得柔和。步履艱難者。虎濳丸主之。

舒筋活絡方　服後盡酒以醉以行藥力

杜仲　延胡　當歸　川芎　牛膝　陳皮　羌活　獨活　枳殼　紅花

「麥積痿。」一嗜欲不節。過食辛熱之品。飲酒過度。熱聚胃府。火流大小腸。上薰肺臟。積日彌久。外蒸肌肉。瘀熱內停。焦骨灼筋。血燥膜縮。津液難復也。益胃湯加葛花花粉茅根主之。玉竹麥湯加枳實山楂肉陳黃米黃芩黃連亦主之。

痿之情狀。業已粗舉其概。至於脉息有宜不宜。經曰。脉浮大易醫。沉細難治。蓋痿之爲病。其脉浮大。是邪猶在外。尚未深入。故曰易醫。若其脉沉細。則邪氣深入。正氣衰微。難於痊可。嘗有因此而殞其生者。亦有纏綿數載。而沉疴不起者。和學識淺陋。未獲升堂。難窺奧妙。姑就此開略陳管見。是否有當。伏乞　高明大加藻斧。幸甚幸甚。

千金方萬病丸散門載耆婆萬病丸。而未詳其所自。按耆婆爲印度古代醫聖。日本銓木眞海曾爲之作傳。其母名婆羅跋提。爲當時第一美人。而以賣笑爲業者也。因鍾情於婆迦陀國沙瓶王之王子（無畏王子）而亂。不意即炳麟千古之醫聖耆婆也。生當紀元前六世紀時。詳見四分律藏中。　社

風

魏平蓀

夫大塊噫氣則爲風。風者瀰漫旁礴。隨氣候之寒溫。時令之變遷而轉移。故生萬物者風也。害萬物者亦風也。若草木之榮姸。固被春風之歊而生。害禾稼之蟊賊。亦由春風之和而動。洎乎秋令肅殺之風起。萬物又因之而僵仆。其生其殺。風實宰之。人爲萬物之靈。何能例外。經謂風爲百病之長者。豈虛語哉。

西醫論病因生於蟲。而不曰風。中醫言風。而不曰蟲。實則二說。兩相暗合。蓋蟲不能自生。必因空氣之腐敗而滋蔓。虫不能自入人體。又必因風力之播送而傳宇。故風字從蟲。頗有深意在焉。由此可知所謂賊風邪風者。莫不有微生蟲寄生其間。西人細菌之說。固未可厚非。特中醫言其因。而西醫言其果耳。

內經風論篇曰。風者百病之長也。說者謂百病皆生於風。吾因有所惑焉。如七情中之大怒傷肝。大喜傷心等症。豈亦由於風乎。吾謂六淫病由於風則可。七情症因於風則不可。或原有七情之內傷。復加以外感於風者。可也。蓋風爲百病之長一語。乃指大多數病因而言。不可一概論也。

經謂東方生風。風木。木生肝。他則以寒暑濕燥火以應之。而不曰風。蓋因春日之氣。動則爲和煦之風。爲風之正也。至夏氣秋氣冬氣之流動。則風有所變性。而不能一概曰風。故必假寒暑濕燥火以區別之。然各氣之流動。終歸於風。是故諸病中之寒中暑中等症。莫不賴風爲媒介。故論以中風爲主。他症附之。

經曰。腠理閉拒。雖大風苛毒。莫之能害也。可知邪之所湊。其氣必虛。

又曰。風之傷人也。或爲寒熱。或可熱中。或爲寒中。或爲癘風。或爲偏枯。或爲風也。或內至五藏六府。是謂眞中風。

若金匱所云。夫風之爲病。當半身不遂。或但臂不遂者。此爲痺。脉浮而大者曰風。脈微而數者。中風使然。

又云。寸口脉浮而緊。緊則爲寒。浮則爲虛。虛寒相搏。邪在皮膚。浮者血虛。絡脈空虛。賊邪不瀉。或左或右。邪氣反緩。正氣卽急。正氣引邪。喎僻不遂。邪在於絡。肌膚不仁。邪在於經。卽重不勝。邪入於府。卽不識人。邪入於藏。舌卽難言。口吐涎。

綜上所觀。莫不由氣虛血衰。營衛不調。腠理不密所致。而邪風干之也。

然中風有內外二因之分。外因中風。卽傷寒論太陽病。發熱汗出惡風脈緩之桂枝症。是也。內因中風。乃卒然昏倒。口眼喎斜。言語蹇澀。痰涎壅盛等症。西名腦充血是也。

桂枝症由外感風寒。皮膚疏鬆。汗腺弛緩。用桂枝湯以調和營衛。達邪斂汗。往往覆杯而愈。此外感之輕症也。

腦充血症多由膏梁厚味。嗜慾過度。營血虧損。不能養肝。以致肝火迫血上衝於腦。腦之血管破裂。于是重者傾命于跌仆之際。輕者癱瘓于床褥之間。內經所云。血之與氣。并走于上。則為大厥。厥則暴死。氣復反則生。卽指此也。

至金匱所云。脉脫入藏則死。入府卽愈。是以症之輕重分藏府。由斯以觀本病之險惡。亦可見一斑矣。

前賢論此症。意見頗不一致。且專於類中。用專眞中之說。仍不失乎仲景之旨。

劉河間之言曰。中風癱瘓者。非謂肝木之風實甚而卒中之。亦非外中於風。良由平日飲食起居動靜失宜。心火暴甚。腎水虛衰。不能制之。則陰虛陽實。而熱氣怫鬱。心神昏冒。筋骨不用。而卒倒無知也。

按河間之論。是以火為立說。

李東垣氏又以氣為立說。謂有中風者。卒然昏憒。不省人事。痰涎壅盛。語言蹇澀。六脈沉伏。此非外來風邪。乃本氣自病也。凡人年逾四旬。氣衰之際。或憂喜忿怒。傷其氣者。多有此症。壯歲之時無有也。若肥盛者。亦間有之。形盛氣衰故也。

按東垣之論。當為類中。據張石頑氏之按語云。縱有風邪。亦是乘虛而入。是東垣之說。亦復有眞中之可能。以其氣虛。風邪得以乘襲。況氣在天為風。在人為氣。風氣本為一體。氣虛而風寒其俞。則不得為類中矣。

朱丹溪之言曰。人有氣虛。有血虛。有濕痰。左手脈不足。及左半身不遂者。四物加姜汁竹瀝。右手脈不足。及右半身不遂者。四君子加姜汁竹瀝。

按丹溪之論。與其治法。又以痰為立說。然綜觀以上三家之說。雖意有所偏。要皆各具至理。

至張石頑氏則以丹溪所主滌痰法。立言雖平正。治疾多不效。謂治偏枯之病。法宜從陰引陽。從陽引陰。從左引右。從右引左。若一味攻擊其風痰死血是相引喪亡而已。（的是確論。）

張景岳謂類風之多痰者。悉由中虛而然。痰即水。其本在腎。其標在脾。治痰而不知實脾堤水。非其治也。（尤有灼見。洵足補諸子之不及。）

至喻嘉言氏則以陽虛邪害空竅爲本。風從外挾入身中素有之邪。或火。或氣。或痰爲標。（的是公平語。）

按喻氏之論。悉取各家之說。隨中風之原因而定。挾氣者治以開鬱。挾火者治以清火。挾痰者治以豁痰。虛者補。實則攻。挾濕者從而利之。若斯乎庶俾來者。無拘泥執一之弊也。故審其爲風則從內經。審其爲氣爲火爲痰則從三子。因症施用。不必較量于彼此之間。此在醫者之隨機應變也。

大致中風。當分眞、類、脫、閉、與中藏、府、中經絡、之別。眞中應以仲景之說爲主旨。類中可以各家之說爲參攷。尤須以喻氏之說參攷爲決斷。如繆仲淳氏。以地氣之異。而明眞類中風之所由出。未免過泥地氣之分。若執從其說。吾恐治將僨事。

繆氏云。眞中風多見於西北方。以土地高寒。風氣剛烈。若正氣素虛。每易卒中。此眞中外來之風邪也。類中多見江南。以土池卑濕。人質柔脆。多熱多痰。陰虛生內熱。津液煎熬而成痰。偶或觸動。每致僵仆。此血虛所生之風也。

按繆氏此說。非無卓見。但以多數言則可。若謂南方無眞中。北方無類中。斷斷以爲不可也。況今交通便利。南北素相往來。而人之生活環境。各有不同。即以本方人論。南方豈無正氣空虛之輩。北方無痰多熱盛之人也哉。

脫症者。脈絕不至。手撒口開。眼合遺尿。呼吸鼾聲。頭搖目竄。氣喘長吁。汗出如珠。痰聲如拽鋸。筋痛肉脫。髮枯直等症。

閉症。然以上見象。惟手指握固。牙關緊閉。人事不省等症。

中藏。則神昏不語。唇緩涎流。中府。則昏不知人。便溺阻隔。

中經。則左右不遂。筋骨不用。中絡。則口眼喎斜。肌膚不仁。

以上皆辨症之大法。明乎此。則治法可迎刃而解矣。

眞中風。治以散風邪爲急。補養氣血次之。類中風。治以潛陽平肝爲主。養血滋陰助之。

脫症。屬不治。治當以益氣固脫爲主。急進獨參湯。或可挽回。閉症。以開竅爲主。烏梅擦牙。通關散吹鼻。取嚏通竅。

中經。宜順氣搜風。中絡。宜活血袪風。

中府。宜宣竅導痰。加亦合香丸。中藏。宜上法。加牛黃淸心丸。

以上乃治法之大概也。然風之爲病。善行數變。病態萬端。症治繁多。殊難一一備舉。若能勤求金匱風引湯。侯氏黑散之方義。與前賢所立諸言之精粹。而神明之。變化之。則治中風一症。庶得其端倪乎。

按中風二字。爲風病之總名。詞症候在輕重之分耳。如風痧。風疹。風寒。咳嗽。頭痛。等症。此皆中風之輕症。治但去其風也可愈。故又名曰傷寒冒風。如歧伯所謂之風痱。風懿。風痺。偏枯。等症。此四者。誠爲中風之重症。故風痱之重者。則不可治。風懿之重者。則七日死。如風痺與偏枯。俱可致人於殘廢。爲望愈尤所難能。是故歷來諸家。認中風之難治。推爲百病之首也。

經謂風寒客于脈而不去。名曰癘風。按癘風卽俗謂之大痲風症。又名惡疾。此症在我國已有悠久之歷史。見淮南子云。（冉牛爲厲。）一語。可知孔子弟子。（伯牛有疾。子問之。自牖執其手。曰。亡之。命矣夫。斯人也。而有斯疾也。）試想昔日孔子。對伯牛之歎惜情形。此症之惡劣。可想見矣。自周以降。患斯症者。頗不乏人。漢之文學家王仲宣。患斯疾。醫聖張仲景。曾預言其四十歲當眉脫。二十年後必亡。後果如其言。而卒。唐代四傑中之盧照鄰。以患惡疾。曾棄家學佛。斯症之厲。亦可慨也夫。

經謂風與太陽俱入。行諸脈兪。散諸分內之間。與衞氣相干。其道不利。故使肌肉膹䐜而有瘍。衞氣有所凝而不行。故其肉有不仁也。

按經言。則癘風無一定之現症。隨風邪所湊。而呈一種實質之症狀。蓋爲一切形諸外者之風症。

其原因多由氣血虛損。腠理不密。或酒後房勞沐浴。或登山涉水。外邪侵入。以致衞氣相搏。濕熱相併。血隨火化。而成斯疾。可知癘風一症。固原因不一。現症亦隨之各異。且富有傳染力。每患斯疾。初僅局部。終可遍游一身。甚至有折手斷足之慘。無怪乎昔日。知名之士。因斯疾而看破紅塵也。

若首風。酒風。漏風。泄風。勞風。內風。等症。固爲普通疾病中所罕見。亦歷代醫賢所寡云。及按酒風與漏風泄風三症。其義有如一體。

原因不外風襲玄府。衞氣不收。致汗流如注。至勞風云云。乃屬於廣義之名詞。任何勞傷症。風邪皆有直中之可能。以其體虛。風易乘機襲入。亦無一定之現象。隨症情而轉變也。經謂新沐中風。則爲首風。一說爲全身沐浴時。而得此症。蓋新沐時。腠理鬆疎。風邪自衞陽而入。上擾淸空。以致頭痛。而不能出內者。見風則畏也。一說爲僅沐其頭。而得此症。然總不外毛竅疎開。而風方得乘隙而入也。或有未得風邪之中。亦患此症者。蓋爲腦虛所致。且首爲諸陽之會。腦虛則諸陽空行其間。陽氣有所沸騰。而無實力以抵禦。故其頭痛如破。時作時止。甚爲終身之患。此心力過勞者恆見。按內風一症。即夾陰傷寒之一類。研究者頗不乏人。治得其效者。則寥寥無幾。且病者每不肯直言。醫者復妄發其汗。致陰陽兩脫。每致無救。經又無症狀之詳訓。僅言其原因而已。

如風溫。風瘧。風濕。風火。風燥等。風爲尋常之見症。按風火風燥二風。火較燥爲稍重耳。如症火牙痛風火眼等症。即風火現症之類。以火性上炎。故每病諸淸竅。若大便燥結。口乾欲飮等症。爲風燥現症之類。病每主內而不形諸外也。否則乃爲火症耳。如風溫與風瘧。乃時令病之二症。與夫冬傷於寒。春必病溫。夏傷于暑。秋必痎瘧之說。逈異。風溫症。爲春令氣候之寒風不一。因外感風邪。呈咳嗽發熱有汗之現症。故名曰風溫。與伏邪溫病。略有不同。風瘧症。見於夏秋之間者多。即長夏之時。亦因氣候之寒溫失常。故現症寒少熱多。頭疼自汗。悉爲風邪之外襲。故有風瘧之稱。是與伏邪之痎瘧有異也。至風濕之爲病。實則濕爲主症。風爲外候。現症一身盡痛。治療去風則易。去濕則難。故仲景謂但微發其汗。則風濕俱去。考其治方。發汗中。必加利濕之品。否則雖微發其汗。恐仍與濕無關也。

是故風之爲病。輕者愈不見功。重則頑固異常。其善行數變。尤爲人所莫測。故聖人避風也。避矢石者。良有以也。

本院現況

本院由王一仁秦伯未嚴蒼山許半龍章次公諸先生所創辦。時爲民國十六年至十九年。歸由國醫公會設立。經由殷受田包識生郭柏良諸前院長之努力。院務日漸發展。不幸一二八變作。各校停頓。本院自難例外。且以地處南市。損失甚鉅。國醫公會爲貫澈其培植人才之宗旨起見。指派執委朱鶴皋主持院務。負籌劃經濟及院務之全責。並聘薛文元爲院長。蔣文芳爲教務主任。朱鶴皋兼訓育主任。黃寶忠爲事務主任。海上名醫都被延爲實習及講堂教授。人才之盛。冠絕一時。於是來學者日益增多。本學期特闢春季始業班。實行雙軌制。各級學生總數達二百五十人之譜。公會鑑於學院有長足之進展。自當鞏固其基礎。完善其組織。促其格外猛晉。爰於本學期將含有維持性質之主持處撤消。仍委朱鶴皋爲主席院董。組織院董會。以謀健全。並定其服務期間五年。俾得從容籌劃自建院舍及醫院。一面指示增加院舍及公開經濟辦法。從此前途希望。益見濃厚。茲將本院現在教職員及歷屆畢業生在院學生等姓氏分類開列於下。

本學院現任職員一覽表

姓名	任職	籍貫	履歷
薛文元	院長	江蘇	上海市國醫公會常委歷任上海市中醫試驗委員前全國醫藥總會常委
朱南山	名譽院長	江蘇	上海市國醫公會常委上海市國醫分館董事
蔣文芳	副院長兼教務長	江蘇	上海市國醫公會執委兼祕書處主任歷任上海市中醫試驗委員全國醫藥總會常委兼祕書主任全國中醫學校教材編輯委員會主事
朱小南	副院長	江蘇	前任上海市國醫公會監察委員

本學院現任教授一覽表

姓名	科目	籍貫	履歷
朱鶴皋	總務處主任兼訓育主任	江蘇	上海市國醫公會執委前全國醫藥總會執委財政科主任
黃寶忠	兼事務主任兼會計	江蘇	上海市國醫公會執委兼庶務科主任前全國醫藥總會執委兼庶務科主任
章鶴年	訓育員	江蘇	本學院畢業
夏周秋	女舍監	江蘇	蘇州惠靈中學畢業曾任安徽公學教員
張廉卿	附屬醫院駐院醫士	浙江	上海中醫專門學校畢業
倪鼎謀	文牘兼書記	浙江	前任全國醫藥總會文書
蔣有成	事務員	浙江	國醫公會庶務
陳鍾靈	書記	江蘇	曾任江陰教育局書記
陳冲漢	庶務	江蘇	曾任通泰海菸酒公賣分稽徵所主任
巢馥棠	配劑員	江蘇	
朱志林	配劑員	江蘇	

姓名	科目	籍貫	履歷
丁福保	講師	江蘇	前北洋大學教授
謝利恆	講師	江蘇	前中醫大學校長
祝味菊	講師兼實習教授	四川	前景和醫科大學教授歷任上海國醫學院教授
方公溥	講師兼實習教授	廣東	中央國醫館理事暨上海市國醫分館董事歷任本學院教授
秦伯未	講師兼實習教授	江蘇	中央國醫館名譽理事上海市國醫公會審查科主任歷任本學院教務長上海市中醫試驗委員

本院現況

姓名	職務	籍貫	履歷
費通甫	講師	江蘇	歷任本學院及中醫學院教授
包識生	內科學金匱經方教授	福建	中央國醫館理事前本學院院長歷任神州醫科大學校長上海市中醫試驗委員
許半龍	外科雜病醫案喉科教授兼實習教授	江蘇	歷任中醫大學中醫專校上海國醫學院教授
唐亮臣	實習教授	江蘇	上海市國醫公會執行委員
俞岐山	實習教授	浙江	歷任本學院眼科教授
李遇春	實習教授	廣東	
黃寶忠	實習教授	江蘇	本學院事務主任世界紅萬字會寶山分會醫院醫士
包天白	內科學傷寒脈學解剖教授兼實習教授	福建	上海市國醫公會執委佛慈診療所所長歷任本學院及中醫專校教授
盛心如	實習教授	江蘇	上海市國醫公會執行委員歷任本學院教授
謝也農	實習教授	江蘇	潮州和濟醫院醫士
魏承經	實習教授	浙江	
丁伯安	實習教授	江蘇	廣益善堂醫務主任
吳伯溪	實習教授	浙江	
趙寶夫	實習教授	江蘇	聯義善會醫務主任
沈重廉	實習教授	江蘇	上海中醫學院教授
沈夢盧	實習教授	江蘇	
馬濟仁	實習教授	江蘇	仁濟善堂醫務主任
王潤民	病理常識方劑醫史論文教授	江蘇	歷任本學院教務長暨上海國醫學院教授
章巨膺	溫病教授	江蘇	歷任上海國醫學院教授

姓名	職務	籍貫	履歷
朱壽朋	傳染病傷科婦科教授	浙江	前仙居縣衛生委員會主席仙居縣立時疫診療所所長上海醫界春秋編輯
沈石頑	病理暨治療教授	浙江	上海中醫專門學校畢業昌明醫藥學社主任
吳克潛	兒科暨生理教授	浙江	歷任上海市中醫試驗委員醫藥新聞報主筆
沈嘯谷	國文論文教授	江蘇	歷任上海育材中學教員南通濟生施診社醫務主任
葉信誠	解剖教授	浙江	東南醫學院畢業上海瞿直甫醫院醫務主任
景芸芳	藥物教授	江蘇	本學院畢業歷任本學院教授上海國醫分館董事
張贊臣	診斷教授	江蘇	中央國醫館名譽理事醫界春秋社主席歷任本學院教授
喻仲標	黨義教授	江西	
張劍雄	西醫外科教授暨實習教授	浙江	上海紅十字會第三醫院醫師
張廉卿	施診所指導	浙江	本學院附屬醫院駐院醫士
薛文元	實習教授	江蘇	本學院院長
朱南山	實習教授	江蘇	本學院名譽院長
朱小南	實習教授	江蘇	本學院副院長
蔣文芳	時方教授兼實習教授	江蘇	本學院副院長兼教務長
朱鶴臯	時方教授兼實習教授	江蘇	本學院訓育主任
章鶴年	醫經教授	江蘇	本學院訓育員兼中國醫藥社編輯

中國醫學院組織系統表

- 上海市國醫公會
  - 院董會
    - 中國醫學院院長
      - 院務會議 總務處
        - 研究院
          - 院務會議
            - 各科研究組
        - 事務處
          - 事務會議
            - 齋務股
            - 庶務股
            - 會計股
            - 文牘股
        - 訓育處
          - 訓育會議
            - 稽核股
            - 監察股
            - 指導股
        - 教務處
          - 教務會議
            - 繕印股
            - 圖書股
            - 註冊股
        - 各種委員會

歷屆畢業生姓氏錄

（以姓氏筆劃多少爲次序）

第一屆畢業生民國十八年七月

姓名	性別	籍貫	通訊處
汪汝椿	男	江蘇青浦	上海小西門學潔里十三號
余鳳智	男	廣東台山	廣州市麻行街新中醫學會
吳國鈞	男	江蘇無錫	上海法界愷自爾路裕福里三號
郜家驪	男	江蘇溧水	揚州沙鍋井
姚錫韓	男	浙江永康	永康瑞生當轉
馬師贊	男	廣東順德	廣州南關大巷口九號
徐八龍	男	江蘇嘉定	嘉定西門
陳中權	男	江蘇崐山	崐山南城河岸三號
張友琴	男	江蘇川沙	浦東川沙小灣鎮
張漢傑	男	江蘇南匯	浦東祝家橋張氏瘋科醫室
許莘耕	男	江蘇宜興	宜興徐舍慶豐號
景芸芳	女	江蘇太倉	上海小西門黃家闕路久安里三號
錢公白	男	江蘇奉賢	奉賢南高橋
韓國鏞	男	江蘇海門	海門麒麟鎮治昌興
顧應龍	男	江蘇川沙	浦東川沙小營房張長順號轉

顧兆奎	男	江蘇崐山	崐山北栅灣
黃彝鼎	男	江蘇江陰	常陰沙毛竹鎮黃信泰號
謝斐予	女	江蘇武進	上海山東路一九八號

第二屆畢業生 民國二十年六月

姓名	性別	籍貫	通訊處
王孟圓	男	江蘇松江	松江東門外明星橋西首四八號
方逢道	男	福建建甌	福建建甌縣府二一號
方毓麒	男	浙江蘭谿	龍游城內大南門轉
史學海	男	江蘇溧陽	溧陽東門黃裕大號轉埭
沈逢介	男	江蘇上海	上海浦東三林塘三山堂藥號
辛元凱	男	吉林永吉	吉林省城西關新街辛宅
岑冠華	男	浙江餘姚	上海赫德路葆生堂藥號
季鳶朋	男	江蘇阜甯	阜甯西新溝鎮季合興交
姚汝元	男	江蘇無錫	無錫東墅
胡樹百	女	江蘇嘉定	上海南市豆市街厚德里四號
徐梓材	男	江蘇上海	上海戈登路七一三號
唐景熙	男	江蘇上海	上海老北門唐志鈞醫室
高翥	男	吉林永吉	吉林省城糧米行成德堂
商復漢	男	浙江淳安	浙江淳安縣縣前街七號

程金麟	男	江蘇溧陽	溧陽東門經史館巷三號
傅永昌	男	江蘇上海	上海光啓路後傅家街四四十號
楊澹然	男	江蘇南匯	上海小北門外崇德坊一號
楊忠信	男	福建台灣	台灣台中州大甲郡梧棲街楊宅
葉炳成	男	江蘇江陰	無錫華市
葉瑞鼎	男	福建南灣	廈門泉州山頭城社壇鄉
董學富	男	浙江江陰	上海新閘路大通路斯文里一二三九號
劉壽康	男	江蘇無錫	上海高昌廟半淞園路劉養和藥號
賴達五	男	浙江甯海	甯海北鄉橋頭胡鎮濟生堂藥號
鄭俊	男	江蘇常熟	常熟大河鎮

第三屆畢業生民國二十一年七月

姓名	性別	籍貫	通訊處
王世開	男	江蘇興化	江蘇興化安豐
王菊芬	女	江蘇上海	上海南市花衣街王利川老宅九八號
史鴻濤	男	吉林德惠	吉林德惠張家灣站永和泰
朱天祚	男	江蘇松江	松江東門外三九號
何通森	男	福建台灣	台灣台中州大屯郡西屯莊上石碑
林鼎宏	男	廣東潮陽	香港九龍城舊差館後龍津書院二樓
俞維藻	男	江蘇吳江	震澤轉嚴墓

姓名	性別	籍貫	通訊處
唐處中	男	江蘇丹徒	上海南車站轉運公會後二九號
殷家振	男	江蘇吳縣	蘇州大柳貞巷殷氏傷科醫室
章鶴年	男	江蘇如皋	如皋丁堰
陳穎貞	女	廣東順東	上海虹口北江西路桃源坊新門牌一一八號
溫碧泉	男	山西介休	山西介休蒜市巷六號
馮伯賢	男	浙江慈谿	上海新開河南首潤大海味行
楊興祖	男	江蘇松江	松江[illegible]魚衖楊醫寓
劉達志	男	廣東台山	廣州台山水步榮市合源號
顧允士	男	江蘇吳縣	崐山角直下塘朱醫室

第四屆畢業生 民國二十二年六月

姓名	性別	籍貫	通訊處
王宏綬	男	江蘇鎮江	鎮江諫壁鎮龍嘴村。
王靜芳	女	江蘇鎮江	鎮江諫壁鎮前王九皋轉
王川岳	男	廣東揭陽	廣東汕頭揭陽南門外吳豐源杉行轉
宋正湘	男	四川威遠	四川自流井龍合鎮郵轉
沈濟民	男	江蘇上海	上海浦東洋涇鎮沈壽康藥號
沈煥章	男	浙江餘姚	浙江餘姚梁弄瑞隆號
周健齡	男	廣東潮陽	上海民國路方浜橋永利押
林百樂	男	廣東潮陽	香港九龍城舊差館後龍津書院二樓

姓名	性別	籍貫	通訊處
倪宣化	男	四川威遠	四川自流井龍金鎮郵轉
徐亦仁	男	浙江甯海	上海蒲柏路貝勒路口家庭醫藥顧問社
徐文灼	男	江蘇沭陽	清江浦高家溝廣茂堂藥號
徐竹岑	男	浙江常山	上海西門蓬萊路安樂坊二〇號
徐維炳	男	江西瑞昌	江西瑞昌荊林街徐玉成號
徐志勉	男	江蘇宜興	宜興屺亭橋諸仁康
陳洪範	男	廣東廣州	上海漢口路二三二號姚佐頓大藥房
陳承謨	男	福建南安	厦門泉州詩山杏塘·
陳汝奎	男	福建龍巖	厦門龍巖白土衛生堂
陳伯華	男	廣東揭陽	汕頭同平路松發號
張富仁	男	江蘇青浦	青浦南門文昌宮後
張宗璿	男	浙江杭縣	上海法租界黃河路六合里九號
黃席豐	男	廣東揭陽	汕頭揭陽河婆仁濟堂國藥號
黃鼎譔	男	浙江江山	浙江江山秀峯
陶乃文	男	江蘇江甯	上海法租界南陽橋新樂里
葉學爵	男	江蘇松江	楓涇楊家橋
楊則徐	男	江蘇常熟	常陰沙南興鎮楊德興旅棧
鄭開明	男	廣東潮安	廣東汕頭潮安西平路關帝宮巷吟巖別墅
劉鴻湛	男	廣東中山	上海北四川路東海寧路恆善里元化藥房

劉子開	男	江西吉安	湖南坡子街文玉金號
蔣稚階	男	四川銅梁	四川重慶三教堂巷三號
錢公玄	男	江蘇上海	上海淡水路一號
盧鴻志	男	江蘇泰縣	泰縣北門外一泰烟莊轉西石羊
龐鶴鳴	男	江蘇鎮江	鎮江諫壁西街
蕭熙	男	江西南城	上海施高塔路四達里一三二號

第五屆畢業生 民國二十三年六月

姓名	性別	籍貫	通訊處
王以文	男	浙江麗水	浙江麗水廈河仁和堂
王輝中	男	江蘇上海	上海浦東洋涇鎮二五八號
方道淵	男	浙江黃巖	浙江黃巖北門頭張復興橘行轉
朱華谷	男	江蘇青浦	江蘇青浦觀音堂鎮鳳溪醫室
朱雲達	男	江蘇江陰	江陰北門外同興里十四號
汪少成	男	浙江鄞縣	上海東熙華德路一〇〇弄廿五號
李冰妍	女	廣東中山	上海北四山路橫浜路四十號
李雨亭	男	廣東台山	廣東台山石龍頭萬和堂
沈宗吳	男	江蘇吳江	平望西塘街
沈鳳翔	男	浙江嘉善	上海牛莊路益豐里
林廷光	男	廣東揭陽	汕頭杉街新編十三號

姓名	性別	籍貫	通訊處
林學光	男	廣東潮陽	暹羅曼谷越迪前一九〇〇號林兩成號轉
周桂庭	男	湖南長沙	湖南長沙大東茅巷七十七號
金樹樂	男	浙江杭縣	杭州烏龍巷二四號
姜冠南	男	山東蓬萊	上海法租界永安街利太昌行
韋　冠	男	廣西邕寧	廣西永淳南陽墟益生號
袁鎮洪	男	江蘇沭陽	江蘇沭陽高溝太和春號轉
袁鵬汀	男	江蘇海門	江蘇海門悅來鎮
陳份平	男	福建福清	福建福清東張鎮尙里小學校轉
陳周鑑	男	福建福清	福建福清東張上里
陳耀華	男	福建惠安	廈門南猪行一二號
許鏡澄	男	廣東普寧	暹羅曼谷安南巷一三六九號許科元醫室
黃毓芳	男	廣東台山	廣東台山大亭市源昌
張仲侯	男	廣東潮陽	汕頭潮陽港頭鄉明新學校
張秉煌	男	江蘇如皋	如皋油坊頭迻太陽廟立發一校
項廷陞	男	浙江湯溪	浙江湯溪洋埠協成號轉上陽
楊國祀	男	江蘇啓東	江蘇啓東永興鎮
楊滌園	男	江蘇江陰	江蘇常州北門外篁村鎮周維新號轉
劉民鑄	男	江蘇靖江	江蘇靖江東門外城河沿
劉受和	男	廣東中山	上海北四川路新祥里二十四號

黎年祉 男 浙江湯溪 浙江湯溪羅埠郵政代辦處轉伍家圩振豐南貨號

潘公俟 男 福建浦城 浙江衢州轉浦城大北門十二號

魏平孫 男 江蘇興化 江蘇興化英武橋

各級學生名錄

三年級生

陳學文 章翼方 孔保寅 陳華年 虞尙仁 杜榮生 馬石銘 俞南山 陳奎 傅家樂 王德香 胡克仁

張射 周焜云 彭覺民 張嘉卉 陳金秀 石壬水 周文穆 任啓生 江海峯 王樂成 張逸桐 胡靜安

沈耀先 魯六華 陳向榮 許永鵬 周行 顧琇 鄭鉄民 傅雪梅 蔣景鴻 沈琴初 張仲勳 應祖彭

顧伯明 沈邦榮 許道根 王家琪 沈俊 謝瑜 王公遠 陳夢白 董曼仙 汪繡云 曹桂鳳 鄧衍豐

王叔平 姚天農 錢椿壽 王君毅 冼伯衡 翁澄宇

二年級生

邵亮東 許兆璿 陸敎儀 費龍玉 趙文貞 張秀杭 張克瑾 李其光 歐克仁 馮芝洲 金筱茅 王盤纓

邱允珍 汪家煊 卓騰國 阮秦明 劉行芳 許小彭 沈松林 金慰慈 夏子鈞 郭曉雲 朱榮南 沙杜揆

桂士瞿 桃士林 章國華 程達云 陳洪海 馬芝馨 吉星耀 王雲峯 楊崇 邱傳芳 楊浩觀 陳其珊

楊禮通 劉國輔 沈珩 沈璡 竺獨還 楊澤瑾 許紹周 王吟竹 周效寅 胡克恭 黃寒柏 胡惠康

楊治平 孫鳳皐 沈寶善 蔣鴻英 胡倩霞 薛定華 吳振流 吳有才 陳贊禮 周彩鳳 章叔賡 王東山

郁昌祖 陳鳳翔 馬云翔 宋國楨 王名藩 施慶麟

秋季一年級生

吳　成　林普仁　林君德　瞿金生　關鼎漢　林仲璋　吳本倫　周學淵　水康民　王輝華　余嘉治　馮瑞龍

葉培根　張桊根　嚴文通　曹國鈞　歐陽雄揮　王瑞虹　陳章華　王同森　朱駿逸　漆永霖　梁振千　卞月英

高振華　萬慶臣　何玉成　劉野佛　楊濟華　宋菊仁　黃兆海　王太眞　吳竹天　丁尉能　施瑞芝　張白如

徐公愚　顧小達　李懷芝　朱亦豐　馬欽伯　梁邦治　葉　暄　黃仲彬　王　道　姜爲亞　何爲白　卓書傭

陳去弱　李馨芳　張曉白

春季一年級生

湯宗堯　張　龍　黃俊賢　胡家揚　曹淦泉　倪天爵　程明儒　徐德俊　白錫麟　陳長珍　方六書　陳天民

蔣滋行　張　鵬　傅忠彝　黎玉麟　凌　梅　秦永才　邵華軒　陳達人　葉毓山　袁守祥　范蔭祖　晏齊勳

朱　庸　錢惠民　林拜行　程岳松　陶啓慧　朱一洗　金儲之　邱石如　張樹藩　施作林　錢行素　俞增新

黃禮庵　王綱常

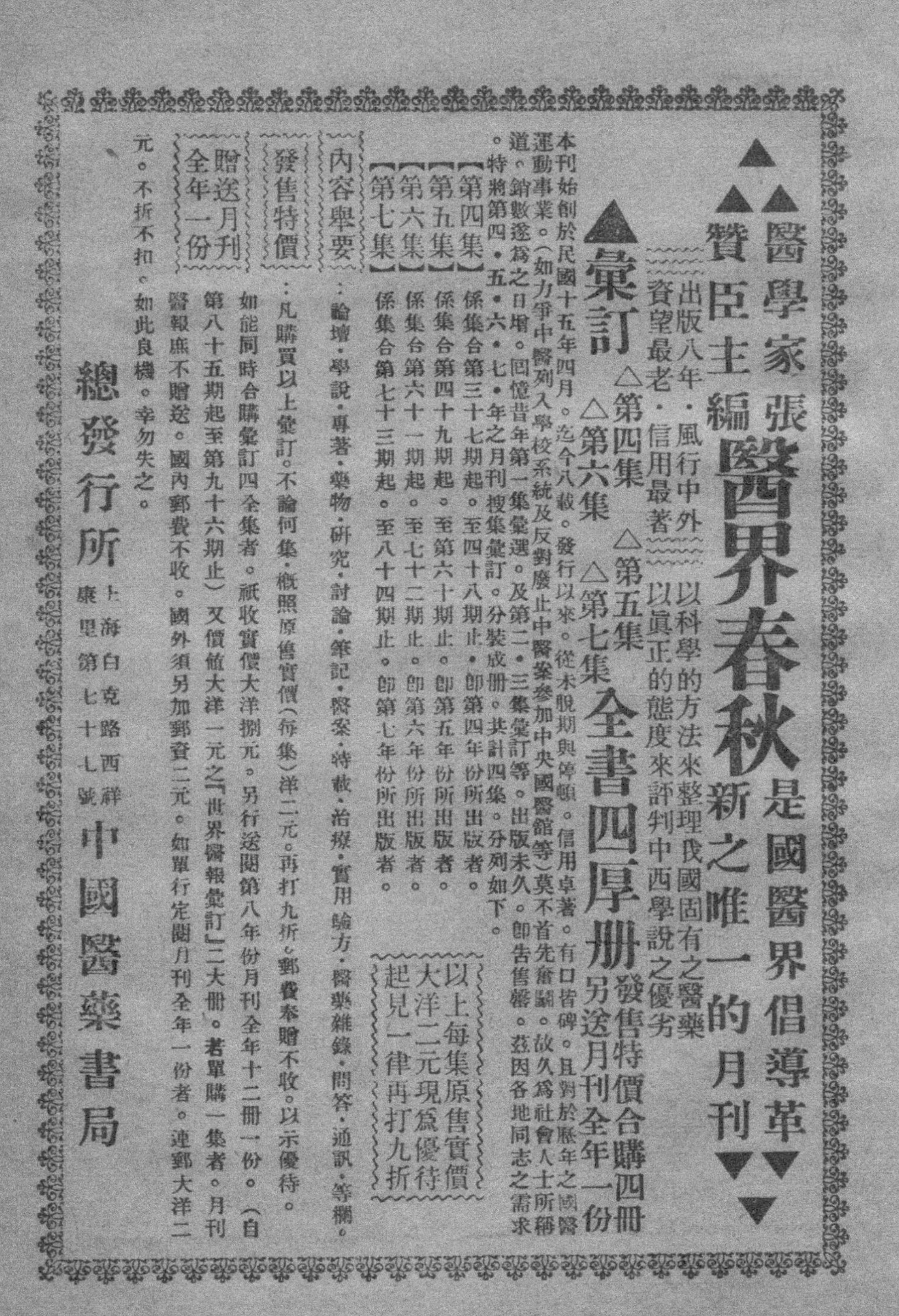
▲醫學家張 ▲贊臣主編
醫界春秋
是國醫界倡導革新之唯一的月刊▼
出版八年・風行中外 資望最老・信用最著
以科學的方法來整理我國固有之醫藥 以眞正的態度來評判中西學說之優劣
▲彙訂 △第四集 △第五集 △第六集 △第七集
全書四厚冊 發售特價合購四冊 另送月刊全年一份
本刊始創於民國十五年四月。迄今八載。發行以來。從未脫期與停頓。信用卓著。有口皆碑。且對於歷年之國醫運動事業。(如力爭中醫列入學校系統及反對廢止中醫案參加中央國醫館等)莫不首先奮鬬。故久爲社會人士所稱道。銷數遂爲之日增。回憶昔年第一集彙選。及第二・三集彙訂等。出版未久。即告售罄。茲因各地同志之需求。特將第四・五・六・七・年之月刊搜集彙訂。分裝成冊。共計四集。分列如下。
【第四集】係集合第三十七期起。至四十八期止。即第四年份所出版者。
【第五集】係集合第四十九期起。至第六十期止。即第五年份所出版者。
【第六集】係集合第六十一期起。至七十二期止。即第六年份所出版者。
【第七集】係集合第七十三期起。至八十四期止。即第七年份所出版者。
以上每集原售實價大洋二元現爲優待起見一律再打九折
【內容舉要】:論壇・學說・專著・藥物・研究・討論・筆記・醫案・特載・治療・實用驗方・醫藥雜錄・問答・通訊・等欄。
【發售特價】:凡購買以上彙訂。不論何集。概照原售實價(每集)洋二元。再打九折。郵費奉贈不收。以示優待。如能同時合購彙訂四全集者。祇收實價大洋捌元。另行送閱第八年份月刊全年十二冊一份。(自
【贈送月刊全年一份】第八十五期起至第九十六期止)又價值大洋一元之『世界醫報彙訂』二大冊。若單購一集者。月刊醫報應不贈送。國內郵費不收。國外須另加郵資二元。如單行定閱月刊全年一份者。連郵大洋二元。不折不扣。如此良機。幸勿失之。
總發行所 上海白克路西祥康里第七十七號 中國醫藥書局

·白　页·

中國醫學院第五屆畢業紀念刊

中華民國二十三年七月一日出版

定價大洋壹元

編輯者　中國醫學院教務處

上海租界區北河南路老靶子路

發行者　中國醫學院事務處

電話四一一五四號

上海卡德路一五三弄四號

印刷者　大方印務局

電話九五六二二

代售處　各大書局

本學院招收二十三年度秋季始業一年級男女新生五十名秋始三年級插班生五名秋始二年級春始一年級各級插班生十五名即日開始報名

資格 中學畢業或有相當程度者插班生如有轉學證書或證明文件免試入學

手續 (1)填寫履歷書(報名單可向本學院領取或函索)(2)呈驗畢業證書或其他證明文件(3)繳納考試費一元(錄取與否概不發還)保證金五元(錄取在學費內扣除不取發還)(4)最近四寸半身照片一張

辦法 將上開手續備齊送交本院招生委員會

試驗科目 秋一級攷試國文者一級插班加試藥物醫學常識秋二級插班加試傷寒病理秋三級插班加試金匱

攷期 每星期日上午舉行

開學 九月一日

章程函索附郵票七分

院址 上海公共租界北河南路老靶子路口二百四十二號洋房五路公共汽車十四路無軌電車六路七路五路有軌電車均可直達

中國醫學院招生委員

上海公共租界老靶子路五七二號

電話四一一一五